AS MULHERES
DO NAZISMO

Wendy Lower

AS MULHERES DO NAZISMO

Tradução de Ângela Lobo

Título original
HITLER'S FURIES:
GERMAN WOMEN IN THE NAZI KILLING FIELDS

Copyright © 2013 *by* Wendy Lower
Todos os direitos reservados.

Nenhuma parte desta obra pode ser reproduzida no todo ou em parte sob qualquer forma sem a permissão escrita do editor.

Edição brasileira publicada mediante acordo com
a Houghton Mifflin Harcourt Publishing Company.

Direitos para a língua portuguesa reservados
com exclusividade para o Brasil à
EDITORA ROCCO LTDA.
Rua Evaristo da Veiga, 65 – 11º andar
Passeio Corporate – Torre 1
20031-040 – Rio de Janeiro – RJ
Tel.: (21) 3525-2000 – Fax: (21) 3525-2001
rocco@rocco.com.br
www.rocco.com.br

Printed in Brazil/Impresso no Brasil

preparação de originais
VIVIAN MANNHEIMER

CIP-Brasil. Catalogação na fonte.
Sindicato Nacional dos Editores de Livros, RJ.

L953m	Lower, Wendy
	As mulheres do nazismo/Wendy Lower; tradução de Ângela Lobo. – Rio de Janeiro: Rocco, 2014.
	Tradução de: Hitler's furies
	ISBN 978-85-325-2899-5
	1. Nazismo. 2. Alemanha – Política e governo – 1933-1945. I. Lobo, Ângela. II. Título.
14-09299	CDD–943.086
	CDU–94(430)'1933/1945'

Para minhas avós,
Nancy Morgan e Virginia Williamson,
minha mãe,
Mary Suzanne Liljequist,
e minhas irmãs,
Virginia Lower e Lori Lower

SUMÁRIO

Personagens principais 8
Introdução 13
A geração perdida de mulheres alemãs 27
O Leste precisa de você 44
Testemunhas 89
Cúmplices 111
Perpetradoras 134
Por que elas matavam? 159
O que aconteceu com elas? 182
Epílogo 215
Agradecimentos 221
Notas 225
Ilustrações 285

PERSONAGENS PRINCIPAIS
Testemunhas, Cúmplices, Assassinas

INGELENE IVENS, professora primária de Kiel, enviada para Poznan, Polônia

ERIKA OHR, enfermeira do vilarejo de Stachenhausen, na Suábia, filha de um pastor, enviada para um hospital em Zhytomyr, Ucrânia

ANNETTE SCHÜCKING, estudante de direito de Münster, bisneta do conceituado escritor Leon Schücking, filha de um jornalista e político do Partido Social-Democrata, enviada como enfermeira para um lar de soldados em Novgorod Volynsk, Ucrânia, e para Krasnodar, Rússia

PAULINE KNEISSLER, enfermeira de Duisburg, na Renânia, nascida em Odessa, Ucrânia, emigrada para a Alemanha no fim da Primeira Guerra Mundial, enviada para a Polônia e para a Bielorrússia

ILSE STRUWE, secretária do subúrbio de Berlim, foi com as Forças Armadas alemãs para a França, Sérvia e Ucrânia

LISELOTTE MEIER, secretária da cidade de Reichenbach, na Saxônia, perto da fronteira da Alemanha com a Tchecoslováquia, enviada para Minsk e Lida, Bielorrússia

JOHANNA ALTVATER, secretária de Minden, na Vestfália, filha do supervisor de uma fundição, foi para Volodymyr-Volynsky, Ucrânia

SABINE HERBST DICK, secretária do quartel-general da Gestapo em Berlim, formada numa escola *Gymnasium*, foi para a Letônia e Bielorrússia

GERTRUDE SEGEL LANDAU, filha de um comandante da SS, secretária do quartel-general da Gestapo em Viena, serviu como voluntária em Radom, Polônia, e em Drohobych, Ucrânia, esposa de Felix Landau, líder do esquadrão *Einsatzkommando* e chefe da Gestapo

JOSEFINE KREPP BLOCK, datilógrafa, que trabalhou no quartel-general da Gestapo em Viena e visitava frequentemente o marido, Hans Block, major da SS e chefe do posto da Gestapo em Drohobych, Ucrânia

VERA STÄHLI WOHLAUF, socialite de Hamburgo, esposa do capitão Julius Wohlauf, comandante da SS e da Polícia de Ordem, batalhão 101, foi morar com o marido na Polônia

LIESEL RIEDEL WILLHAUS, datilógrafa, filha de um supervisor sênior das metalúrgicas da região industrial do Saar, educada como católica, esposa de Gustav Willhaus, comandante da SS no campo de concentração de Janowska, foi morar com o marido na Ucrânia

ERNA KÜRBS PETRI, filha e esposa de fazendeiros, escolaridade de ensino primário, gerenciou uma propriedade agrícola na Ucrânia juntamente com o marido, Horst Petri, segundo-tenente da SS

INTRODUÇÃO

No verão de 1992, comprei uma passagem de avião para Paris, adquiri um Renault velho e fui com um amigo a Kiev, dirigindo centenas de quilômetros por estradas soviéticas ruins. Tivemos que parar várias vezes. Os pneus estouravam na pavimentação esburacada, não havia gasolina, e camponeses e caminhoneiros curiosos espiavam por baixo do capô para ver um motor de carro ocidental. Na única estrada que ligava Lviv a Kiev, paramos na cidade de Zhytomyr, um centro da vida judaica no antigo Pale, a zona de assentamento judeu, que, durante a Segunda Guerra Mundial, fora quartel-general de Heinrich Himmler, o arquiteto do Holocausto. Seguindo a mesma estrada para o sul, chegamos a Vinnytsia, onde ficava o complexo Werwolf, de Adolf Hitler. Toda a região havia sido um playground nazista, com todo o seu horror.

Na tentativa de construir um império que durasse mil anos, Hitler chegou àquela terra fértil da Ucrânia, a cobiçada cesta de pão da Europa, com legiões de técnicos de desenvolvimento, administradores, guardas de segurança, "cientistas raciais" e engenheiros, com a missão de colonizar e explorar a região. Em 1941, a *blitzkrieg* alemã no Leste assolou o território conquistado e, derrotada, recuou para o Oeste em 1943 e 1944. O Exército Vermelho retomou a área, os oficiais soviéticos se apropriaram de incontáveis páginas de relatórios alemães, arquivos de fotos e jornais, e caixas de rolos de filme. Esses "troféus" saqueados foram classificados como documentos confidenciais e permaneceram guardados durante décadas em arquivos estatais e regionais por trás da Cortina de Ferro. Foi para ler esse material que cheguei à Ucrânia.

Nos arquivos de Zhytomyr, encontrei páginas com marcas de botas e bordas chamuscadas. Os documentos tinham sobrevivido a dois ataques: a evacuação nazista pela terra devastada, com a queima de evidências incriminadoras, e a destruição da cidade durante as lutas de novembro e dezembro de 1943. Os arquivos continham trechos interrompidos de correspondências, restos de papéis rasgados e com tinta desbotada, decretos com assinaturas pomposas ilegíveis deixadas por oficiais nazistas subalternos e relatórios policiais de interrogatórios com trêmulas assinaturas rabiscadas por camponeses ucranianos aterrorizados. Eu já tinha visto muitos documentos nazistas, confortavelmente instalada na sala de exibição de microfilmes do Arquivo Nacional dos Estados Unidos, em Washington, D.C. Mas agora, nos prédios que haviam sido ocupados pelos alemães, descobri algo além do material bruto que andei selecionando. Para minha surpresa, encontrei também nomes de jovens alemãs que tiveram participação ativa na construção do império de Hitler na região. Esses nomes apareciam em listas inócuas, burocráticas, de professoras de jardim de infância. Tendo em mãos essas pistas, voltei aos arquivos nos Estados Unidos e na Alemanha, e passei a procurar mais sistematicamente documentos sobre mulheres alemãs enviadas para o Leste, especificamente as que testemunharam e perpetraram o Holocausto. A documentação foi crescendo e as histórias começaram a tomar forma.

Ao pesquisar registros investigativos do pós-guerra, descobri que centenas de mulheres tinham sido chamadas a testemunhar, e muitas deram depoimentos muito diretos, pois os promotores estavam mais interessados nos crimes hediondos dos colegas e dos maridos das mulheres do que nos delas. Muitas permaneceram insensíveis e arrogantes ao dar depoimentos sobre o que tinham visto e vivenciado. Uma ex-professora de jardim de infância na Ucrânia mencionou "essa coisa de judeus durante a guerra". Ela e suas colegas tinham recebido instruções quando cruzaram a fronteira da Alemanha e entraram nas zonas ocupadas no Leste em 1942. Lembrava-se que um oficial nazista num "uniforme marrom-dourado" tinha dito que não se assustassem quando ouvissem tiros, porque eram "apenas uns judeus sendo executados".

Se a execução de judeus não era considerada causa de alarme durante a guerra, como as mulheres reagiram quando chegaram de fato aos postos que iriam ocupar? Deram meia-volta ou quiseram ver ou fazer mais? Li estudos de historiadoras pioneiras, como Gudrun Schwarz e Elizabeth Harvey, que confirmaram minhas suspeitas sobre a participação de mulheres alemãs no sistema nazista, mas deixaram em aberto questões de uma culpabilidade maior e mais profunda. Schwarz revelou esposas violentas da SS. Ela falou de uma em Hrubieszow, na Polônia, que tomou a pistola da mão do marido e atirou em judeus num massacre no cemitério. Mas Schwarz não deu o nome dessa assassina. Harvey descobriu que as professoras primárias eram ativas na Polônia e, de vez em quando, iam a guetos roubar coisas dos judeus. Contudo, a extensão da participação das mulheres em massacres nos territórios do Leste não estava bem definida. Parecia que ninguém havia esmiuçado os registros dos tempos de guerra e do pós-guerra com estas questões em mente: mulheres alemãs comuns tinham participado de assassinato em massa de judeus? Mulheres alemãs em lugares como a Ucrânia, Bielorrússia e Polônia tinham participado do Holocausto de um modo que não admitiram depois da guerra?

Nas investigações no pós-guerra na Alemanha, Israel e Áustria, sobreviventes judeus identificaram mulheres perpetradoras, não só como alegres espectadoras, mas como torturadoras violentas. Mas de modo geral ou os sobreviventes não sabiam o nome dessas mulheres, ou elas se casaram, mudaram de sobrenome depois da guerra e não puderam ser encontradas. Apesar das limitadas fontes da minha pesquisa, a certa altura ficou claro que a lista de professoras e outras ativistas do Partido Nazista que encontrei em 1992 na Ucrânia era a ponta do iceberg. Centenas de milhares de alemãs foram para a ocupação nazista no Leste, ou seja, para a Polônia e os territórios ocidentais do que por muitos anos foi a URSS, inclusive as atuais Ucrânia, Bielorrússia, Lituânia, Letônia e Estônia, e eram de fato partes integrantes da máquina mortífera de Hitler.

Uma dessas mulheres foi Erna Petri. Descobri o nome dela no verão de 2005, nos arquivos do Museu Memorial do Holocausto dos Estados Unidos. O museu tinha conseguido negociar a aquisição de cópias em microfilme dos arquivos da polícia secreta (Stasi) da antiga Alemanha Oriental. Entre os documentos havia registros de interrogatórios e procedimentos judiciais num caso contra Erna e seu marido, Horst Petri, ambos condenados pela morte de judeus em sua propriedade na Polônia ocupada. Erna descreveu, em detalhes plausíveis, garotos judeus seminus choramingando enquanto ela apontava a pistola. Pressionada pelos interrogadores, que perguntaram como ela, sendo mãe, tinha matado aquelas crianças, Petri alegou o antissemitismo do regime e seu próprio desejo de provar seu valor para os homens. Seus crimes não eram os de uma renegada social. Para mim, ela era a encarnação do regime nazista.

Em certa medida, os casos registrados de matadoras representavam um fenômeno muito maior, que fora suprimido, negligenciado e pouco pesquisado. Em vista da doutrinação ideológica da jovem coorte de homens e mulheres que chegaram à idade adulta na era do Terceiro Reich, de sua mobilização maciça na campanha do Leste e da cultura de violência genocida encravada na conquista e colonização nazista, eu deduzi – como historiadora, não acusadora – que eram muitas as mulheres que matavam judeus e outros "inimigos" do Reich, mais do que havia sido documentado durante a guerra ou julgado posteriormente. Embora os casos registrados de assassinato direto não sejam numerosos, devem ser levados muito a sério, e não desconsiderados como se fossem anomalias. As Mulheres do Nazismo não eram sociopatas marginais. Elas acreditavam que suas ações violentas eram atos de vingança justificados, praticados contra inimigos do Reich. Na mente delas, esses atos eram expressões de lealdade. Para Erna Petri, nem meninos judeus desvalidos fugindo de um vagão de trem que ia para a câmara de gás eram inocentes; eram aqueles que quase conseguiram se safar.

Não foi por acaso que os nazistas e seus colaboradores escolheram o Leste Europeu para consumar o assassinato em massa. Historicamente, era um território com a maior população de judeus, muitos dos quais tinham se tornado, na visão dos nazistas, perigosamente "bolchevizados". Os judeus do Leste Europeu foram deportados para áreas remotas da Polônia, Bielorrússia, Lituânia e Letônia para serem mortos a tiros ou a gás em plena luz do dia.

A história do Holocausto está imbricada na conquista do Leste Europeu pelo império nazista, que mobilizou todos os alemães. Nos termos nazistas, ser parte da *Volksgemeinschaft*, a Comunidade do Povo, significava participar de todas as campanhas do Reich, inclusive do Holocausto. As agências mais poderosas, a começar pela SS e a polícia, eram as principais executoras. Essas agências eram controladas por homens, mas também tinham equipes de mulheres. Na hierarquia governamental, as esposas e as profissionais se ligavam a homens em posições de poder e, por sua vez, detinham também um poder considerável, inclusive sobre a vida dos elementos mais vulneráveis do regime. As mulheres designadas para assumir postos de suporte aos militares, a fim de liberar os homens para a frente de batalha, tinham autoridade sobre todos os subordinados. Elas ocupavam desde as mais baixas até as mais altas posições na hierarquia nazista.

No séquito de Hitler estacionado no Leste estavam suas secretárias, mulheres como Christa Schroeder, que anotava os ditados do *Führer* no *bunker* perto de Vinnytsia. Depois de percorrer a zona rural ucraniana, onde caiu na farra com chefes regionais alemães e visitou as colônias de etnia germânica (*Volksdeutsche*), ela avaliou o futuro do novo *Lebensraum*[1] (espaço vital) alemão numa carta escrita durante a guerra:

> Nosso povo que imigrou para cá não tem uma tarefa fácil, mas há muitas possibilidades de grandes realizações. Quanto mais tempo a pessoa passa nessa imensa região e reconhece a enorme oportunidade de desenvolvimento, mais evidente torna-se a questão de quem irá realizar esses grandes projetos no futuro. Chegamos à conclusão de que o povo

---

[1] *Lebensraum* trata de um dos principais componentes da ideologia nazista: a expansão territorial e política alemã. (N. da P. O.)

estrangeiro [*Fremdvolk*] não é adequado por várias razões, e em última análise porque, no curso das gerações, iria ocorrer uma miscigenação de sangue entre as camadas sociais dominantes, do elemento germânico com os estrangeiros. Isso seria uma violação fundamental ao nosso entendimento da necessidade de preservar nossa herança racial nórdica, e nosso futuro tomaria uma direção semelhante à, por exemplo, do Império Romano.

Schroeder, é claro, ocupava uma posição excepcional entre os poucos eleitos, porém suas palavras atestam o fato de que as secretárias no trabalho de campo reconheciam seu papel imperial e que seu entendimento da missão nazista era articulado num tipo de terminologia racialista, colonialista, geralmente atribuída aos conquistadores e governadores.

Enquanto autoridades autoproclamadas superiores, as alemãs no Leste Europeu nazista detinham um poder sem precedentes sobre aqueles designados como "sub-humanos". Tinham licença para maltratar e até matar os que eram considerados, como disse depois da guerra uma secretária perto de Minsk, a escória da sociedade. Elas estavam próximas do poder na maciça maquinaria de destruição operada pelo Estado. Tinham também proximidade nas cenas dos crimes. Não havia grande distância entre as instalações nas cidades pequenas, onde as mulheres seguiam com a rotina diária, e os guetos, os campos de concentração e as execuções em massa. Não havia uma divisão entre a frente doméstica e a frente de batalha. As mulheres podiam decidir ali mesmo se queriam se unir à orgia de violência.

As Mulheres do Nazismo eram zelosas administradoras, ladras, torturadoras e assassinas nas terras de sangue. Elas se fundiram em centenas de milhares – pelo menos meio milhão – de mulheres que foram para o Leste. O próprio número já demonstra a importância das alemãs no sistema nazista de guerra genocida e governo imperial. A Cruz Vermelha alemã treinou 640 mil mulheres durante a era nazista, e cerca de 400 mil serviram na guerra. A maioria delas foi enviada para áreas da retaguarda ou para perto das zonas de batalha nos territórios do Leste. Trabalhavam em hospitais de campo do Exército e da Waffen-SS, em plataformas de trem, servindo refeições a soldados e a refugiados, em centenas de acampamentos de soldados, socializando com tropas alemãs na Ucrânia, Bielorrússia, Polônia e no Báltico. O exército alemão treinou mais de 500 mil mulheres jovens em posições de apoio – por exemplo, operando rádio, arquivando, registrando voos, grampeando comunicações – e 200 mil delas serviram no Leste. As secretárias organizavam, acompanhavam e distribuíam as enormes quantidades de suprimentos necessários para manter o funcionamento da máquina de guerra. Incontáveis organizações patrocinavam o Partido Nazista (como a Associação do Bem-Estar Nacional-Socialista), e o escritório de Raça e Assentamento de Himmler empregava mulheres e jovens alemãs como assistentes sociais, educadoras, assistentes de ensino, examinadoras raciais e conselheiras de assentamentos. Numa região da Polônia anexada, que era um laboratório de "germanização", os líderes nazistas empregaram milhares de professoras. Outras centenas, inclusive as jovens professoras mencionadas nos arquivos que encontrei em Zhytomyr, foram enviadas para outros enclaves coloniais do Reich. Como agentes da construção do império nazista, a essas mulheres cabia o construtivo trabalho de um processo "civilizatório" germânico. No entanto, as práticas construtivas e destrutivas das conquistas e ocupações nazistas eram inseparáveis.

Horrorizadas com a violência da guerra e do Holocausto, muitas mulheres encontraram meios de se distanciar daquilo e minimizar seu papel como agentes de um regime criminoso. Mas para as 30 mil designadas pela polícia e a SS de Himmler como auxiliares em escritórios da guarda civil, em quartéis-generais da Gestapo e prisões, o distanciamento psicológico estava fora de questão, e era alta a probabilidade de participação direta no assassinato em massa. Na administração civil dos governadores e comissários coloniais nazistas, outras 10 mil secretárias estavam distribuídas entre escritórios das capitais e distritos do Leste em Rovno (hoje Rivne), Kiev, Lida, Reval (hoje Tallinn), Grodno, Varsóvia e Radom. Esses escritórios eram responsáveis pela redistribuição das populações nativas, inclusive judeus, muitos dos quais foram colocados em guetos com obrigação de trabalhos forçados gerenciados por burocratas homens e mulheres. Nem todas as Mulheres do Nazismo eram agentes desse regime. Muitas eram mães, namoradas e esposas que iam morar com os filhos ou parceiros na Polônia, Ucrânia, Bielorrússia, no Báltico e na Rússia. Algumas das piores matadoras pertenciam a esse grupo.

Dentro dessa massa mobilizada, certas mulheres se destacavam. Secretárias com dupla atividade eram ao mesmo tempo matadoras burocratas e sádicas: algumas não só datilografavam as ordens de execução, como também participavam de massacres em guetos e assistiam a fuzilamentos. Esposas e amantes de homens da SS não só consolavam os parceiros quando eles retornavam do trabalho sujo, mas também, em alguns casos, sujavam as mãos de sangue. Na visão nazista, passar horas caçando e fuzilando judeus era um trabalho árduo, portanto o consolo feminino se estendia além da criação de um santuário moral em casa: elas punham mesas de comidas e bebidas para os homens perto dos locais de execução em massa e de deportação. Numa aldeia da Letônia, uma jovem estenógrafa se destacava como alma das festas e como atiradora em execuções em massa. À medida que eu lia os registros, o entrelaçamento de intimidade sexual e violência se evidenciava, porém de uma forma mais banal do que as cenas vulgares retratadas na pornografia do pós-guerra. Escapadas românticas, como passeios na floresta, podiam levar os amantes a um contato visceral com o Holocausto. Li a respeito de um comissário alemão e sua amante-secretária na Bielorrússia que organizaram uma caçada de inverno. Como não acharam nenhum animal, atiraram nos alvos judeus que se moviam lentamente pela neve.

Mulheres com postos oficiais no Reich, como Gertrud Scholtz-Klink, a mulher de cargo mais alto dentro do Partido Nazista, podiam atrair muita visibilidade, no entanto eram mais figuras decorativas, detendo pouco poder político no sentido formal. Em contraste, a contribuição de outras mulheres em diversas funções passou amplamente despercebida e inexplorada. Esse ponto cego histórico é especialmente flagrante com relação às mulheres nos territórios ocupados no Leste.

Todas as mulheres alemãs eram obrigadas a trabalhar e contribuir para o esforço de guerra, em cargos remunerados ou não. Elas administravam orfanatos, fazendas familiares e negócios. Cumpriam horário em fábricas e em modernos edifícios de escritórios. Dominavam no setor agrícola e nas profissões "femininas" de colarinho-branco, de enfermagem e secretariado. Em Weimar e na Alemanha nazista, de 20% a 30% do corpo docente eram mulheres. Na expansão do aparato de terror do Reich, surgiram novas opções de carreiras para mulheres, inclusive nos campos de concentração. Enquanto as carreiras e atos das guardas femininas nos campos de concentração foram examinados minuciosamente por jornalistas e acadêmicos, muito pouco se sabe sobre as mulheres que desempenhavam papéis femininos tradicionais, não treinadas para a crueldade, e que, por acaso ou de propósito, acabaram servindo às políticas criminosas do regime.

Professoras, enfermeiras, assistentes sociais, esposas – essas eram as mulheres nos territórios do Leste, onde ocorreram os piores crimes do Reich. Para jovens ambiciosas, a possibilidade de ascensão estava no emergente império nazista no estrangeiro. Elas deixaram para trás as leis repressivas, a moral burguesa e as tradições sociais que tornavam a vida na Alemanha disciplinada e opressiva. As mulheres nos territórios do Leste testemunhavam e cometiam atrocidades num sistema mais aberto, e como parte do que elas viam como uma oportunidade profissional e uma experiência libertadora.

As Mulheres do Nazismo focaliza as transformações individuais de mulheres nos trabalhos internos e nos cenários externos do Holocausto, nos escritórios, entre a elite ocupacional, nos campos de morte. Muitas vezes, as que pareciam menos prováveis de perpetrar os horrores do Holocausto se tornavam as mais envolvidas e encantadas. As mulheres apresentadas neste livro têm históricos diversos e vêm de diferentes regiões – da Vestfália rural, da Viena cosmopolita, da Renânia industrial –, mas coletivamente formam uma coorte geracional, de 17 a 30 anos de idade. Todas chegaram à idade adulta com a ascensão e queda de Hitler.

Às vezes uma fonte me propiciava explorar questões mais profundas. Por que essas mulheres eram violentas? No pós-guerra, qual era a percepção delas dos seus tempos no Leste? Sem registros detalhados de interrogatórios, memórias e escritos particulares, como cartas ou diários, e uma boa quantidade de entrevistas, seria praticamente impossível determinar o que essas mulheres pensavam, quais eram suas atitudes antes, durante e depois da guerra.

Depois da guerra, a maioria das alemãs não falava abertamente sobre suas experiências. Tinham muita vergonha ou medo de contar as histórias do que aconteceu e do que elas fizeram. Essa vergonha não era necessariamente derivada de culpa. Algumas tinham boas lembranças do que se considera uma época ruim. Tinham rações fartas, casos de primeiro amor, criados à disposição, casas bonitas, festas noite adentro e muitas terras. O futuro da Alemanha parecia ilimitado e o país reinava sobre a Europa. De fato, para muitos homens e mulheres esse tempo precedente à derrota militar da Alemanha foi um ponto alto na vida.

O silêncio delas sobre os judeus e outras vítimas do Holocausto também ilustra o egoísmo da juventude e a ambição, o clima ideológico em que essas jovens cresceram e o poder de permanência, depois da guerra, de seus anos de formação. Enquanto adolescentes, profissionais vorazes, recém-casadas, essas mulheres estavam imersas em seus próprios planos, fossem sonhos com uma fazenda na Suábia ou com uma movimentada cidade portuária, como Hamburgo. Queriam uma ocupação respeitável e um bom salário. Queriam ter amigos, roupas boas, viajar, mais liberdade de ação. Quando admiravam a si mesmas no uniforme da Cruz Vermelha, ou exibiam orgulhosamente o diploma de um curso de educadora infantil patrocinado pelo Partido Nazista, ou comemoravam seu emprego de datilógrafa num escritório da Gestapo, tornavam-se parte do regime nazista, intencionalmente ou não. Não é de surpreender que essas jovens não admitissem para si mesmas, ou para nós, na época ou muitos anos depois, em tribunais ou em suas memórias, o que a participação no regime nazista realmente acarretou.

Logo que a guerra acabou, a crua exposição das piores guardas de campo de concentração, como Irme Grese e Ilse Koch, pode ter tamponado uma discussão mais detalhada da participação e culpabilidade das mulheres. Os julgamentos geraram histórias sensacionalistas de sadismo feminino, insufladas por uma moda pós-guerra de pornografia em estilo nazista. Enquanto isso, a típica mulher alemã era representada popularmente como a heroína que tinha que limpar a sujeira do passado vergonhoso da Alemanha, a vítima de estupradores e arruaceiros do Exército Vermelho, ou a boneca namoradeira para diversão dos soldados americanos. Ideias feministas emergentes acentuaram a vitimização das mulheres, não sua atuação criminosa. Essa imagem complacente permaneceu a despeito da popularidade de romances como *O leitor*, de Bernhard Schlink. Nas cidades alemãs de hoje, encontramos estátuas e placas dedicadas à "mulher-escombro". Só em Berlim, estima-se que 60 mil mulheres removeram os destroços e retiraram as ruínas da capital, descartando o passado em favor do futuro. Foram louvadas por inspirar o milagre econômico da Alemanha Ocidental e o movimento dos trabalhadores da Alemanha Oriental.

Dentre os mitos do período pós-guerra, houve o da mulher apolítica. Depois da guerra, muitas depuseram nos tribunais, ou contaram histórias de que elas "apenas" cuidavam da organização nos escritórios ou dos aspectos sociais da vida cotidiana, ajudando nas questões ou nos deveres de outras alemãs baseadas no Leste. Elas não viam – ou talvez preferissem não ver – que o social se tornou político, que sua aparentemente pequena contribuição às operações de rotina nas organizações governamentais, militares e do Partido Nazista, se somavam ao sistema genocida. Mulheres fascistas – no quartel-general do Partido Nazista em Kiev, nos escritórios militares, da SS e da polícia em Minsk, nos casarões de altos portões em Lublin – não estavam simplesmente fazendo seu "trabalho feminino". Enquanto mulheres alemãs são consignadas a outra esfera ou sua influência política é minimizada, metade de uma população genocida, nas palavras da historiadora Ann Taylor Allen, é "dotada de inocência dos crimes do Estado moderno", e são colocadas "fora da própria história".

A população feminina inteira da Alemanha – quase 40 milhões em 1939 – não pode ser considerada um grupo vitimado. Um terço da população feminina, 13 milhões de mulheres, estava engajado ativamente em alguma organização do Partido Nazista, e o número de mulheres membros do Partido Nazista continuou crescendo firmemente até o fim da guerra.

Assim como a atuação das mulheres na história é geralmente subvalorizada, aqui também – e talvez de modo mais problemático, dadas as implicações morais e legais – a atuação das mulheres nos crimes do Terceiro Reich não foi devidamente formulada e explicada. Grande número de mulheres alemãs não foi vítima, e formas rotineiras da participação feminina no Holocausto ainda não foram reveladas.

A generalização, a inclusão de *todas* as mulheres alemãs, certamente deve ser evitada. Mas como começar a dar sentido aos papéis *vis-à-vis* ao Holocausto, de salvadora a observadora a matadora, e todas as áreas cinzentas entre eles? Como podemos situar com maior precisão as mulheres na máquina genocida do regime? Atribuir categorias criminais, tais como *cúmplice* ou *perpetradora* não explica por si só como o sistema funcionava e como mulheres comuns testemunhavam e participavam do Holocausto. É mais revelador ver a distribuição mais ampla de poder no sistema nazista e identificar mais precisamente quem fazia o quê, com quem e onde. Uma detetive-chefe do Escritório Central de Segurança do Reich, por exemplo, determinava diretamente o destino de milhares de crianças, e fazia isso com a assistência de quase 200 agentes espalhadas pelo Reich. Essas mulheres detetives colhiam evidências de jovens "racialmente degenerados", que rotulavam de futuros criminosos. Elas criaram um sistema de código de cores na perseguição a cerca de duas mil crianças judias, ciganas e outros "delinquentes" encarcerados em campos de internamento especiais. Esse tino organizacional, funcional era considerado feminino e adequado à abordagem burocrática moderna de "combate ao crime".

As testemunhas, cúmplices e perpetradoras apresentadas aqui se baseiam em pesquisas de documentos alemães dos tempos de guerra, investigações soviéticas de crimes de guerra, arquivos da polícia secreta e registros de julgamentos da Alemanha Oriental, registros investigativos e de julgamentos da Áustria e da Alemanha Ocidental, documentos do arquivo de Simon Wiesenthal, em Viena, memórias publicadas, diários e correspondência particulares dos tempos de guerra e entrevistas com testemunhas na Alemanha e na Ucrânia. A documentação oficial dos tempos de guerra – solicitações de casamentos da SS, registros de pessoal da administração civil, registros da Cruz Vermelha e relatórios de agências do Partido Nazista – é valiosa por estabelecer a presença de mulheres em diversos cargos, detalhando seus dados biográficos e elucidando a formação ideológica das organizações a que elas pertenciam. Mas esses registros, escritos e datilografados por indivíduos, não são absolutamente isentos de individualidade e motivos pessoais.

Retratos biográficos que se aprofundam em experiências pessoais e perspectivas ao longo do tempo exigem mais atenção ao que os acadêmicos alemães chamam, apropriadamente, de "documentos do ego". São autorrepresentações criadas pelo sujeito: depoimentos, cartas, memórias e entrevistas. Esses relatos, sobretudo no pós-guerra, apresentam sérios problemas, mas, assim como as fontes históricas, não devem ser descartados. Ao fim de certo tempo, aprendemos a ler e a ouvir esses relatos, a detectar técnicas de evasão, histórias exageradas e conformismo a tropismos e clichês literários. E tentamos corroborá-los para testar sua veracidade. Contudo, é a subjetividade dessas fontes que as faz especialmente valiosas.

Há diferenças significativas entre um depoimento dado a um promotor, um relato oral ou uma entrevista concedida a um jornalista ou historiador, e memórias. A narradora modela a história para ir ao encontro das expectativas do interlocutor, e com o tempo a história pode mudar à medida que a narradora vai aprendendo mais com outras fontes sobre seu passado, e as perguntas do público vão mudando. As histórias narradas oralmente que foram publicadas nos anos 1980, por exemplo, não mostram a mesma sensibilidade aos eventos do Holocausto que as memórias publicadas no início do século XXI. As memórias mais recentes, frequentemente, tentam lidar com a questão do conhecimento e participação, porque a mulher que testemunhou já espera que o leitor ou ouvinte irá perguntar "O que você sabia sobre a perseguição aos judeus? O que você viu?". Além disso, as memórias, geralmente redigidas por idosas, são muitas vezes um projeto com a colaboração de um pai ou mãe, e os descendentes delas. As testemunhas dos tempos de guerra, idosas, querem deixar um legado, o registro de um capítulo dramático na história da família. Saber que suas memórias serão lidas por gerações futuras as dissuade de serem francas e descritivas ao contar seus conflitos com judeus, falar de seu entusiasmo pelo nazismo ou de sua participação em assassinatos em massa. Às vezes a linguagem desses relatos é codificada, ou se atém a alusões. Em vários casos, me beneficiei do contato direto com a autora das memórias e pude pedir mais detalhes.

Não devemos supor que testemunhas e autobiógrafos queiram enganar ou esconder fatos, e que alguma verdade terrível está à espera de ser descoberta. É natural reprimir o que é doloroso, é uma forma de lidar. As mulheres que publicaram memórias queriam ser entendidas e documentar sua vida; não queriam ser julgadas nem condenadas. Enquanto eu avançava por múltiplos relatos, tornava-se claro que alguns eram mais críveis do que outros.

O consenso em estudos sobre o Holocausto e o genocídio é de que os sistemas que tornam possível o assassinato em massa não funcionam sem a ampla participação da sociedade e, no entanto, quase todas as histórias sobre o Holocausto deixam de fora metade da população dessa sociedade, como se a história das mulheres acontecesse em algum outro lugar. É uma abordagem ilógica e uma omissão estranha. As dramáticas histórias dessas mulheres revelam o lado mais negro do ativismo feminino. Mostram o que pode acontecer quando mulheres de várias origens e profissões são mobilizadas para a guerra e aquiescem ao genocídio.

CAPÍTULO 1

A GERAÇÃO PERDIDA DE MULHERES ALEMÃS

OS HOMENS E MULHERES que fundaram e conduziram os sistemas de terror do Terceiro Reich eram surpreendentemente jovens. Quando Hitler, aos 43 anos, foi nomeado chanceler da Alemanha, em janeiro de 1933, mais de dois terços de seus seguidores tinham menos de 40 anos. O futuro chefe do Escritório Central de Segurança do Reich, Reinhard Heydrich, tinha 37 anos quando presidiu a Conferência de Wannsee e revelou os planos nazistas de assassinato em massa dos judeus na Europa. As legiões de secretárias que mantiveram a máquina de morte funcionando tinham entre 18 e 25 anos de idade. As enfermeiras que trabalhavam nas zonas de guerra, que assistiam os experimentos médicos e aplicavam injeções letais também eram profissionais jovens. As amantes e esposas da elite da SS, cuja missão era ter filhos saudáveis para assegurar a pureza da raça ariana, estavam – como se exigia – em idade fértil. A média de idade de uma guarda de campo de concentração era 26 anos. A mais jovem tinha apenas 15 anos quando foi designada para o campo de Gross-Rosen, na Polônia anexada.

Os regimes de terror se alimentam do idealismo e da energia de pessoas jovens, transformando-as em obedientes células de movimentos de massa, forças paramilitares e até perpetradoras de genocídio. Os rapazes alemães que tiveram a má sorte de amadurecer nos tempos da Primeira Guerra Mundial se tornaram um grupo distinto, deformado de um modo que ainda tentamos diagnosticar. Um historiador identificou essa geração como "intransigente", jovens profissionais convencidos, ideólogos radicais que realizaram suas ambições na elite da SS como fomentadores da maquinaria do Holocausto em Berlim. Uma geração de jovens mulheres também tomou parte no genocídio, não na direção, mas como operadoras da máquina. O que distinguia o quadro feminino de jovens profissionais e esposas que tornou possível o Holocausto – as mulheres que foram para o Leste durante a Segunda Guerra Mundial e que se tornaram testemunhas diretas, cúmplices e autoras de assassinatos lá – era o fato de serem *baby boomers*, nascidas na esteira da Primeira Guerra Mundial, concebidas no fim de uma era e no começo de outra.

No final de 1918, o império alemão desmoronou em derrotas militares, soldados amotinados, e o kaiser, declarado criminoso de guerra, fugiu para a Holanda. O mundo patriarcal do antigo regime ruiu, e nessas ruínas tudo parecia politicamente possível.

Para as mulheres, a nova ordem – o primeiro experimento da Alemanha na democracia, modelado nos exemplos americano e inglês – trouxe a chance de mais liberdade e poder individual num Ocidente que se modernizava. As mulheres alemãs votaram pela primeira vez em janeiro de 1919 e conquistaram uma igualdade formal, pelo menos no papel, na Constituição de Weimar. Foi uma mudança extraordinária, dado que até 1908 as alemãs ficavam de fora das atividades políticas e, como sexo "inferior" na sociedade, ocupavam posições subalternas, o que muitas delas consideravam natural. Quando as mulheres foram obrigadas pela Primeira Guerra Mundial a entrar na esfera pública de trabalhos relacionados à guerra, em fábricas, transportes e escritórios do governo, tinham muito pouca experiência em política, e muitas se contentavam em se classificar como apolíticas. Com a implosão da monarquia, a arena política, até então fechada para elas, abriu-se subitamente.

A República de Weimar viu uma explosão de movimentos desordenados, grupos de justiceiros e partidos organizados de toda espécie. Somente em Munique, o incipiente Partido Nazista era um dentre quarenta movimentos desse tipo nos anos 1920. Orgulhosamente, se intitularam *völkisch*, termo que sugere "do povo", mas nesse caso "povo" se referia exclusivamente aos alemães. Esses movimentos eram descaradamente nacionalistas, xenófobos e antissemitas. Buscavam a unidade através do racismo e rejeitavam o liberalismo e a democracia parlamentar como uma invasão estrangeira num modo de vida alemão imaginado, onde reinavam a ordem e a paz. Evocando uma visão romantizada do passado, aqueles que exaltavam o *Volk* enalteciam a união do sangue e do solo germânicos e a determinação sólida do guerreiro alemão. Na humilhação pós-guerra de uma Alemanha derrotada, mitos de um renascimento nacional e a busca de um salvador para restaurar a honra do país eram especialmente atraentes para a juventude e os pobres da zona rural, que afluíam para os numerosos partidos.

Provavelmente, o envolvimento das mulheres na formação de movimentos de direita era mínimo. Os homens não estavam dispostos a renunciar a seu tradicional domínio na política, e as questões das mulheres eram vistas como secundárias, e não prioridades nacionais. Os partidos *völkisch* de Weimar extraíam sua força do mundo masculino do *front* de batalha, e não do mundo feminino do *front* doméstico. As mulheres eram mais representadas nos partidos bem estabelecidos, pré-guerra, como o Partido Católico de Centro e o Partido Social-Democrata. Apenas uma minoria radical, principalmente urbana, apoiava o movimento comunista (famosamente coliderado por Rosa Luxemburgo, brutalmente assassinada após um levante fracassado em Berlim).

Faltava ao feminismo um movimento de mulheres engajadas, do tipo que iria surgir nos anos 1960 e 1970. Na política, na cultura e na sociedade de Weimar, a "Questão da Mulher" aparecia em formas mais difusas, contraditórias, como, por exemplo, em campanhas sobre prostituição, contracepção, prazer sexual, reformas do bem-estar social, condições de trabalho e assistência a alemães refugiados dos territórios perdidos pelos termos do Tratado de Versalhes. O movimento que encontrava unidade na luta para obter votos agora irrompia numa pletora de campanhas. Algumas, como as que tratavam de liberação e experimentação sexual, eram de uma inovação explosiva. Alvo de muitas controvérsias, essas campanhas tanto inflamavam a direita como insuflavam a esquerda.

As organizações de mulheres geralmente diziam ser apolíticas, mas na verdade suas asserções de valores femininos e da família eram bem mais que uma fachada no parlamento nacional. Esses valores definiam da maneira mais intrusiva, geralmente divisória, o que significava ser alemão. A seção feminina da Liga Colonial Germânica lutava contra a miscigenação racial de alemães no estrangeiro, e a Associação das Donas de Casa Alemãs formava moças para administrar um lar alemão exemplar, que explorava empregadas domésticas, era bem abastecido com mercadorias alemãs e cientificamente gerenciado por uma dedicadíssima dona de casa patriótica usando um avental imaculado. Havia tendências contrapostas, como o trabalho da Associação de Proteção às Mães e à Reforma Sexual, que dava assistência a mães solteiras e a seus filhos. Mas até mesmo esse movimento radical pré-Primeira Guerra Mundial possuía um núcleo de homens e mulheres profissionais de medicina que cada vez mais se voltavam para uma "ciência racial" para lidar com problemas sociais concernentes às mulheres.

Os anos 1920 trouxeram aos alemães uma expansão das liberdades individuais e um maior grau de poder político. Liberdade de expressão, tempo de lazer, mobilidade, comércio, acesso ao serviço civil – tudo isso era acessível numa abundância nunca vista. Ao mesmo tempo, o rádio, as revistas e o automóvel levavam o ritmo das cidades, e frequentemente seus tumultos, para o campo. Entretanto, isso acabou sendo mais do que a maioria dos alemães desejava. No caos e incerteza da modernidade e da democracia, a restauração da ordem e da tradição se tornava cada vez mais atraente. Movimentos contrarrevolucionários sitiavam a frágil república. Patriotas descontentes e monarquistas destituídos de poder se recusavam a aceitar a derrota alemã e continuavam com a obstinada guerra de trincheiras, agora nas ruas e voltada para outros inimigos, o espectro rubro do comunismo e os "criminosos de novembro" de Weimar – os responsáveis pela assinatura do Armistício em novembro de 1918 – que "apunhalaram a Alemanha pelas costas". A Direita, a antiga e a nova, culpava as condições da frente doméstica, e não da frente de batalha, pela derrota na Grande Guerra. A frente doméstica era vista sobretudo em termos de duas figuras: a mulher mártir, emaciada devido ao corte de alimentos decorrente do bloqueio aliado, e o judeu civil, estereotipado como escroque capitalista ou político. Esses mitos e preconceitos contribuíram para a polarização política e as coalizões disfuncionais da frágil república. Os impasses foram quebrados pela realização de novas eleições. Os alemães viviam numa exaustiva cultura de agitação e campanhas políticas, com uma crua fusão de provocações e propaganda de massa, que os levava frequentemente às urnas. No período entre 1919 e 1932, 21 coalizões tentaram governar. Foi nessa Alemanha, com todas as contendas e inseguranças de incessantes práticas eleitoreiras, inflação disparada e todos os prospectos confusos e estimulantes da modernidade, que a maioria das mulheres que viriam a participar do projeto genocida de Hitler cresceram e se tornaram adultas.

A extrema adesão das mulheres à ala direitista não começou com o Partido Nazista. Dentre os trinta partidos políticos oficiais da era de Weimar, as mulheres votavam na maioria conservadora, mas não desproporcionalmente no Partido Nazista, mesmo quando a popularidade do Partido Nazista atingiu o pico nas urnas em 1932. Na verdade, o Partido Nazista era a opção menos atraente para as conservadoras, pois os nazistas não aceitavam filiação de mulheres e nem as aceitavam como candidatas. A politicagem moderna, com estratégia montada em cervejarias e levada para as ruas, era coisa de homens. No final dos anos 1920 as mulheres podiam marchar, até fardadas, em manifestações, mas não podiam desfilar com o *Führer*. Nos livros oficiais da história do Partido Nazista, as Irmãs da Suástica Vermelha, como eram chamadas as enfermeiras que cuidavam da tropa de choque, são recordadas com sentimentalismo: correu muito sangue naqueles primeiros dias de conflito, e muitas feridas foram tratadas pelas enfermeiras do movimento. Idealizadas como cuidadoras, as mulheres que apoiavam o movimento nazista nos anos 1920 eram relegadas a funções subalternas. Mesmo assim, algumas eram atraídas pelo Movimento Hitlerista, e partiu delas a iniciativa de formar organizações auxiliares, como a Liga Feminina de Batalha (1926), que lutava pela integração social e política de mulheres na comunidade nacional. As mulheres que aderiram à causa de Hitler trabalharam a favor dele nas urnas, nos escritórios do Partido, e em casa. Uma ativista pioneira relatou o despertar político das mulheres para o movimento nazista e o desempenho delas nos primeiros embates e eleições:

> As mulheres não podiam deixar de se envolver naquela luta, porque envolvia o futuro delas também, e o futuro dos seus filhos... Então escutamos o discurso do primeiro orador nacional-socialista [nazista]. Ouvimos. Fomos a outras reuniões. Escutamos o *Führer*... Os homens ficavam nas primeiras fileiras. As mulheres cumpriam seus deveres em silêncio. Mães passavam noites esperando ansiosamente o barulho de passos chegando. Mulheres espreitavam pelas ruas escuras de Berlim, à procura do marido ou do filho que estava arriscando a vida e o sangue na luta contra a sub-humanidade. Dobravam panfletos para os homens da SA [tropa de choque] deixarem nas caixas de correio. Passavam horas e horas valiosas nas salas e cozinhas da SA. Havia sempre coleta de dinheiro. A nova fé passava de boca em boca. Nenhum caminho era longo demais, nenhum serviço para o partido era pequeno demais.

Embora ativas partidárias do movimento nazista, as mulheres não podem ser culpadas por colocar Hitler no poder. Hitler não foi eleito democraticamente, e sim nomeado chanceler por uma trama de homens mais velhos, da alta classe social, que julgavam poder usar o jovem arrivista para esmagar a Esquerda e restaurar o conservadorismo.

Tão logo assumiu, Hitler e seus seguidores exploraram todas as oportunidades e brechas legislativas para transformar a Alemanha em uma ditadura de partido único e uma nação de exclusão racial. Os direitos civis foram suspensos em fevereiro de 1933, menos de um mês depois de Hitler ocupar o cargo, e os adversários políticos foram detidos, jogados em prisões e no recém-inaugurado campo de concentração de Dachau. Os sindicatos foram dissolvidos, as lojas dos judeus foram boicotadas, livros foram queimados. Todo o serviço civil foi "restaurado", obrigando aqueles que não tinham ascendência ariana a se "aposentar". Cerca de oito mil mulheres comunistas, socialistas, pacifistas e "associais" estavam entre as pessoas perseguidas. Em março de 1933, Minna Cammens, que tinha sido representante dos social-democratas no parlamento, foi presa por distribuir panfletos antinazistas. Durante sua detenção e interrogatório, foi assassinada pela Gestapo. Mulheres pertencentes ao Partido Comunista também foram presas e mortas, ou encontradas enforcadas nas celas. O asilo de Moringen foi transformado no primeiro campo de concentração do Reich com internas femininas, inclusive testemunhas de Jeová, que eram pacifistas e se recusavam a aceitar Hitler como seu supremo salvador. Lina Haag e outras esposas de membros importantes do Partido Comunista alemão foram presas junto com os maridos. Enquanto a Gestapo escoltava Haag pelos corredores do prédio em que morava, na hora do almoço, todos os vizinhos fecharam a porta "cuidadosamente e sem ruído". Haag passou cinco anos em campos e prisões. Definhando numa cela solitária na prisão de Stuttgart, ela ouviu os murmúrios desesperados de uma prisioneira que havia sido condenada à morte. Noutra ocasião, gritos atravessaram as paredes da prisão enquanto um guarda bêbado cantava uma canção de sucesso na época, com o agourento refrão "Quando você partir, diga adeus bem baixinho".

O aumento de prisioneiras significava um aumento de guardas femininas, recrutadas na Organização de Mulheres do Partido Nazista. Equipes médicas femininas também eram enviadas para os campos; no final da guerra, cerca de 10% do pessoal dos campos era feminino. Pelo menos 35 mil mulheres foram treinadas como guardas de campos de concentração, a maioria em Ravensbrück, de onde partiam para diversos campos, inclusive Stutthof, Auschwitz-Birkenau e Majdanek. As voluntárias desse serviço macabro viam os locais de extermínio em massa como lugares de emprego e oportunidade. O uniforme era imponente, o salário era bom e a perspectiva de exercer poder era sedutora. Algumas guardas tinham antecedentes criminais ou eram prisioneiras do Reich transferidas para a função como um meio de se reabilitarem no sistema nazista. Durante a guerra, muitas foram pressionadas a aceitar esse serviço para cumprir pena de trabalho compulsório.

Quando as recrutas se formavam, faziam o juramento e entravam no sistema dos campos, muito poucas ostentavam uma atitude humana com relação às prisioneiras. As guardas do campo de Neuengamme eram famosas por seus gritos estridentes, bofetões e espancamentos. Para uma prisioneira, porém, essa forma "disciplinar" seria mais bem descrita como atos aleatórios de terror – atos ainda mais espantosos por serem cometidos por uma mulher.

Também fora dos campos, mulheres perseguiam outras. As categorias de prisioneiras eram deliberadamente vagas e elásticas. Qualquer uma podia ser denunciada como vagabunda, sabotadora, marginal ou "associal". Certa vez, uma mulher que entrou numa padaria e se esqueceu de cumprimentar os vizinhos com o esperado *Heil, Hitler* foi interrogada pela Gestapo. "Associais" – vadias, ladras, prostitutas, a "gentalha" que sujava as ruas alemãs e manchava a imagem deslumbrante da beleza ariana – eram presas, e até esterilizadas e mortas. Uma ditadura não requer uma grande força policial de serviço secreto quando os vizinhos se prestam a fazer o trabalho de vigilância, por medo, conformismo, fanatismo ou rancor. Os motivos pessoais e políticos eram bem definidos. Os membros mais vulneráveis da sociedade, os que vivem à margem, são dispensáveis.

Hitler proclamou que o lugar da mulher era tanto no lar como no movimento. No comício de 1934, em Nuremberg, ele usou a retórica marcial típica: "O que o homem oferece em heroísmo no campo de batalha, a mulher iguala em constante perseverança e sacrifício, com dor e sofrimento constantes. Cada criança que ela traz ao mundo é uma batalha, uma batalha que ela empreende pela existência de seu povo... Pois a Comunidade Nacional-Socialista do *Volk* foi estabelecida numa base firme, precisamente, porque milhões de mulheres se tornaram nossas mais leais, fanáticas companheiras combatentes." Em discursos para a Organização de Mulheres do Partido Nazista em 1935 e 1936, Hitler proclamou que uma mãe de cinco, seis ou sete crianças saudáveis e bem-criadas realizava mais do que uma advogada. Ele rejeitava a igualdade de direitos para as mulheres alegando que era uma exigência marxista, "já que arrasta a mulher para uma área em que ela será necessariamente inferior. Coloca a mulher em situações que não podem fortalecer sua posição – *vis-à-vis* tanto ao homem como à sociedade –, mas só enfraquecê-la". As mulheres que almejavam graus mais altos em educação superior ou na política eram limitadas por cotas. Alfred Rosenberg, o ideólogo do Partido Nazista, resumiu assim a situação: "Consequentemente, todas as possibilidades de desenvolvimento das energias de uma mulher devem permanecer abertas para ela. Mas deve haver clareza em um ponto: somente o homem pode ser e permanecer juiz, soldado e governante de um Estado."

Na batalha do Reich por nascimentos, as combatentes femininas tinham que andar na linha, cumprir ordens, se sacrificar por um bem maior, desenvolver nervos de aço e sofrer em silêncio. Tinham que abrir mão do governo do próprio corpo, agora colocado a serviço do Estado. As vitórias eram medidas não por nascimentos, mas pelo número de bebês arianos saudáveis. A maciça campanha de reprodução seletiva convocou gerações e classes de mulheres alemãs, que acabaram sofrendo – e também apressando – a guerra racial nazista. A profissão de parteira deslanchou. Em conformidade com a exaltação da pureza e da natureza, as cesarianas eram limitadas, e a amamentação no seio, premiada. Nem todas as mulheres eram consideradas militantes adequadas. Portadoras de supostos distúrbios genéticos (inclusive alcoolismo e depressão clínica), prostitutas com doenças venéreas, ciganas roma e sinti, além das judias, eram obrigadas a se submeter a esterilização e a abortos. Dos 400 mil alemães não judeus que foram obrigados à esterilização, cerca da metade era de mulheres. Segundo a historiadora Gisela Bock, muitos milhares morreram por causa de procedimentos médicos malfeitos. Mulheres alemãs adultas e jovens eram traídas por parteiras e enfermeiras, que faziam denúncias dizendo que a criança nascia defeituosa ou que, em exames ginecológicos de rotina, recomendavam aborto ou esterilização. Assim, na guerra civil para obter bebês arianos perfeitos, que já estava em curso antes da eclosão da Segunda Guerra Mundial, mulheres tomavam cruéis decisões de vida ou morte para outras mulheres, corroendo a sensibilidade moral e implicando as mulheres nos crimes do regime.

O conformismo político era exigido das mulheres, e até das meninas. A doutrinação formal começava na idade de 10 anos. Em 1936, a adesão à ala de meninas da Juventude Hitlerista, a Liga das Meninas Alemãs (Bund deutscher Mädel, BdM) era compulsória. Depois os nazistas fecharam outros programas de juventude, ou os assimilaram à Juventude Hitlerista, à exceção de alguns grupos católicos protegidos pelo Vaticano. Os pais que tentavam proteger os filhos contra o movimento perdiam a autoridade em casa e o respeito na comunidade, e por isso geralmente se rendiam diante do tormento de militantes, vizinhos e colegas membros do Partido Nazista. Em cidades pequenas, como Minden, as autoridades locais entregavam ao Partido Nazista listas dos registros dos nascimentos de meninas, que eram usadas por voluntários do partido para bater de porta em porta recrutando as meninas para o movimento.

A liga satisfazia o desejo de muitas meninas – políticos ou não – por convivência e amizades duradouras. Para algumas, era um trampolim para pertencer realmente ao Partido Nazista e fazer carreira dentro do movimento, um meio de adquirir a forma adequada. A líder da liga de Minden era "incrivelmente autoritária"; era "notória em toda a Minden" por seus gritos e berros "quase cruéis". A mais odiosa das líderes nazistas locais servia de modelo para meninas que cresciam nas cidades pequenas.

As jovens da época olhavam para a frente, não para trás. Não se proclamavam feministas. Na verdade, a maioria de sua geração desprezava as *suffragettes* como antiquadas. Quando os nazistas mandaram abolir o voto feminino, em 1933, as alemãs não fizeram nenhuma greve de fome. O inimigo delas não era "o macho opressor"; para muitas, ficou sendo "o judeu", "o bolchevique" e "a feminista". Hitler declarou em 1934 que era o intelectual judeu quem pregava a emancipação da mulher. O movimento nazista iria "emancipar a mulher da emancipação feminina". De fato, as judeu-alemãs tinham desempenhado um papel significativo na reforma social e nos movimentos femininos na época de Weimar. Assim, os pronunciamentos de Hitler serviam a dois propósitos: a remoção dos judeus da política e o esmagamento do movimento de independência das mulheres na Alemanha. O laboratório experimental dos tempos de Weimar precisava ser totalmente desacreditado e desmantelado enquanto se introduzia uma alternativa emancipatória no nazismo, que priorizava a disciplina e a conformidade. As mulheres que se sentiam fortalecidas pelo movimento nazista

Membros da Liga de Meninas Alemãs atirando com rifles,
como parte de seu treinamento paramilitar, 1936

vivenciavam uma espécie de liberação na camaradagem, não como feministas querendo desafiar o patriarcado, mas como agentes de uma revolução racista, conservadora. Como membros plenos da sociedade ariana fascista, elas eram políticas a despeito de si mesmas. De fato, a "Questão da Mulher" agora tomava a forma de mulheres e meninas indo para as ruas em desfiles e comícios, para as fazendas com contratos de trabalho, para acampamentos de verão, marchas, cursos de ciência doméstica, exames médicos e cerimônias de hasteamento da bandeira.

A ideologia do *Volk* tinha sua própria estética feminina. Segundo essa ideologia, a beleza era produto de uma dieta saudável e atletismo, e não de cosméticos. As mulheres e meninas alemãs não deveriam pintar as unhas, depilar as sobrancelhas, usar batom, tingir os cabelos ou ser muito magras.

Os líderes nazistas condenavam toda a expansão dos cosméticos dos anos 1920 como comércio de judeus, como uma vulgarização da feminilidade alemã, que fazia das mulheres prostitutas e levava à degeneração racial. Os homens deveriam se casar com uma moça da vizinhança, não com uma assanhada da cidade ou uma *vamp* estilo Hollywood. O brilho natural de uma jovem deveria irradiar dos exercícios físicos, da vida ao ar livre e, em sua mais elevada forma, da gravidez.

Hitler almejava despertar a consciência racial nos alemães, mas para muitas mulheres o despertar racial era também um despertar político. As mulheres passaram a agir com a noção ambiciosa, às vezes intimidante, mas mais frequentemente energizante, de que deveriam esperar mais da vida. Em suas memórias e entrevistas, cada uma das Mulheres do Nazismo relatou experiências similares na juventude: ao completarem o ciclo escolar básico, como jovens adultas, descobriram que queriam ser alguém. Essa aspiração é hoje um clichê, é claro, mas na época era revolucionária. Moças de origem modesta se afirmavam saindo de seus vilarejos, matriculando-se em programas de formação de datilógrafas ou enfermeiras, e se filiando a um movimento político. As filhas da primeira geração de eleitoras em Weimar imaginavam possibilidades na Alemanha e além.

Raramente as mulheres apresentadas neste livro descrevem, ou sequer mencionam, as políticas nazistas pré-guerra concernentes aos judeus. Brigitte Erdmann, por exemplo, que entretinha tropas de soldados em Minsk, escreveu para a mãe, em 1942, dizendo que tinha encontrado um judeu-alemão pela primeira vez quando estava na Bielorrússia. Será que as alemãs entendiam a centralidade da "Questão Judaica" na ideologia de Hitler e viam o alcance do que estava acontecendo com os judeus? É claro que as meninas que cresciam na Alemanha viam a propaganda escancarada, as imagens de judeus como inferiores em cartazes e jornais. Na ficção e em filmes, os judeus eram representados como algo perigoso – e para as meninas, devassos. Nessa forma sexualizada, o antissemitismo atingia o domínio mais íntimo, mais emocionalmente carregado, das relações sexuais entre alemães

Comício do Partido Nazista em Berlim, agosto de 1935, com faixas dizendo:
"Os judeus são a nossa desgraça" e "Mulheres e meninas, os judeus são a sua ruína"

gentios e judeus-alemães. Isso era especialmente talhado para a população feminina "ariana", entendida como objetos sexuais vulneráveis que precisavam ser vigilantes protetoras de seu corpo *vis-à-vis* os judeus. Essa forma de antissemitismo também incitava o machismo dos alemães: proteger suas mulheres contra os "perigosos" judeus era um teste de sua honra e masculinidade.

Nos cursos de cuidadoras de crianças, as mulheres tinham aulas de "higiene racial" (na área de saúde), para identificar as odiosas características dos "sub-humanos" nas feições faciais e no formato da cabeça. Na escola secundária, as alunas criavam elaboradas árvores genealógicas, que serviam a duas finalidades: elas ficavam cientes de sua linhagem de sangue alemão e as professoras descobriam quem era ariano e quem não era. Nas novas edições de livros escolares, slogans antissemitas e figuras grotescas de judeus eram ladeados por símbolos nazistas e edificantes citações de uma bela imagem, em foto retocada, de Hitler. Provocações e xingamentos públicos a judeus eram tolerados em playgrounds, balneários e eventos esportivos. Num desfile de carnaval numa região católica, foi apresentado um elaborado carro alegórico com uma procissão de alemães vestidos como judeus ortodoxos a caminho da Palestina. Para completar a zombaria, os participantes colocavam "narizes de judeus".

No período entre guerras, as meninas testemunharam a violência dos políticos, tanto nas ruas como nas escolas. Aprenderam não só a tolerar isso, mas também a tomar atitudes contra alvos escolhidos e colegas vulneráveis. Quando uma menina alemã, numa escola, bateu numa ex-amiga judia, a outra reagiu. Surpresa, a alemãzinha disse: "Você é judia, não pode revidar."

Na época do *pogrom* de novembro de 1938, os *baby boomers* da Primeira Guerra Mundial estavam chegando à idade adulta. Eles viam, ouviam e liam sobre os ataques destrutivos aos judeus em toda a Alemanha. Centenas de sinagogas em cidades e vilas foram queimadas, vitrines de lojas, estilhaçadas. As tropas de choque e da SS vandalizaram cemitérios, revirando túmulos e quebrando lápides. Milhares de judeus foram espancados, e 30 mil foram jogados nos campos de concentração. Fontes oficiais alemãs disseram que o número de mortos era 91. O historiador Richard Evans, porém, estimou que houve entre mil e dois mil mortos, inclusive 300 suicídios. Mais de três quartos de cerca de nove mil negócios comerciais de judeus na Alemanha foram saqueados e destruídos. Mulheres e meninas que iam fazer compras viram a destruição. Muitas comentavam sobre a sujeira, que precisava ser removida, ou reclamavam da desordem e inconveniência. Os berlinenses chamaram eufemisticamente o *pogrom* de *Kristallnacht*, "A Noite dos Cristais", expressando a destruição em termos materiais, e não em termos humanos. Um desses berlinenses, vendo os cacos de vidro na luz da manhã, disse consigo mesmo: "Os judeus são os inimigos da nova Alemanha. Ontem à noite eles tiveram uma amostra do que isso significa."

Na função de clientes e vendedoras de lojas, as alemãs encontravam judeus diariamente na sociedade consumista do Reich. Os judeus escolhiam as lojas em que iriam entrar, quais evitar durante os primeiros boicotes, e viam que o comércio local estava trocando de mãos. Antes de 1933, os judeus possuíam algumas das maiores lojas de departamentos na Alemanha, como a rede Tietz, que incluía a KaDeWe, a Harrods de Berlim. Durante os boicotes, as tropas de choque nazistas estraçalharam as vitrines, e tentavam impedir a entrada das clientes. Na maioria, as lojas eram pequenos negócios de família, mas nas grandes lojas de departamentos, como a Tietz, muitas alemãs trabalhavam como vendedoras. Os líderes nazistas e financistas alemães expulsaram os judeus do comércio, obrigando-os a vender abaixo do preço de mercado, e gerentes judeus foram dispensados do cargo. Para muitas vendedoras alemãs, essa "arianização" do comércio varejista podia significar a perda do emprego ou um novo patrão. Em todos os casos era um evento, uma mudança visível, que marcava a vitimização, e depois a partida, de seus vizinhos e empregadores judeus.

A onda de ataques nazistas nos anos 1930 se tornou intolerável para os judeus-alemães, e muitos que puderam fugir o fizeram. Em 1940, quase metade deles tinha saído da Alemanha, sendo que dois terços destes eram crianças. Do ponto de vista alemão, os judeus que permaneceram eram invisíveis enquanto seres humanos, mas muito presentes como um espectro da força do mal que ameaçava a Alemanha. Assim, Brigitte Erdmann, animadora de soldados de Minsk, e outras alemãs que foram tomadas de surpresa pela presença de judeus no Leste Europeu achavam que nunca tinham visto um judeu antes, quando, na verdade, haviam tido contato diário com eles em sua juventude na Alemanha.

A norma vigente na sociedade, de ignorar a condição dos judeus, estava ligada à expectativa de que as jovens alemãs deveriam encarnar uma marca feminina de robustez e força. O treinamento físico da Liga das Meninas Alemãs incluía marcha forçada e exercícios de tiro. As jovens, na verdade meninas, aprendiam a atirar em formação com rifles de ar comprimido. A duradoura tradição do militarismo prussiano não apenas cultivava uma cultura de guerra total e "soluções finais", mas, em sua forma fascista do século XX, integrava as mulheres numa sociedade marcial como educadoras e combatentes patrióticas.

A atividade física se aliava ao emburrecimento da população. Na escola, não eram ensinadas disciplinas, como latim, porque esse tipo de conhecimento não era necessário às futuras mães. Em vez disso, as meninas recebiam panfletos com dicas de como fisgar um marido. A primeira pergunta a ser feita a um possível parceiro era: "Qual é sua origem racial?" Para as moças casadoiras, essas orientações e apoio social eram considerados úteis. A afirmação pública de maternidade também era sedutora. "Em meu país, a mãe é a cidadã mais importante", Hitler dizia. Nunca antes as mães alemãs tiveram tamanho reconhecimento e tantos serviços ao seu dispor, como mais creches, mais atendimento na área de saúde ("higiene racial") e status de celebridades em cerimônias em que mães de mais de quatro filhos eram agraciadas com a Cruz de Honra.

Certamente, era preciso ter cautela ao aceitar como fatos a propaganda e as declarações de líderes nazistas. A propaganda se destinava a trazer de volta as mulheres aos domínios privados de *Kinder, Küche, Kirche* – crianças, cozinha, igreja – e os incentivos financeiros para aumentar o número de casamentos e taxas de natalidade não alcançavam os resultados esperados pelos líderes nazistas. Depois de 1935, a taxa de natalidade caiu e o número de divórcios aumentou. As estatísticas mostram que a maioria das mulheres não eram casadas, não estavam constantemente grávidas e não ficavam restritas ao lar. À medida que o Terceiro Reich fundava agências e escritórios que proliferavam em toda a Alemanha (e mais tarde em territórios ocupados), as mulheres se tornavam uma parte mais visível da força de trabalho do que jamais acontecera na história do país. Uma mulher dessa coorte geracional resumiu a situação ao dizer que a Primeira Guerra Mundial lhe tinha ensinado que "todo mundo precisava ter uma profissão. Você não podia ter a menor certeza de que iria se casar... Quem saberia o que o futuro poderia trazer?".

Contudo, não seria correto superestimar a liberdade de escolha que as mulheres tinham na Alemanha de Hitler. Elas certamente não podiam se casar com um judeu, nem criar filhos com alguma doença considerada genética. Não tinham mais opções políticas, dado que o Partido Nazista era o único partido legítimo. E as carreiras abertas para elas eram limitadas. Antes da guerra, todos os alemães saídos da escola ou planejando entrar para a universidade tinham que cumprir um contrato de trabalho para o Reich, um período de seis meses, geralmente na agricultura. Nesses campos de Trabalho a Serviço do Reich, embora houvesse separação por sexos, todas as classes socioeconômicas eram reunidas de modo a desenvolver um senso de camaradagem nacional. No começo de 1938, como parte de preparação para a guerra, todas as estudantes que faziam um curso superior ou escola técnica tiveram uma formação básica em três áreas: defesa aérea, primeiros socorros e comunicações.

O sistema nazista não tolerava dissidentes. Uma vez colocadas em escritórios militares ou governamentais, as funcionárias só poderiam ser demitidas por motivos de saúde, inclusive gravidez, ou por má conduta, e nesse caso eram punidas. O dever de servir ao Reich era instilado nas crianças na escola e em programas da juventude, e aquelas tachadas de "sem iniciativa" ou que tentavam "escapulir" do trabalho eram mandadas para os campos de concentração, que proliferavam, a fim de serem "reeducadas".

No verão de 1941, à medida que os exércitos de Hitler conquistavam mais territórios no Leste, as unidades de trabalho se expandiram, com mais mulheres ocupando indústrias, escritórios e hospitais criados em função da guerra. Os líderes nazistas preparavam uma guerra total e um império total. A Europa inteira estava destinada a ser uma fortaleza ariana governada pelo quartel-general de Hitler em Berlim. Essas ambições globais exigiam a criação de uma nova casta, uma elite imperial germânica composta por homens e mulheres jovens.

CAPÍTULO 2

O LESTE PRECISA DE VOCÊ

Professoras, Enfermeiras, Secretárias, Esposas

Nos primeiros anos do movimento nazista, Hitler e seus associados desenvolveram sua ideologia imperial e demarcaram suas ambições territoriais. A restauração da Alemanha à posição de Grande Potência na Europa iria realizar o que o kaiser havia tentado fazer. No entanto, ao contrário da abordagem britânica para assegurar a hegemonia no poderio marítimo e em possessões ultramarinas, a tática alemã se concentrava na Europa continental, especificamente nas terras férteis do Leste Europeu. A doutrina de Hitler estava explícita na bíblia do movimento, *Mein Kampf*, publicado em 1925:

> Assim como nossos ancestrais... tiveram que lutar por [solo] com risco da própria vida, no futuro nenhuma graça concedida ao povo irá conquistar o solo para nós, e consequentemente vida para nosso povo, mas apenas o poder de uma espada vitoriosa... Pois não é em aquisições coloniais que veremos a solução desse problema, mas exclusivamente na aquisição de um território para assentamentos, que irá engrandecer a área da pátria mãe... E assim nós, nacional-socialistas, conscientemente, traçamos uma linha sob a tendência da política externa do nosso período pré-guerra. Retomamos o que interrompemos seiscentos anos atrás. Suspendemos o interminável movimento germânico para o Sul e o Oeste e voltamos nosso olhar para a terra do Leste.

Mein Kampf vinculava os objetivos do movimento à biografia de Hitler, numa inusitada mistura de memórias, diatribe e doutrina. Em retrospecto, o chamado explícito para colonizar o Leste da Europa é indisfarçável. Conhecemos o genocídio resultante do que Hitler exigiu de seus seguidores. No ocaso da hegemonia europeia, porém, essas pretensões imperiais de uma autointitulada Grande Potência eram consideradas legítimas. Hitler supunha que aqueles territórios eram um direito coletivo de seu povo, e historicamente merecidos. Mais tarde, em seu *bunker* na Ucrânia, ele devaneava:

> O colonizador alemão deve viver em fazendas grandes, bonitas... O serviço público será alojado em edifícios maravilhosos, os governadores, em palácios... O que a Índia foi para a Inglaterra, os territórios da Rússia serão para nós. Se apenas eu pudesse fazer o povo alemão entender o que esse espaço significa para o nosso futuro! As colônias são possessões precárias, mas esse solo é seguramente nosso! A Europa não é uma entidade geográfica, é uma entidade racial.

Ao expandir a circulação de *Mein Kampf* na década de 1930, o Estado exigiu que o livro fosse usado nas salas de aula para ensinar a "essência da pureza do sangue". E o ritual de casamento nazista contava com um presente especial do *Führer*: cada casal alemão ganhava uma edição especial de *Mein Kampf*.

Talvez, a princípio, os casais que receberam essa edição não tenham compreendido – se é que se deram ao trabalho de ler – as implicações da conclamação de Hitler para colonizar o Leste. Mas a demanda de Hitler para uma restauração, ou melhor, uma expansão da fronteira alemã de 1914, não era impopular. Para os alemães, a experiência da Grande Guerra, e principalmente a humilhante perda de território, só aumentava o sentimento de que eram um *Volk ohne Raum*, um povo sem espaço adequado, que foi título de um romance bestseller nos anos 1920. Os propagandistas e intelectuais reconstruíam a história da Alemanha em livros escolares e exposições populares como uma história de sucessivas ondas de migrações orientais. Em 1938, as meninas da Juventude Hitlerista (BdM) aprendiam canções com letras do tipo "Ao vento leste arremessem bandeiras,/Pois o vento leste vai desdobrá-las/Lá, muito além, teremos construções/Que desafiarão as leis do tempo". Em 1942, o ministro da Propaganda do Reich, Joseph Goebbels, e sua equipe inauguraram uma grande exposição em Berlim, *O Paraíso Soviético*, um projeto que vinha sendo desenvolvido desde 1934, e seria visto por 1,3 milhão de alemãs. Ali, Goebbels comparava os horrores do bolchevismo com a *Drang nach Osten*, a Corrida para o Leste. A exposição retraçava a história dos germânicos no Leste Europeu desde a Idade Média, os cavaleiros teutões nas Cruzadas, os laboriosos mercadores alemães da Liga Hanseática e os incansáveis camponeses, todos que, em várias tentativas, procuraram conter as ondas de hordas asiáticas que vinham para o Oeste. Os grandes defensores e promotores da civilização eram os germânicos. Também no *Paraíso Soviético* as mulheres apareciam como esposas amorosas e mães robustas. Essas histórias e imagens tinham por objetivo incentivar os alemães a partir para o Leste, aceitando a cruzada contra o bolchevismo, a subjugação da Polônia em 1939 e a invasão da União Soviética em 1941 como historicamente legítimas e necessárias.

As mulheres que foram para o Leste no Terceiro Reich não pertenciam à primeira geração de imperialistas alemães. Na África, a elite colonial do kaiser nas regiões próximas ao Saara contava com muitas missionárias, e no período entre guerras as mulheres eram mobilizadas nas fronteiras para socorrer alemães que residiam nos territórios perdidos segundo os termos do Tratado de Versalhes. Quando a Polônia foi invadida, em setembro de 1939, milhares de mulheres foram pressionadas para prestar serviço, e fortemente encorajadas a passar as férias nesse país. A propaganda do movimento feminino do Partido Nazista reacendeu as fantasias imperiais, proclamando, em 1942, que "a expansão para o Leste, que nossas tropas empreenderam, lutando e vencendo, é cada vez maior, [e] o número de alemãs que vão para o Leste (*Ostraum*) com a administração civil... As tropas conquistadoras são rapidamente seguidas pelas mulheres alemãs".

Com o passar do tempo, esperava-se que toda mulher que desejasse um cargo administrativo nos escalões superiores do Partido Nazista tivesse um período de treinamento nos territórios do Leste. Em 1943, mais de três mil jovens foram para a Polônia, preparando suas carreiras. Elas ofereciam cuidados e aulas para refugiados de etnia alemã que afluíam da Romênia e da Ucrânia para certas cidadezinhas na Polônia, como Zamosz, onde as forças de ocupação alemã expulsavam brutalmente os poloneses de suas casas, roubando suas propriedades, seu gado e seus bens pessoais. Na história da expansão imperial alemã na Europa e além-mar, o capítulo nazista foi o mais extremo em sua política genocida, seus estratagemas de engenharia social e emprego de ativistas mulheres.

Na imaginação nazista, o *Lebensraum* oriental, um espaço ariano habitável em outro país, era uma fronteira onde tudo era possível, um lugar em que fábricas de assassinato em massa podiam ser construídas paralelamente a utópicas colônias exclusivas de alemães. "O Leste" evocava todos os violentos, mas também românticos estereótipos de caubóis e índios da literatura e filmes da época. A cultura popular do Terceiro Reich projetava no Leste Selvagem a ideia de uma terra fértil, onde pioneiros teutônicos, posseiros e caçadores de recompensas subjugavam o terreno e seus nativos selvagens. Habitantes de etnia germânica apareciam em fotografias nazistas em vagões de trem enquanto guardas civis e policiais da SS cruzavam as planícies montados em motocicletas como caubóis a cavalo. Um jogo de tabuleiro muito popular entre as famílias nos anos 1930 representava os colonizadores alemães como pioneiros no Leste.

Hitler, também fascinado pelo Velho Oeste norte-americano, fazia uma conexão explícita, proclamando o dever de "germanizar [o Leste] com a imigração de alemães, e tratar os nativos como peles-vermelhas". Himmler, por sua vez, falava da missão nazista no Leste como o Destino Manifesto da Alemanha. Muitos alemães cresceram lendo os livros de aventuras de Karl May, vendo o filme *Der Kaiser von Kalifornien* (*O imperador da Califórnia*), de 1936, ou um ainda mais sensacional, de 1941, intitulado *Carl Peters*, sobre um brutamontes alemão na África que trajava um paletó branco e reluzentes botas pretas para açoitar "os pretos". Essas produções culturais, assim como os primeiros filmes de terror e de gângsteres do expressionismo alemão – *Nosferatu, O gabinete do doutor Caligari* e *M* – refletiam, nas palavras de um crítico cultural do momento, Siegfried Kracauer, "as camadas profundas da mentalidade coletiva", bem como as "disposições psicológicas" dessa época e sua geração.

A noção de *Lebensraum* deveria estimular os alemães – funcionando de maneira bem aproximada à ideia de *Volksgemeinschaft* dentro do Reich – a conquistar, colonizar e explorar o Leste Europeu. A reivindicação das regiões de fronteira e herança alemãs no estrangeiro era apresentada como um ato de autodeterminação nacional: a invasão da Polônia e da União Soviética pela Wehrmacht abriria o caminho para milhões de alemães se instalarem como governantes imperiais e colonizadores nos territórios conquistados. A realidade do *Lebensraum* passava longe de sua promessa democrática.

A *juggernaut* consistia em uma investida combinada de forças militares, da polícia e da SS, de agências governamentais e de empreiteiros de construção civil. O homem mais poderoso do Reich depois de Hitler, Heinrich Himmler, líder da SS e da polícia, controlava tanto o aparato de segurança como a engenharia social. Segundo seu grandioso projeto, chamado Plano Geral do Leste (*Generalplan Ost*), de 30 a 50 milhões de sub-humanos eslavos seriam mortos ou deportados num período de vinte anos, a fim de dar espaço para os colonizadores alemães, e os "afortunados hilotas" que permanecessem iriam servir aos seus senhores alemães. O Escritório de Raça e Assentamento e outras agências da germanização se espalharam pelos territórios ocupados em busca de habitantes racialmente aceitáveis, de etnia germânica e de enclaves coloniais adequados. Himmler ordenou que seus homens liderassem uma campanha de sequestros sancionados pelo Estado. Um dos tipos fazia uma alusão sinistra no nome: "Ação da Colheita de Trigo." Se um membro da SS avistasse uma menina ou menino bonito, de cabelos louros e olhos azuis, em algum vilarejo da Ucrânia, Polônia ou Bielorrússia, podia pegar a criança. Os examinadores raciais da SS iriam determinar se a criança tinha sangue alemão suficiente e, em caso afirmativo, ela seria colocada para adoção. Mulheres alemãs inférteis ou sujeitas a aborto espontâneo, desesperadas para provar seu mérito pela via da maternidade, eram candidatas prováveis para receber e adotar crianças roubadas. Crianças sem valor racial eram mandadas para asilos e campos de trabalhos forçados ou, em alguns casos, usadas como cobaias em experimentos médicos.

A avaliação e redistribuição de crianças era portanto mais um campo de atuação das mulheres no genocídio patrocinado pelo Estado. No papel de administradoras de assentamento e de examinadoras raciais, as mulheres escolhiam as crianças racialmente escolhidas do Leste para o Reich, onde as colocavam em lares adotivos e orfanatos administrados pelo Estado. Germanização significava a assimilação forçada dessas crianças, sua "civilização" por assistentes sociais e mães alemãs. Em termos tipicamente passivos, os relatórios alemães se referiam a essas crianças como "orfanadas", quando, na verdade, as tropas militares e a SS, no decorrer de operações contra a resistência e de represália em massa, tinham fuzilado seus pais e mandado as mães para campos de concentração. As 105 crianças de Lídice, a cidadezinha tcheca que os nazistas destruíram em retaliação ao assassinato do adjunto de Himmler, Reinhard Heydrich, são provavelmente as vítimas mais famosas, mas houve muitas mais. Estima-se que o número de crianças roubadas vai de 50 mil a 200 mil. Depois da guerra, o governo polonês e parentes sobreviventes requisitaram a devolução das crianças. A maioria delas, porém, não foi identificada, e muitas mães alemãs se recusaram a entregar as que o foram. Assim, muitas delas cresceram em lares alemães, e poucas souberam de onde tinham vindo. Esse aspecto do genocídio nazista não teria sido possível sem o envolvimento de administradoras e mães alemãs.

Himmler tinha o duplo encargo de assegurar e expandir a raça alemã, destruindo seus inimigos e promovendo a criação de arianos. O movimento nazista queria dar à história europeia uma nova direção, levando-a a uma era de hegemonia alemã que, em sua *Weltanschauung* antissemita, estaria livre da influência político-racial dos judeus. É claro que o bode expiatório "judeu" em tempos de crise não foi uma invenção dos alemães, mas, na ideologia nazista, a centralidade desse "outro" era singular.

No pensamento nazista, o "espaço vital" do Leste tomava formas contraditórias: não só era o futuro Jardim do Éden alemão, um lugar de oportunidades, mas também um terreno hostil. Os sonhos imperiais se fixavam nas terras entre a Alemanha e a Rússia, habitadas, na visão deformada dos nazistas, por raças inferiores, ameaçadoras e adversários políticos. Esse ódio paranoico incitava à adoção de políticas radicais quanto à população e ao aumento de medidas de segurança, o que fornecia a base lógica para fuzilamento em massa de não combatentes, prisioneiros soviéticos e, principalmente, de homens, mulheres e crianças judeus. Começou no final de julho de 1941, quando parecia que a previsão dos alemães de uma rápida derrota da União Soviética estava se tornando realidade, e Himmler exigiu o extermínio dos judeus residentes em vilarejos considerados ninhos de *partisans*, priorizando as áreas pantanosas da Bielorrússia. O assassinato em massa começou encoberto pela guerra e, como disse apropriadamente o historiador Christopher Browning, na "euforia da vitória".

Por que caminhos os homens e mulheres alemães chegavam ao Leste, e quantos alemães estavam envolvidos? Seguindo de perto o Exército, o governo alemão e as organizações nazistas colocaram pelo menos 35 mil agentes colonizadores nos territórios ocupados da União Soviética. A Polônia ocupada também atraía sua quota de aventureiros, empresários, diletantes, carreiristas, alpinistas sociais e ex-presidiários. No total, uns 14 mil homens e mulheres trabalhavam na administração, conhecida como Governo Geral. O historiador Michael Kater estima que 19 mil jovens alemãs foram enviadas para os territórios anexados da Polônia para auxiliar nas operações de assentamento. Outras mulheres trabalhavam nos correios e ferrovias alemães. Esses números não incluem o pessoal da polícia e da SS de Himmler, da Cruz Vermelha alemã, as mulheres nos quartéis das Forças Armadas e nos trabalhos de campo, nem nas empreiteiras contratadas pelo governo. Transferências, licenças, mortes na guerra e visitas ou deslocamentos temporários de membros das famílias complicam ainda mais a tarefa de fazer uma boa estimativa. Mas a estimativa, já mencionada, de meio milhão de mulheres no Leste se baseia no número total documentado de enfermeiras, secretárias, professoras, esposas, ativistas do Partido Nazista e consultoras de assentamento, e cobre os territórios do Leste e Sudeste da Europa, inclusive as áreas da Polônia anexadas pela Alemanha em 1939.

Neste capítulo, vamos conhecer mulheres na maior dessas categorias – professoras, enfermeiras, secretárias e esposas – que aceitaram ou agarraram a oportunidade de ir para o Leste.

PROFESSORAS

Ninguém se convertia à causa nazista do dia para a noite. Era preciso doutrinação e convencimento, praticados incessantemente nas escolas do Reich. Para Hitler, uma educação adequada deveria "inflamar o sentido racial e o sentimento racial no instinto e no intelecto, no coração e no cérebro da juventude a ela confiada". A escola, segundo uma reforma de 1934, deveria educar o jovem a serviço do nacionalismo e no espírito nacional-socialista, e os professores deveriam ser treinados para se tornarem condutores desse espírito. Dois terços dos professores alemães frequentaram campos de treinamento, onde eram submetidos a exercícios físicos e ideológicos.

Nas escolas, as aulas de história ressaltavam as proezas militares, impérios passados e pioneiros heroicos alemães. Hitler era colocado no panteão dos heróis, junto com Carlos Magno, Frederico, o Grande, e Bismarck. As aulas de linguagem explicavam padrões de fala, não como dialetos regionais, mas como variantes raciais. Em matemática, os alunos calculavam despesas do governo com incapacitados internados em asilos, implantando nas jovens mentes uma justificativa econômica para um programa de extermínio maciço de pacientes, que eram chamados de "bocas inúteis". Um livro escolar ensinava os alunos a "observar judeus: seu modo de andar, sua postura, gestos e movimentos ao falar". Como disse uma professora aos alunos, os judeus não eram feios só por fora, mas por dentro também. Um tema entremeado em todas as disciplinas era a superioridade da raça alemã. Uma aluna judia de escola pública se lembra da professora entrando na sala de aula com uma suástica e dizendo, apontando para ela: "Vá para o fundo da sala. Você não é mais uma de nós." Quem desafiasse os dogmas, tanto professores como alunos, era expulso do sistema. Bater em crianças que não se conformavam ou desobedeciam era comum nos anos 1930.

Para implementar a Lei de Prevenção a Descendentes Geneticamente Doentes, os professores deveriam denunciar crianças com deficiências. Se uma criança não conseguia abotoar bem o casaco, tinha notas baixas, pouca coordenação nos esportes ou no playground, era encaminhada para "triagem". Na cidade de Reichersbeuern, na Bavária, essa seleção letal ocorreu no recinto privado da única sala de uma escola. Em 2011, entrevistei um ex-aluno, Friedrich K., agora com mais de 70 anos, ansioso para contar o que tinha vivido quando menino, durante a guerra. Sentamo-nos no terraço da casa dele, saboreando o costumeiro bolo com café do fim da tarde. Quando terminamos, perguntei a Friedrich e a sua esposa, que tinha se reunido a nós, sobre os nazistas na cidade deles. Ele se lembrava de uma professora, Frau Ottnad, mas ela havia morrido. Tinha cometido suicídio. Ele fez um gesto na direção de uma capela ali perto, onde ela estava enterrada, e disse alguma coisa sobre seu túmulo, o tipo de detalhe que habitantes de cidade pequena observam. Perguntei o que ela havia feito. Ele fez uma pausa e olhou para a esposa, que concordou com um gesto de cabeça. Bem, ele disse, havia uma menina na cidade, minha amiga, e brincávamos juntos. Subíamos em árvores. Ela se sentava ao meu lado na sala de aula. Mas às vezes a menina tinha convulsões. Era epilepsia. E Frau Ottnad não tolerava aquilo. Então a menina parou de ir à escola; sumiu da cidade. Nós, crianças, ficamos curiosos e perguntamos à professora, Frau Ottnad, onde estava a menina. Frau Ottnad disse que a menina causava muita desatenção na aula e precisaram mandá-la embora. A menina nunca mais apareceu.

Na profissão de professora, assim como na de enfermeira ou parteira, o que era tradicionalmente valorizado como a virtude feminina de cuidar permanecia, mas agora era aplicado seletivamente, com base no critério "racial", no julgamento de quem era humano ou sub-humano, alemão ou não alemão, merecedor de ter participação total na comunidade ou sujeito a expulsão. Professoras levavam alunos a excursões no campo para visitar hospitais psiquiátricos – chamados de asilos de insanos na época – para que os alunos pudessem apreciar sua própria "saúde racial" diante de pacientes expostos, deformados e gritando. As crianças eram ensinadas a não ter pena daqueles "inferiores". Como observou a historiadora Claudia Koonz, essas excursões iam contra a boa educação burguesa, de não ficar olhando com espanto para os menos favorecidos e socialmente excluídos. A socialização nazista *encorajava* o olhar para os inferiores como afirmação da própria superioridade de quem olhava. As crianças aprendiam a assistir ao sofrimento com arrogância. Não era uma técnica pedagógica restrita à Alemanha; o olhar para os inferiores se estendia aos "sub-humanos" nas terras imperiais do Leste.

Ingelene Ivens, uma sonhadora quixotesca, acabaria se tornando uma das combatentes na luta por uma educação adequada na Polônia ocupada. Ivens formou-se professora em Hamburgo e, enquanto se preparava para os exames finais para obter o diploma, pensava sobre o que gostaria de ensinar. Apenas aquelas que obtinham as melhores notas eram aceitas no serviço público no estrangeiro, e ela estudou muito. Quando criança, Ivens visitou a Holanda com o pai e tinha boas lembranças da cidade que era sede do governo holandês, Haia, e particularmente de um edifício, o da Escola Alemã. Em 1942, enquanto Hitler dominava a Europa, Ivens aguardava o comunicado oficial de sua nomeação para o Ministério da Cultura para Ciência e Arte de Berlim. Para onde ela seria enviada? Havia muitas possibilidades. Haia seria ideal, mas que tal outro lugar na Holanda, ou no Norte da França, na Boêmia, Polônia, Letônia ou Ucrânia?

Quando chegou um envelope fino, azul, com selo oficial, Ivens sentiu o coração acelerado. Abriu o envelope e leu: "Você está nomeada para a administração da escola pública de primeiro grau em Reichelsfelde, distrito de Posen." Ivens ficou chocada. Seu pai saiu da sala e se apressou a telefonar para amigos. Alguém sabia onde ficava esse lugar? Voltou trazendo as poucas informações que tinha conseguido. Reichelsfelde era um vilarejo no território anexado da Polônia. Não tinha agência de Correios, nem eletricidade, nem estação de trem, nem água encanada.

Ivens ficou decepcionada, mas não havia nada que pudesse fazer. Ordens eram ordens e não havia tempo para sentimentalismos sobre Den

Haag. Começou a fazer as malas e planejar a viagem. Foi chamada à capital do distrito de Poznan (Posen), de onde percorreria a pé ou de bicicleta 24 quilômetros até a escola em Reichelsfelde.

Ivens era uma dentre muitas centenas de professoras que foram enviadas da Alemanha para a região de Warthegau, na Polônia, para dirigir uma escola de uma sala só em áreas remotas, e uma dentre milhares de professoras e auxiliares de ensino enviadas para outras partes da Polônia, Ucrânia, Lituânia e Boêmia-Morávia (território tcheco anexado pelos nazistas). Embora as autoridades nazistas não estivessem muito entusiasmadas para colocar mulheres solteiras nessas zonas rurais, não viam alternativa. À medida que a guerra avançava, havia cada vez menos homens disponíveis para trabalhos de escritório e profissões civis. Os líderes nazistas estavam determinados a prosseguir com sua "missão civilizadora" no Leste, sem se importar com os riscos para mulheres solteiras. As escolas eram instituições centrais para converter pessoas de etnia germânica à causa nazista e criar uma hierarquia racial que expulsava da escola crianças não alemãs, e ao mesmo tempo desenvolver uma elite de educadoras. Em março de 1940, cerca de seis meses após o início da guerra, o Ministério da Educação do Reich, em Berlim, já tinha dado instruções aos escritórios regionais de toda a Alemanha para enviar imediatamente professoras para cumprir essa missão nos territórios do Leste. Somente numa região da Polônia, 2.500 mulheres trabalhavam em escolas exclusivas para alemães, organizando a instalação de mais de quinhentos jardins de infância. Assim como Ivens, essas professoras não tinham muita escolha quanto ao lugar em que iriam trabalhar. Os pedidos de transferência de lugares como Reichelsfelde eram invariavelmente negados. Para impedir deserções, a Associação de Jovens Mulheres Alemãs e a Organização de Mulheres do Partido Nazista promoviam o trabalho no Leste como um dever patriótico e uma aventura.

As professoras e cuidadoras de crianças que dirigiam escolas e jardins de infância no Leste nazista contribuíam para o desenvolvimento e a implementação das campanhas genocidas do regime com algumas atitudes básicas: excluindo crianças não alemãs do sistema escolar, privilegiando e doutrinando ideologicamente crianças de etnia germânica na Polônia, na Ucrânia e no Báltico, saqueando as propriedades e pertences dos judeus e dos poloneses para dar às escolas e aos alunos, e abandonando estes, muitos dos quais órfãos, quando os nazistas evacuaram o Leste. De modo geral, as escolas eram dirigidas por alemãs enviadas pelo Reich e com assistência de mulheres locais de etnia germânica. Uma jovem letã de etnia germânica que trabalhou como assistente de professora de jardim de infância na Polônia e na Ucrânia recorda esse trabalho como uma "tarefa de Sísifo". Os policiais da SS despejavam cada vez mais crianças "racialmente valiosas" na escola, crianças cujos pais eles tinham fuzilado. Traumatizadas e arrancadas do lar, as crianças de lá e de outros lugares no florescente sistema escolar nazista eram obrigadas a aprender alemão, cantar canções alemãs e decorar máximas de Hitler sobre o comportamento adequado e a superioridade da raça alemã.

ENFERMEIRAS

De todas as profissões, foi a enfermagem que trouxe o maior número de alemãs diretamente para a guerra e o genocídio, pois as enfermeiras tinham uma variedade de papéis, tradicionais e novos, no desenvolvimento do Estado racial. Elas orientavam as mulheres sobre "higiene racial" e doenças hereditárias. Na Alemanha, participavam da seleção de doentes físicos e mentais nos hospitais e escoltavam essas vítimas para a morte em câmaras de gás, ou lhes aplicavam uma injeção letal. Nos territórios do Leste, elas cuidavam dos soldados e testemunhavam a privação e o assassinato dos prisioneiros de guerra soviéticos e dos judeus. Trabalhavam nas enfermarias dos campos de concentração. Consolavam os homens da SS e os soldados que recuavam antes de atirar nas vítimas a curta distância. Visitavam guetos em inspeções sanitárias oficiais e visitavam guetos também em caráter particular, por curiosidade ou desejo de obter objetos e serviços. Ficavam nas plataformas de trem enquanto judeus trancados nos vagões imploravam por socorro. Foram as primeiras testemunhas do Holocausto na Europa, e algumas cometeram assassinato em massa quando o programa de eutanásia se expandiu da Alemanha para a Polônia. Quem eram as enfermeiras do regime nazista, e em quais circunstâncias elas foram para o Leste?

Quando a enfermagem passou a ser uma missão nobre, na segunda metade do século XIX, a profissão se restringia a mulheres das classes média e alta. Na cultura militarista da Alemanha, esperava-se que o "anjo da casa" abrisse suas asas na guerra para trazer ordem, higiene e cuidados maternos aos soldados doentes nos hospitais de campo. De fato, os soldados apelidaram essas enfermeiras, com longos vestidos brancos e toucas com abas pulando de leito em leito, de "anjos do *front*". Em meados dos anos 1930, com o emudecimento geral da diferença de classes na sociedade alemã graças à nova hierarquia racial e à conclamação à unidade nacional, a posição social não mais importava e os planos de Hitler para uma guerra global fizeram da mobilização de enfermeiras uma necessidade. Enfermeiras "modelo" chegavam a cidades pequenas para ministrar cursos de atendimento domiciliar e para encontrar e recrutar meninas, especialmente as que pertenciam à Juventude Hitlerista. As recrutadoras aliciavam jovens com slogans patrióticos e imagens de propaganda de enfermeiras sorridentes em ambientes exóticos, vestindo uniformes brancos imaculados, imagens que apresentavam a guerra como uma experiência de cura e cuidados, em vez de derramamento de sangue e violência. Muitas adolescentes eram receptivas ao chamado para servir ao Reich. Elas queriam escapar das cidadezinhas e já haviam sido expostas a uma alta dose de higiene e biologia racial nos cursos de cuidadoras de crianças. Cerca de 15 mil mulheres compareceram às operações de recrutamento no final de 1939 e começo de 1940, logo depois da invasão da Polônia.

Na era nazista, a enfermagem assumiu um caráter intensamente nacionalista e ideológico. Uniformes bem-talhados e toucas modestas substituíram os vestidos longos da Primeira Guerra Mundial. A peça mais importante do uniforme era o distintivo, em estilo militar, de honra e afiliação organizacional. Sob a liderança do médico e oficial da SS Ernst-Robert Grawitz, a Cruz Vermelha alemã mantinha vínculos informais, mas importantes com Heinrich Himmler, cuja esposa se orgulhava de ser enfermeira. O Partido

Enfermeiras da Cruz Vermelha reunidas numa cerimônia de juramento, em Berlim

Nazista expedia os certificados das enfermeiras da Cruz Vermelha e ao mesmo tempo formava seus próprios quadros de "enfermeiras marrons". Enfermeiras judias só podiam trabalhar em hospitais judaicos e atender somente a pacientes judeus. Para obter um diploma oficial, o que lhe permitia trabalhar em qualquer hospital, a enfermeira precisava dar provas de sua ancestralidade ariana e confiabilidade política.

A enfermagem, tal como era concebida agora, deixava pouco espaço para ideais humanitários. Uma enfermeira que se formou em Erfurt ficou perplexa com o comentário de um instrutor, que disse "o ódio é nobre". As virtudes tradicionais da enfermeira – sacrifício, disciplina e lealdade – deveriam agora ser usadas em prol da guerra. Os instrutores enfatizavam que a missão delas era reforçar o poder de luta do Exército alemão, cuidando, levantando o moral e restaurando a saúde dos soldados. Como qualquer soldado alemão, as enfermeiras tinham que prestar juramento ao *Führer*. Recentemente, uma enfermeira da Cruz Vermelha que fora enviada para Riga contou, diante de uma câmera de vídeo, que recebera instruções sobre o "povo perverso da Rússia", os "comunistas bolcheviques", que esfolavam e comiam criancinhas. No vídeo, fica bem claro que ela começou a dizer "judeus", mas censurou rapidamente e usou as palavras "comunistas bolcheviques". "Todas nós acreditávamos no que nos diziam", disse ela.

Quando as recrutadoras abordaram Erika Ohr, filha de um pastor, em 1938, ela trabalhava como empregada doméstica na casa do padre em Ruppertshofen, na Suábia. Não se sentia muito à vontade lá, principalmente porque os aldeões lhe lançavam olhares desconfiados – uma jovem solteira trabalhando na casa de um padre? Os militantes do Partido Nazista no local falaram com o padre, recomendando que Ohr se filiasse à Liga das Meninas Alemãs do Partido Nazista. Vendo que não tinha muita escolha, Ohr se filiou. Todavia, compareceu a poucas reuniões porque na maioria das vezes os encontros eram no começo da noite, quando ela ainda estava trabalhando na cozinha do padre. Ela não se lembra de nada do conteúdo ideológico das reuniões – ou talvez tenha omitido esse detalhe no seu relato –, mas se lembra de ter recebido o uniforme, uma blusa branca engomada e saia azul-marinho.

Mais decisivo para seu futuro foi um evento, provavelmente patrocinado também pelo Partido Nazista, no qual ela conheceu duas enfermeiras da Cruz Vermelha. Eram também garotas vindas de fazendas que, ao constatarem que o irmão mais velho herdaria as propriedades da família, decidiram buscar a alternativa de uma profissão. Ohr admirou seus uniformes da Cruz Vermelha e distintivos na lapela. Elas lhe deram inspiração para fugir da vida de pastora ou criada na casa do padre. Nas palavras de Ohr, "Eu queria mais".

Tão logo fez 18 anos, em 1939, Ohr se inscreveu no curso de enfermagem da cidade mais próxima. Antes, porém, ela precisava ser liberada do trabalho compulsório no Serviço do Reich, e depois tinha que obter um atestado de seu status racial ariano. Uma vez concluída a documentação burocrática, Ohr tinha que convencer seu patrão, o padre, a dispensá-la. Quando os rumores de sua partida começaram a circular, os aldeões não acreditaram que Ohr, a cozinheira do padre, iria se tornar uma enfermeira

Erika Ohr, 1941

da Cruz Vermelha. Só se convenceram quando sua mala, bem grande, foi despachada para Stuttgart.

Quando a guerra estourou, em 1939, houve uma crescente necessidade de enfermeiras e assistentes de saúde. A decisão de Ohr tinha chegado num momento oportuno. Mas enquanto se esforçava para completar o curso, não imaginava que tantas jovens como ela seriam mandadas para várias partes da Alemanha e da Europa para tratar de policiais da SS e soldados feridos, e algumas iriam trabalhar em hospícios e enfermarias de campanha, dando fim às chamadas "vidas indignas de ser vividas". Em outubro de 1940, Ohr e outras 19 jovens participaram do curso de treinamento de outono. As superioras, enfermeiras-chefes, eram muito mais velhas; uma delas tinha servido na Primeira Guerra Mundial. Todas eram extremamente eficientes, valorizando a correção e a limpeza. Algumas tinham indisfarçável prazer em dar ordens às jovens recrutas. Uma delas exigia que todas as enfermeiras repartissem os cabelos no meio para ter a aparência matronal apropriada. Mas Ohr tinha suas preferências e manteve os cabelos repartidos de lado. Quando voltou à sua casa, numa visita, foi fotografada em uniforme, orgulhosa de sua figura.

Após dois anos de treinamento intensivo em vários hospitais e clínicas de Stuttgart, Ohr recebeu seu diploma de enfermeira e a ordem de transferência. Todos os membros da Cruz Vermelha alemã, bem como enfermeiras ligadas a diversas organizações religiosas, governamentais e do Partido Nazista, podiam ser convocados para o serviço militar. Era a política oficial desde 1937, quando, como parte dos preparativos para a guerra, Hitler colocou a Cruz Vermelha sob o comando do Exército. Quando se candidatou ao curso de enfermagem, Ohr sabia dessa política, mas ainda assim era alarmante receber uma ordem de transferência que ela não podia recusar. Talvez tivesse cometido um erro.

Ohr tinha conhecido soldados alemães no hospital militar de Stuttgart e tratado de seus ferimentos, mas agora teria que trabalhar perto do *front*, e numa terra estranha. Poderia ser mandada para qualquer parte ocupada da Europa ou do Norte da África. Não tinha experiência de viagem, jamais se aventurara a mais do que 200 quilômetros de sua aldeia natal no Sul da Alemanha. Estava nervosa quando compareceu ao escritório militar distrital em Stuttgart, para pegar os documentos de transferência, selados em 3 de novembro de 1942. Foi mandada para a Ucrânia. Teve pouco tempo para pensar sobre seu destino: tinha que partir para Berlim dali a alguns dias. Fez as malas às pressas e comunicou sua mudança à família. Quando embarcou no trem para a Ucrânia, viu que era a única mulher entre milhares de soldados. Ninguém foi se despedir dela na estação.

No verão de 1941, Annette Schücking, uma mulher com educação superior e de alta linhagem, também vestiu o uniforme bem-talhado da Cruz Vermelha. Vinha de uma família de respeitadas figuras literárias do século XIX. Seu bisavô foi companheiro de Annette von Droste-Hülshoff, gênio da literatura, cujos heroicos protagonistas e românticas reflexões sobre a Vestfália se encaixavam nos ideais da cultura nazista.

No Estado hitlerista, Schücking era valorizada por sua ascendência, e não pela posição política liberal de sua família. Seu pai era pacifista, membro do Partido Social Democrata da Alemanha (SPD), o partido que fundou a República de Weimar, e foi expulso da política quando os nazistas assumiram o poder, em 1933. À vontade nos círculos intelectuais, e abismada com o destino do pai, Schücking decidiu se formar em direito, apesar da enorme competição devido ao sistema de cotas, que restringia o acesso das mulheres à educação superior. Patriota e idealista, Annette acreditava poder desmantelar a ditadura nos tribunais.

Mas Schücking logo descobriu que não tinha meios para mudar o sistema nazista e os homens que o comandavam. Na Universidade de Münster, eram apenas ela e mais uma mulher na classe. Ela e a outra eram alvo

Annette Schücking em uniforme de enfermeira,
verão de 1941

de constantes zombarias de professores arrogantes que achavam a presença delas em seminários uma afronta à tradição. Mas em vista do bom desempenho acadêmico de Schücking, seus professores lhe deram nota para passar no primeiro exame estadual, em julho de 1941. Contudo, por melhor que fosse seu desempenho, ela não conseguiria exercer a profissão, pois Hitler proibia a atuação de mulheres no setor Judiciário e no exercício da advocacia.

Antes que terminasse a graduação, porém, Schücking foi convocada para prestar o serviço de guerra. O que ela poderia fazer? Queria evitar a rotina de um trabalho burocrático e certamente tinha um nível de escolaridade alto demais para trabalhar numa fábrica. Detestava os nazistas e a repressão de liberdade e direitos políticos, e seus sonhos de carreira tinham sido frustrados, mas ela ainda tinha orgulho de ser alemã e de seu senso de dever.

Os jovens alemães seus colegas estavam sendo mandados para as frentes de batalha, necessitavam de cuidados, e ela não podia ficar em casa. Nessa ocasião, estava sendo exibido nos cinemas alemães um documentário chamado *Mães em Mogilev*. Mostrava enfermeiras cumprindo seu dever feminino na guerra na Bielorrússia, cumprimentando Hitler, tratando de soldados feridos, medindo doses de remédios, servindo bolo e petiscos a jovens soldados. Após alguns meses de treinamento, Schücking foi enviada para um lar de soldados em Novgorod, em Volynsk, na Ucrânia, perto do lugar para onde fora Erika Ohr, a filha do pastor.

Tanto a ambição de Ohr como o idealismo de Schücking encontraram expressão na enfermagem. O trabalho delas na Ucrânia e na Rússia, como o de tantas outras enfermeiras e auxiliares do Exército, integrava o empreendimento genocida da guerra de Hitler. Essas enfermeiras eram agentes de um regime criminoso, culpáveis por associação, e não por seus atos pessoais. Outras enfermeiras, porém, cometeram assassinatos em massa. De todas as profissões femininas, a enfermagem contém a mais alta concentração de crimes documentados, no programa de eutanásia e nos experimentos médicos nos campos de concentração.

O caso de Pauline Kneissler figura entre os mais conhecidos de enfermeira-assassina alemã. Nascida em 1900, Kneissler cresceu num lar próspero de uma família de etnia germânica na região de Odessa, na Ucrânia. Fugindo da Revolução Bolchevique, a família foi para a Vestfália, onde seu pai começou trabalhando na agricultura, mas acabou conseguindo um emprego numa ferrovia. Kneissler obteve a cidadania alemã em 1920 e cursou enfermagem em Duisburg, no Reno. No início da década de 1920, completou seu treinamento em diversas instituições e se acomodou num cargo estável, como enfermeira municipal num hospício de Berlim. Em 1937, Kneissler se filiou ao Partido Nazista. Era também membro da Liga Nacional-Socialista de Mulheres, da Associação Nacional-Socialista do Bem-Estar Social, da Liga de Proteção contra Ataques Aéreos do Reich e da Liga de Enfermeiras do Reich. Além de seu papel ativo em associações nazistas e seu trabalho em tempo integral no hospício, Kneissler cantava no coro de uma igreja protestante.

Em dezembro de 1939, ela foi convocada pela polícia para se apresentar no Ministério do Interior no início do ano seguinte. O endereço que lhe foi dado era na verdade da Casa Columbus, sede da operação de eutanásia. Ali, juntamente com vinte outras enfermeiras, ela recebeu instruções de Werner Blankenburg, da Chancelaria do *Führer*. Mais tarde, Kneissler declarou:

> O *Führer* promulgou uma lei de "eutanásia" que, considerando o estado de guerra, não podia ser divulgada. A concordância em participar era absolutamente voluntária. Nenhuma de nós tinha qualquer objeção ao programa e Blankenburg nos fez jurar. Juramos sigilo e obediência, e Blankenburg nos chamou a atenção para o fato de que qualquer violação do juramento seria punida com a morte.

As enfermeiras foram para o castelo medieval de Grafeneck, situado a 65 quilômetros de Stuttgart, onde Ohr tinha se formado. O castelo, uma antiga residência de verão dos duques de Württemberg, fica no alto de um morro, a muitos quilômetros de distância da cidade mais próxima. Depois da Primeira Guerra Mundial foi convertido em um abrigo para deficientes.

O trabalho de Kneissler era percorrer as instituições das redondezas, com uma lista de pacientes selecionados para serem levados para Grafeneck. O encarregado dos transportes, sr. Schwenninger, da Fundação de Caridade para Tratamento Institucional, tinha a lista de deportados para serem mortos. Essa lista tinha que corresponder às de pacientes nas instituições que visitavam. Segundo Kneissler, "nem todos eram casos particularmente graves"; muitos estavam em "boas condições físicas". Num dia determinado, os transportes com cerca de setenta pacientes chegaram a Grafeneck, e Kneissler era uma das enfermeiras acompanhantes.

Uma vez em Grafeneck, os pacientes foram colocados em alojamentos e examinados superficialmente por dois médicos. Respondendo a um questionário, "esses dois médicos davam a palavra final, se um paciente iria ou não morrer por inalação de gás... Em vários casos, os pacientes foram mortos dentro de 24 horas após a chegada". Os médicos injetavam nas vítimas 2cc de morfina-escopolamina antes da morte por gás, e depois dissecavam muitos dos cadáveres. Em seguida à cremação, as cinzas eram todas misturadas e colocadas em urnas individuais, enviadas aos parentes da vítimas com uma carta padronizada. Para manter o segredo e proteger os autores, os nomes dos médicos nas cartas de condolências eram inventados e a causa da morte era falsificada.

Entre janeiro e dezembro de 1940, as equipes médicas mataram 9.839 pessoas em Grafeneck. Kneissler, que dava assistência ao processo do gás, considerava-o assustador, mas não tão mau assim, porque, como ela e suas colegas racionalizavam, "morte por gás não dói".

Kneissler fez carreira de matadora em Grafeneck, Hadamar e outros locais de "eutanásia" na Alemanha, dando assistência nos procedimentos de gás, deixando pacientes morrerem de fome e aplicando injeções letais nos física e mentalmente doentes praticamente todos os dias durante cinco anos. Depois da guerra, sua atuação como matadora na Alemanha se tornou bem conhecida. Menos conhecido é o fato de que ela ficou temporariamente baseada no Leste, num posto que contribuiu para a transferência dos procedimentos de assassinato em massa da Alemanha para a Polônia e a Bielorrússia.

A profissão de Pauline Kneissler, pervertida pelos nazistas, a treinou e convocou para matar. Ela foi para uma unidade especial de matadores aprovada por Hitler. Em contraste, a matança documentada feita por outras alemãs no Leste foi ditada menos pelo treinamento profissional do que pela simples oportunidade, pelo caráter individual e pela proximidade do poder e de lugares violentos. Até as guardas de prisões e campos de concentração podiam escolher o quão cruéis e sádicas seriam com prisioneiros e pacientes. O regime nazista treinou milhares de mulheres para serem cúmplices, impiedosas ao lidar com inimigos do Reich, mas não tinha por objetivo criar quadros de matadoras. Principalmente fora do sistema de terror dos campos de concentração, prisões e hospícios, não se esperava que as mulheres fossem especialmente violentas ou que matassem. Aquelas que mataram aproveitaram a "oportunidade" para fazer isso dentro de um ambiente sociopolítico fértil, na expectativa de recompensas e afirmação, e não de ostracismo. No Leste, as mais aptas a se tornarem matadoras diretas foram as secretárias e as esposas, não as professoras, e nem mesmo as enfermeiras. Aquelas que viviam na proximidade de cenas de crimes e de homens que administravam e implementavam o assassinato em massa estavam inevitavelmente envolvidas e, como veremos claramente, participaram mais do que deveriam.

SECRETÁRIAS

Além das enfermeiras, as que mais contribuíram para as operações do dia a dia da guerra genocida de Hitler foram as secretárias e auxiliares de escritório alemãs, como as arquivistas e telefonistas que trabalhavam em assuntos estatais e particulares no Leste. Precedente à tomada do poder pelos nazistas, outra revolução vinha acontecendo na Alemanha, uma revolução que seria decisiva para aquela geração de mulheres: tratava-se da ascensão do mercado de trabalho moderno e da onda de mulheres solteiras que o ocupavam. Em 1925, o número de mulheres de colarinho-branco em cargos burocráticos havia triplicado desde a década anterior. Entre 1933 e 1939, as jovens queriam cada vez mais trabalhar em áreas fora das tradicionais ocupações na agricultura e nas lidas domésticas. Mulheres preenchiam os cargos da burocracia estatal e das corporações, a mesma maquinaria que viria a patrocinar, organizar e implementar o Holocausto. A jovem comum da época de Weimar não era uma libertária anticonvencional, e na era nazista não era uma recatada dona de casa de corpete e saia rodada franzida. Pelo contrário, era uma secretária sobrecarregada de trabalho e mal paga. A modernidade podia ser altamente emocionante e também exaustiva.

Apesar de exploradas pelo sistema nazista, as jovens encontravam novas oportunidades no campo administrativo. Podiam trabalhar num escritório do Reich ou em outro país. Podiam trabalhar numa agência governamental ou na indústria de armamentos. Ilse Struwe era uma das pelo menos 10 mil secretárias que saíram da Alemanha para trabalhar nos escritórios do Leste.

Ilse fora uma criança ativa — na verdade, turbulenta demais para uma casa prussiana onde a palavra de ordem era o silêncio. Sua mãe, acamada, mandava que ela ficasse quieta, que fosse vista, mas não ouvida. Seu pai, um comerciante atacadista de frutas e membro do Partido Nazista, lhe batia quando ela desobedecia. Ilse logo aprendeu que, para ser amada e aceita, para ser uma menina corajosa e boazinha, era melhor não desafiar a autoridade e, sim, suportar tudo em silêncio.

Aos 14 anos, Struwe perdeu a mãe. Mais tarde, ela se lembrava de olhar para o rosto plácido da mãe morta, que parecia dizer: "Graças a Deus, para mim chega dessa vida." No funeral da mãe, Struwe conheceu três meninas da Liga de Meninas Alemãs que a impressionaram muito. Elas a convidaram para entrar no movimento, num momento em que Ilse estava sozinha e sofrendo. Struwe foi às reuniões e se encantou com a aceitação das colegas. Fez amizade com um garoto da organização paramilitar do Partido Nazista (SA) que a fazia rir com suas palhaçadas. Mais tarde, quando foi lançado de paraquedas na Polônia durante a invasão nazista, ele escreveu

Ilse Struwe, secretária do Exército, em sua mesa de trabalho, 1942

para sua querida Ilse, gabando-se de ter cortado a barba de um judeu velho. Struwe passou a antipatizar com ele.

À medida que amadurecia, Struwe percebia que havia meios de escapar à opressão de sua casa e do vilarejo. Sua pobre mãe, dependente dela enquanto viveu, a aconselhara a seguir uma vocação. Struwe se mudou para Berlim para frequentar a escola secundária e fez um curso de secretária numa escola técnica. Mas o pai ponderava: por que se preocupar com cursos, já que vai acabar se casando mesmo? E insistia com ela para voltar para casa e ajudá-lo nos negócios. Struwe estava preparada para acatar a ordem do pai, quando um tio em Berlim sugeriu que ela procurasse um emprego no Exército. Estavam abrindo escritórios em Paris, recém-ocupada pelos alemães. Ela se candidatou.

Struwe foi mandada para a França em 1940, para a Sérvia em 1941 e para a Ucrânia em 1942, sempre organizando correspondências, datilografando relatórios, editando publicações e enviando comunicados num escritório de operações de vigilância da Wehrmacht. Era uma das 500 mil auxiliares de serviço, mulheres que ocupavam posições de apoio no Exército, Força Aérea e Marinha do Reich. Assim como Struwe, 200 mil dessas mulheres foram enviadas para territórios ocupados. Quando foi transferida para a Ucrânia, não pensou muito nisso. Queria viagens e aventura e, além disso, tinha que ir para onde quer que a mandassem.

Liselotte Meier, pelo contrário, quis ir para o Leste. Tinha crescido na vila saxônica de Reichenbach, no sopé das montanhas Ore, fronteiriça com a Boêmia. Meier e uma de suas amigas de infância se prepararam para o trabalho de colarinho-branco. Sonhavam com carreiras nas cidades próximas, como Leipzig, Dresden, Berlim. Ambas iriam terminar no mesmo escritório em Lida, na Bielorrússia. Meier fez um curso de dois anos numa escola técnica, e mais dois de aprendizado comercial. Aos 19 anos, pôde escolher entre trabalhar numa fábrica de automóveis em Leipzig ou como secretária na administração das forças de ocupação no Leste. Optou pela segunda. Juntamente com as outras escaladas para a equipe da ocupação, ela viajou para a Pomerânia, na Polônia, para um mês de treinamento no castelo

Liselotte Meier, *c.* 1941

de Crössinsee, convivendo com governadores imperiais nomeados e recebendo vacinas e treinamento ideológico.

Assim como Liselotte Meier, Johanna Altvater foi voluntária para a ação no Leste. Altvater era uma garota da classe operária de Minden, no Oeste da Alemanha, onde seu pai era supervisor numa fundição. Esse vilarejo da Vestfália era socialmente rígido, economicamente debilitado e fervorosamente conservador. Nos anos 1930, não havia lá muitas perspectivas de emprego. No processo de modernização, o casamento ainda era o principal caminho para a ascensão social, mas as mulheres podiam também almejar um status mais alto se inscrevendo no serviço público, e preenchiam os cargos do aparato estatal de Hitler.

Altvater frequentou uma escola secundária para meninas e, na Juventude Hitlerista local, se tornou uma das "mulheres fortes, de coragem" e "campeãs da Visão de Mundo Nacional-Socialista". A Liga de Meninas Alemãs no vilarejo de Altvater promovia um recrutamento intensivo nas escolas, onde as professoras eram agentes cooperadoras do Partido Nazista. Assim como suas colegas, foi testada em termos físicos e ideológicos. Ali a socialização não vinha na forma de valores femininos tradicionais, e a Liga não os enfatizava. Mas Altvater – uma mistura de moleca e namoradeira engraçada, valorizada pelas ancas de boa parideira – se aproximava do tipo ideal nazista. Podia se garantir entre os colegas masculinos na luta racial.

Altvater não tardou a olhar para além da sufocante atmosfera de Minden. De 1935 a 1938, recebeu instrução de secretária comercial numa fábrica de máquinas. Sua supervisora a avaliou como "muito pontual, trabalhadora, honesta e muito interessada no trabalho". Essa recomendação a habilitou a obter um cargo de estenógrafa na administração municipal de seu vilarejo. Mas ela não se contentava com aquele trabalho de escritório e queria chegar mais perto da ação de guerra. Seu chefe tentou desencorajá-la, em vão.

Vendo que a filiação ao Partido Nazista abria oportunidades, talvez nos recém-anexados territórios da Polônia, ela se candidatou. Foi aceita em janeiro de 1941. Sua experiência em escritório, o fato de ser solteira, sua ostensiva dedicação ao partido e o desejo de se mudar faziam dela a candidata ideal para servir no exterior. Foi aceita pelo Ministério para os Territórios Ocupados do Leste, para servir na Ucrânia, e partiu imediatamente.

Sabine Dick, nascida Gisela Sabine Herbst, em 1915, era um pouquinho mais velha que Struwe, Meier e Altvater. Formou-se no Gymnasium, o programa de ensino secundário mais competitivo da Alemanha, e sua trajetória para uma missão no Leste foi mais prestigiosa do que a das outras secretárias. Tinha 19 anos de idade quando aceitou um cargo no recém-inaugurado posto da Gestapo em Berlim. De lá, foi transferida para o Escritório Central de Segurança do Reich. Era uma grande organização, com um corpo de funcionários que chegou a 50 mil pessoas em 1944. Dick foi trabalhar no Departamento de Contraespionagem, onde eram investigados os inimigos do Estado, genericamente definidos como "aqueles que põem em risco a existência da Comunidade do Povo ou a vitalidade do *Volk* alemão", e onde eram articulados as prisões, interrogatórios e encarceramento deles.

As secretárias que trabalhavam nesse notório departamento do aparato de terror nazista tinham um determinado perfil. Muitas eram membros ou participavam ativamente em organizações do Partido Nazista antes de partirem para o Leste. Eram mulheres sérias, seguras de si, que não se intimidavam com o edifício da Gestapo, aonde muitos alemães eram chamados e poucos de lá retornavam. Em vez disso, as interessadas nesse emprego o viam como um bom lugar para trabalhar. O salário era melhor, e talvez fosse mais seguro estar lá dentro do que fora.

A expansão da Alemanha para a Áustria trouxe mais mulheres para o sistema nazista. Na ocasião em que Hitler anexou sua terra natal, em março de 1938, duas jovens secretárias de Viena já haviam optado pelo nazismo. Fanáticas, mais tarde seriam voluntárias para trabalhar nos escritórios da Gestapo na Polônia e na Ucrânia.

Gertrude Segel, nascida em 1920, era filha de um segundo tenente da SS e, portanto, membro da comunidade hereditária da SS (*SS-Sippengemeinschaft*). Como muitas de sua geração, ela completou os oito anos de escola primária e secundária, e um curso de dois anos em uma escola técnica. Após trabalhar alguns anos como datilógrafa numa firma particular, foi para o novo escritório da Gestapo, inaugurado em 1938, e lá permaneceu até fevereiro de 1941, quando solicitou um cargo melhor, e foi trabalhar para o comandante da Polícia de Segurança e Serviço de Segurança (Sipo-SD) em Radom, na Polônia.

Classificada no exame racial da SS como detentora de "caráter franco, honesto", Segel declarou ser uma governanta ordeira, econômica e mater-

Gertrude Segel, *c.* 1941

nal. Mas não parecia ser ariana. Era baixa, com olhos castanhos e cabelos grossos castanho-escuros. Um médico da SS determinou que sua aparência apresentava traços da raça "dinárica", que ainda era considerada um ramo válido da variante racial do Sudeste alemão. Para uma foto que mais tarde acompanharia sua candidatura para se casar com o comandante da SS Felix Landau, Gertrude resolveu posar, estranhamente, com uma blusa bordada típica dos trajes de festa das provincianas eslavas.

O acadêmico Michael Mann argumentou que os nazistas fora da Alemanha, notavelmente nas fronteiras da Polônia, Boêmia e Alsácia, bem como na Áustria, desenvolveram tendências especialmente fanáticas nos anos 1930. O desejo de fazer parte de um Reich Alemão Maior significava redesenhar as fronteiras da Europa Central e revolucionar, ou mesmo destruir, os próprios países. Em 1933, estimulados pela indicação e consolidação do poder nazista na Alemanha, ativistas em Viena se esforçaram agressivamente para expandir suas bases de apoio. Organizavam eventos noturnos para atrair jovens homens e mulheres solteiros. Uma dessas mulheres era Josefine Krepp.

Josefine Krepp era uma datilógrafa de 23 anos que morava na casa dos pais num distrito fora de Viena. O apartamento da família na Krausegasse não era o lugar ideal para tentar seguir uma carreira ou encontrar um marido. Em março de 1933, Krepp lançou-se numa jornada até a cidade para comparecer a uma reunião do Partido Nazista. Pagou duas moedas para aprender mais sobre o movimento e conhecer outros jovens curiosos. Essas duas moedas do ingresso foram o primeiro pagamento de sua adesão ao partido. Krepp requereu filiação; seria sua primeira associação formal a um partido político. Mas ela teria que esperar até receber a identificação oficial do partido, porque, depois que os nazistas tentaram um golpe fracassado e assassinaram o chanceler, em julho de 1934, o partido foi proscrito na Áustria. Enquanto isso, Krepp encontrou um emprego melhor no Departamento Central de Polícia. Depois que a Alemanha anexou a Áustria, em março de 1938, Krepp, ainda considerada candidata à filiação no partido, finalmente recebeu o distintivo nazista. Sua dedicação e ambição foram reconhecidas e ela teve a oferta de um cargo na delegacia da Gestapo, na Berggasse, nº 43, perto da Ringstrasse, no coração de Viena.

O escritório de Krepp ficava na mesma rua e pertinho da casa de Sigmund Freud, na Berggasse, nº 19, que tinha sido invadida nos dias seguintes à *Anschluss*.[2] O velho Freud fugiu poucos meses depois para Paris. Ele foi um dos cerca de 130 mil que conseguiram escapar, a salvo dos *pogroms* e decretos antissemitas que deixaram no ostracismo e na indigência a comunidade judaica vienense, destruíram suas sinagogas, centros culturais, escolas e comércio. Hitler tinha um ódio especial dos judeus vienenses. Muitos austríacos construíram seu futuro no partido e no Reich permanecendo em Viena em 1938 e 1939. Em agosto de 1938, o capitão da SS Adolf Eichmann, que era austríaco, instalou seu Escritório Central de Emigração no antigo palácio vienense dos Rothschild. Ali, ele e sua equipe se empenharam em aperfeiçoar um sistema para forçar a emigração dos judeus e a expropriação de seus bens, e depois esse modelo foi aplicado nas deportações em massa de judeus europeus para os campos de extermínio na Polônia e locais de fuzilamento em massa no Leste Europeu.

Josefine Krepp foi uma beneficiária direta dessas mudanças históricas. Reconhecida por seu apoio de longa data ao Partido Nazista e por ser uma administradora leal, foi promovida da delegacia de polícia para a agência de segurança de elite, a Gestapo. Krepp casou-se com o oficial da SS Hans Block. Em março de 1940, o casal ganhou um belo apartamento que estava vago desde outubro de 1939, quando os primeiros 1.500 judeus de Viena foram deportados para uma reserva em Nisko, na Polônia. A nova vizinha de Josefine Block na Apollogasse era Gertrude Segel.

Secretárias como Block e Segel não eram funcionárias comuns. Tendo passado nos testes da SS de aparência física, genealogia e caráter, as jovens que trabalhavam nos quartéis-generais de Himmler em Berlim e Viena podiam vislumbrar uma carreira como membros de uma elite emergente. A traje-

---

2 Esta é uma anexação da Áustria. (N. da P. O.)

tória para o sucesso podia incluir serviço no Leste, e muitas eram voluntárias para trabalhar na Polônia, no Báltico e na Ucrânia. Algumas iam atrás de parceiros convenientes para uma escalada social, outras desejavam realizar seus objetivos ideológicos recém-descobertos, e algumas queriam viver uma aventura libertadora. Muitas desejavam tudo isso.

Em sua grande maioria, as mulheres que trabalhavam como secretárias na Gestapo ou no Escritório Central de Segurança do Reich permaneciam nessas organizações. O processo de contratação exigia um juramento de sigilo. Às vezes, depois que demonstravam ser de confiança, eram transferidas para outro departamento quando surgia uma necessidade maior de estenógrafas ou datilógrafas. Foi essa a trajetória de Sabine Dick. Depois da guerra, ela disse que não tivera interesse em sair da Alemanha, até que seu chefe a seduziu com a promessa de ocupar o cobiçado cargo de secretária do chefe da polícia secreta em Minsk. Era uma posição de influência e pagava mais que seu emprego em Berlim.

O tremendo avanço da Alemanha nazista, a proliferação de seus escritórios estatais e do partido e seu rearmamento e economia dependiam de uma força de trabalho feminina no secretariado, como auxiliares, estenógrafas, telefonistas e recepcionistas. Na época, havia certa ambivalência entre homens e mulheres sobre esse grupo emergente de profissionais. Por um lado, elas eram necessárias para manter o andamento do governo e dos negócios e, já que a maioria ganhava salários baixos, era uma força de trabalho barata. Por outro lado, essas mulheres estavam se tornando carreiristas com um potencial "egoísmo ilimitado". Críticos rabugentos reclamavam que elas estavam roubando os empregos dos homens, enfraquecendo as tradições da família e "deixando de cumprir suas obrigações de mães da nação". No entanto, esses receios e preconceitos tinham que ser postos de lado, dado que as mulheres eram necessárias para ficar no lugar dos homens que lutavam na guerra. Assim, a contribuição feminina ao sistema nazista era enorme, mas publicamente minimizada. Na ideologia e propaganda nazistas, a mãe continuava a ser a heroína da raça germânica.

ESPOSAS

Milhares de secretárias da Gestapo foram testemunhas diretas e cúmplices administrativas de crimes em massa. Entretanto, enquanto empregadas como secretárias, não estavam em posição de cometer violências e crimes pessoalmente. Paradoxalmente, algumas das piores perpetradoras eram mulheres sem a função oficial de ajudar nos crimes, mulheres que externavam seu ódio em atos e expressavam seu poder em ambientes informais. Eram mulheres que iam para o Leste acompanhando os maridos – oficiais de alta patente do Partido Nazista, da SS e da polícia, e da administração da ocupação. Essas mulheres demonstravam duas maneiras de entender o casamento. Por um lado, personificavam a esposa cumpridora dos deveres do lar, submissa ao marido e aparentemente satisfeita com as tarefas domésticas e a criação de filhos. Por outro lado, quando o *Führer* e a *Volksgemeinschaft* exigiam, o casamento se tornava essencialmente uma parceria no crime. Na hierarquia do poder nazista, a raça compartilhada por marido e mulher podia suplantar a desigualdade de gênero. As mulheres imitavam os homens no trabalho sujo do regime, o trabalho necessário à futura existência do Reich, porque eram racialmente iguais.

Como noivas da SS, 240 mil alemãs foram aceitas na nobreza racial da sociedade. Segundo o Decreto de Noivado e Casamento, criado por Himmler, a existência da Alemanha dependia da consolidação e reprodução de uma descendência de homens e mulheres da raça superior nórdico-germânica com inabalável convicção nacional-socialista. A elite racial seria concentrada na SS. Cabia a Heinrich Himmler, nomeado por Hitler Comissário para o Fortalecimento da Germanidade do Reich, em 1939, a regulamentação do sangue alemão e não alemão. As numerosas organizações sob seu comando, como o Escritório de Raça e Assentamento da SS, se empenhavam em identificar e promover aqueles com sangue puro alemão – que obviamente jamais poderia ser classificado clinicamente como um tipo sanguíneo – e a uma rejeição paranoica de seus poluentes. A miscigenação racial entre alemães e judeus, ou entre alemães e "ciganos, negros e seus bastardos", era crime. A política oficial ditava a esterilização obrigatória para evitar supostas ameaças ao puro sangue germânico, a criminalização de abortos e a severa regulamentação do casamento para fomentar uniões férteis.

Vendo em retrospecto a loucura dessa ideologia, é muito difícil compreender como uma geração foi consumida por ela, e com tanta premência e seriedade. Para quem tinha que colocar em prática a ideologia racial nazista, havia contradições inerentes a superar e noções obscuras a esclarecer. Para essa finalidade, juristas, cientistas, médicos e burocratas desenvolveram sistemas, leis e procedimentos, como a Lei de Proteção ao Sangue e à Honra Germânicos e a Lei de Cidadania do Reich, também conhecidas como as Leis de Nuremberg. A relação sexual tornou-se uma forma de acasalamento racial, que precisava ser aprovada pelo Estado-nação. O exigente Heinrich Himmler intitulou-se a única autoridade para atestar casamentos de homens da SS, concentrando-se nas fichas de oficiais mais graduados e nos casos de ancestralidade questionável. De cada casal solicitante – o homem da SS e a futura esposa – Himmler exigia uma ampla documentação atestando a ascendência ariana (histórico genealógico detalhado remontando aos anos 1750, e muitas vezes antes), lealdade ideológica, aptidão física, características raciais aceitáveis (altura, peso, cor dos cabelos, formato do nariz, medidas da cabeça, perfil) e fertilidade. Centenas de milhares de noivas de homens da SS foram submetidas a exames ginecológicos invasivos e a testes de prendas domésticas e instinto maternal. Uma solicitação de casamento que foi parar na escrivaninha de Himmler em 1942 era de Vera Stähli e Julius Wohlauf.

Vera Stähli, pouco depois Vera Wohlauf, era astuta e adorava chamar atenção, traços adquiridos talvez em sua juventude difícil. Seu pai, engenheiro mecânico, morreu quando ela estava com 5 anos de idade. Vera e sua mãe se mudaram de Hamburgo e foram morar com parentes na Suíça, mas depois voltaram para Hamburgo, onde, em 1929, aos 17 anos, ela completou sua educação numa escola técnica. Mesmo com a chegada da Depressão, Vera conseguiu manter empregos em escritórios de várias firmas, mas não era possível atingir o objetivo de se sustentar sozinha.

Fotos de Vera Stähli em sua solicitação de casamento à SS, 1942

Depois que sua mãe morreu de repente, Vera seguiu seu caminho. Passou seis meses na Inglaterra, e quando retornou à Alemanha os nazistas estavam em ascensão. Vera nunca fora politicamente ativa, mas agora a participação em alguma organização do Partido Nazista parecia ser vantajosa. Além disso, o crescimento do partido significava a abertura de novos empregos. De 1933 a 1935, Vera foi empregada da Frente de Trabalho Alemã, que sistematicamente desmantelava e absorvia os sindicatos e expulsava judeus, socialistas e comunistas. Tornou-se membro ativo da Associação de Comércio do Reich. Não era modesta quanto a suas realizações. Em seu currículo, afirmava ser responsável pela expansão comercial da indústria de restaurantes alemã.

Vera preenchia os requisitos de feminilidade ideal nazista: 1,80 m, 72 kg, "cabeça redonda, olhos azuis, cabelos louros, nariz reto".

Ela soube convencer os examinadores da SS de que era uma mulher econômica e criativa, que saberia administrar bem a casa. Gostava de tudo em ordem, tinha bom gosto e era inteligente. Tinha cumprido os requisitos dos cursos de economia doméstica e cuidadora de crianças, e ganhara medalhas de atletismo.

O casamento com Julius Wohlauf seria sua segunda união. Em meados da década de 1930, em Hamburgo, ela havia conseguido galgar alguns degraus na escada social, como muitas jovens secretárias sonhavam em fazer, através de um encontro de trabalho e logo depois casamento com um comerciante rico. Mas, para decepção de Vera, o casamento não resultou em filhos, apesar de seus "mais íntimos desejos" de tê-los. Isso, disse ela no processo de divórcio, foi devido ao "comportamento do marido", que foi recrutado em maio de 1940, após muitos anos de casamento. Ela alegou que poderia ter realizado facilmente o desejo de ter filhos, já que ele estava frequentemente perto de Hamburgo e vinha em casa em dias de licença. Mas ele recusou. Vera pediu o divórcio e, passado algum tempo, ele concordou. A fim de apressar o processo, Vera assumiu toda a culpa. Mais tarde, quando ela revelou no tribunal que não tivera relações sexuais com o marido nos últimos oito meses, o juiz questionou sua fidelidade e perguntou se ela tinha iniciado outro relacionamento. Vera negou. O divórcio foi oficializado em junho de 1942. Na verdade, semanas antes, ela e Julius Wohlauf tinham preenchido os formulários de solicitação de casamento no Escritório de Raça e Assentamento da SS.

Vera e Julius tinham pressa em se casar porque o capitão Wohlauf, "encarregado" do comando da unidade do 101º Batalhão da Polícia da Ordem, estava escalado para servir em Lublin, na Polônia. Wohlauf era um dos comandantes de campo que gozava da confiança de Himmler e tinha acabado de receber o valioso anel de caveira da SS por serviços prestados no Leste. A tinta das iniciais de Himmler mal tinha secado no papel de autorização de casamento e os dois pombinhos já estavam fazendo planos para passar a lua de mel na Polônia. Estavam eufóricos. Julius Wohlauf tinha uma esposa linda e apaixonada, com um grande dote em dinheiro e bens que eram mais que o triplo dos dele. Vera Wohlauf fora aceita na nova elite da SS. Na solicitação de casamento, os examinadores raciais fizeram a observação de que Vera tinha toda a postura de uma nacional-socialista e apoiava o movimento com coragem e vigor. Mas Vera não tinha temperamento para ficar em casa. Queria estar junto com Wohlauf, que estava no centro da batalha. E decidiu se unir ao seu prometido na Polônia, no final de julho.

Liesel Riedel e seu noivo da SS, Gustav Willhaus, também estavam ansiosos para se casar e usufruir das vantagens de um status social mais elevado. Apresentaram a solicitação em 1935. No manuscrito de seu histórico, Liesel escreveu que tinha crescido perto das fundições de Neunkirchen e se identificou como filha de um contramestre sênior. Depois de estudar até o nono ano numa escola católica, foi trabalhar numa imensa granja. Durante três estações, ela ajudou nos trabalhos domésticos e fazia serviços esporádicos no escritório do administrador da granja. Todavia, Liesel estava insatisfeita com aquele trabalho subalterno e se matriculou num curso de um ano e meio numa escola técnica. Desenvolveu seus talentos em gestão doméstica e culinária. Foi o suficiente para conseguir um estágio de cozinheira numa cantina da cidade, mas também não ficou muito tempo lá. Pulava de emprego em emprego. Como atendente numa firma de investimentos, o que ganhava a mantinha abaixo da linha de pobreza, e então resolveu se candidatar a um cargo patrocinado pelo Partido Nazista no jornal local, o *NSZ-Rheinfront*.

Foi nesse círculo jornalístico nazista, onde começou a trabalhar em 1934, que Liesel se afiliou fortemente ao movimento e conheceu Gustav Willhaus, um mecânico, filho de um maître. Gustav tinha participado da

Fotos de Liesel Riedel na solicitação de casamento à SS, 1935

tropa de choque nazista em 1924, e da SS em 1932. Era um brigão de rua e, quando conheceu Liesel, tinha cicatrizes que comprovavam sua fama. Apesar de mal conseguir falar direito e ser considerado analfabeto pelos colegas, Willhaus foi nomeado gerente de vendas do jornal nazista *Westmark*, situado em Saarbrücken, a 10 quilômetros do escritório do jornal de Liesel. Durante o namoro, Liesel se filiou à organização de mulheres nazistas e, como era de praxe, fez sua parte nos trabalhos de caridade nas organizações de bem-estar e assistência social do Partido Nazista.

A julgar pela documentação oficial sobre o casal, é difícil imaginar o que esses jovens amantes viram um no outro. Em suas cartas sucintas ao quartel-general da SS em Berlim, eles faziam pedidos, mas não mandavam o que era exigido deles. Como se não bastasse, os dois são descritos como vigaristas do interior que se aproveitavam do sistema. Hitler queria que o movimento unificasse todos os alemães que tivessem valor racial, inclusive o *Volk* operário como Liesel e Gustav. O partido se orgulhava de ser contra a intelectualidade e contra a ordem estabelecida, e essa atitude servia perfeitamente aos dois. O fato de terem vindo da região politicamente instável de Saarland pode tê-los ajudado a progredir na SS e no partido, ou pelo menos a persuadir a banca examinadora em Berlim a fazer vista grossa para suas deficiências e seu caráter dúbio.

Uma entidade territorial criada pelo Tratado de Versalhes, a Saarland era historicamente uma zona de fronteira disputada pela França e a Alemanha, muito rica em minério de ferro, útil para a fabricação de armas. Em Versalhes, os Aliados tinham tentado conter a máquina de guerra alemã, dar fim ao perpétuo conflito franco-prussiano e estabilizar etnicamente a região. No entanto, o fato de os franceses terem ocupado a Saarland para cumprir a determinação da Liga das Nações impulsionou a campanha alemã para desfazer a paz dos vitoriosos. Hitler e Goebbels espalharam propaganda nazista e promoveram agitações políticas na Saarland, preparando a região para a anexação. Em 1935, o ano previsto para o fim do mandato da Liga das Nações, houve um plebiscito. Noventa e um por cento da população votou pela união ao Terceiro Reich. Liesel Riedel e Gustav Willhaus trabalharam no centro dessa campanha de agitação e propaganda nazista, que cresceu até resultar numa guerra civil. Riedel colaborou trabalhando na imprensa, enquanto Willhaus agia entre os bandidos fardados que espancavam comunistas e socialistas. No discurso de vitória em Saarbrücken, Hitler declarou: "Afinal, o sangue é mais forte do que qualquer documento de mero papel. O que a tinta escreveu será um dia apagado pelo sangue." Versalhes, o Tratado de Lucarno, os pactos antiagressão – para Hitler, tudo isso era apenas tiras de papel. Só tinham importância o *Volk*, a guerra e a expansão imperial.

Em 30 de outubro de 1935, em meio à histeria nacional pelo primeiro grande triunfo político de Hitler na Europa, Liesel e Gustav se casaram. Mas aquele par de caras de pau se casou sem a aprovação oficial da SS, o que teria dado motivo para o afastamento de Gustav. Ele não conseguiu obter toda a documentação de sua árvore genealógica. Uma parte de sua família era do Leste da Prússia e a outra parte era da França, o que complicou o processo. Mas a solicitação do casal foi adiada por outra razão: Gustav era protestante e Liesel era católica. A família dela pressionava para que a cerimônia de casamento fosse realizada numa igreja católica e os filhos deles fossem criados nessa religião. A princípio Gustav concordou, mas os examinadores da SS em Berlim o aconselharam fortemente a reconsiderar. Gustav tinha obrigação de criar seus filhos como nazistas. A posição nazista era de que a Igreja Católica era mais que uma instituição de fé. Era "uma organização política com o desígnio de sabotar a causa nazista e o nacionalismo alemão". Se permitisse que seus filhos fossem católicos, Gustav estaria "perdendo o controle da direção ideológica de sua família". Gustav e Liesel obedeceram. Tinham encontrado um futuro em comum como membros de uma elite emergente. As expectativas da família e as crenças religiosas podiam ser postas de lado. Agora, a lealdade dos dois era ao Partido Nazista e à SS.

Como membros cumpridores da Comunidade do *Volk*, Gustav e Liesel Willhaus passaram alguns anos tentando ter um filho. Finalmente, em maio de 1939, tiveram uma filha, meses antes de estourar a guerra, em setembro. Gustav fez o treinamento de combate no exército de Himmler, a Waffen-SS, ala militar da SS. Após algum tempo num trabalho burocrático no escritório central de economia e administração da SS em Berlim, foi chamado para entrar em ação, não na frente de batalha, mas na "guerra contra os judeus" nos territórios ocupados.

Em março de 1942, Gustav recebeu ordem de gerenciar prisioneiros judeus que trabalhavam na indústria de armamentos no Oeste da Ucrânia, em Lviv (chamada de Lemberg na Alemanha). Sua crueldade deve ter causado boa impressão aos superiores, pois foi promovido a comandante de Janowska, o maior campo de trabalho e trânsito da Ucrânia. Recebeu moradia especial, uma casa grande o bastante para sua família, no perímetro de Janowska. Liesel e a filha do casal, agora com 3 anos, foram morar lá com ele no verão de 1942.

Erna Kürbs era filha de um fazendeiro na Turíngia, coração agrícola da Alemanha. Sua família morava havia séculos na aldeia de Herressen. A comunidade era pequena, com poucas centenas de pessoas muito trabalhadoras, orgulhosas de seu moinho do século XVI, da igreja do século XVII e do passeio público do século XIX. Herressen se situa na encosta de uma montanha sobre um vale por onde corre um rio, cercado por campos de trigo, beterraba e cevada. Aparentemente isolada, fica a apenas 16 quilômetros de Weimar, onde nasceu o fracassado experimento democrático alemão.

Se a Alemanha desenvolveu uma dupla personalidade nos anos 1920, anos de juventude de Erna, Weimar era seu centro nervoso, emitindo pulsos elétricos de modernidade e choques de retrocessos. Já em 1925, os partidos *völkisch* de direita começavam a dominar o parlamento na Turíngia e um chefe distrital do Partido Nazista fez uma convocação para triagem racial de todos os representantes políticos. Muito se tem escrito sobre o golpe fracassado de Hitler da "cervejaria", em 1923, seu exibicionismo e subsequente julgamento, que foi seu primeiro palco nacional. Mas poucos sabem que, após ser condenado por traição, ele foi proibido de falar em público em toda a Alemanha, com exceção da Turíngia, onde morava Erna. O motivo dessa exceção não foi uma decisão tomada pelos políticos de Weimar para manter a liberdade de expressão na construção de uma democracia. Isso aconteceu porque os ativistas do Partido Nazista tinham se infiltrado tão efetivamente no Estado que a Turíngia era um refúgio seguro para Hitler e uma tribuna para seu comício anual do partido, transferido de Munique para Weimar em 1926. Para Hitler, a Turíngia fornecia um modelo de como o sistema democrático podia ser destruído legalmente a partir de dentro, enchendo o parlamento de representantes nazistas e cultivando o movimento na zona rural com agressivas práticas eleitoreiras. De fato, quando o Partido Nazista atingiu o auge da popularidade ao obter 37,4% dos votos em território nacional na eleição do Reichstag em 31 de julho de 1932, os nazistas, na região de Erna, obtiveram ainda mais, chegando a 42,5% dos votos. Os maiores adeptos do partido, tanto num lugar como no outro, eram pessoas como Erna – protestantes e fazendeiros da baixa classe média.

Na zona rural alemã, esperava-se que as jovens da geração de Erna se encarregassem da fazenda da família, trabalhando de sol a sol. A novidade do cinema e da propaganda de massa, que enlouquecia a juventude com imagens de cidades fascinantes e histórias românticas de pobres ficando ricos, tornava aquela servidão ainda mais frustrante. No entanto, poucas jovens, que totalizavam mais de 54% da força de trabalho agrícola em 1939, conseguiam escapar da fazenda. Assim como Erna, as jovens solteiras (e viúvas), embora não fossem formalmente reconhecidas e nem pagas, eram essenciais para os negócios da família. A ideia vigente era de que essa força de trabalho feminina não precisava ter muito estudo para manter intacta a economia doméstica tradicional. Em Herressen, Erna frequentou uma escola pública durante sete anos e em seguida passou um ano trabalhando como empregada doméstica numa aldeia vizinha. Essa era toda a experiência que Erna tinha fora de sua aldeia. Até que, em 1936, a "meiga donzela" de 16 anos foi a um baile local, e ali conheceu o homem que viria a ser seu marido. Era Horst Petri, um astro ascendente no movimento nazista.

Esse encontro mudou sua vida, como ela desejava, mas de maneira não imaginada. Horst, alto e bonito, era um altivo militante do Partido Nazista, membro da SS, e Erna se encantou com seus grandes projetos. Ele falava em restaurar a honra de seu pai herói, que morrera pela pátria na floresta de Argonne, na Primeira Guerra Mundial, e na renovação de um Grande Reich Alemão. Ele tinha fortes opiniões políticas e sentimentos românticos por Erna, o que ela achou irresistível.

Antes do estabelecimento da célula nazista em sua cidadezinha na Turíngia, Horst Petri se interessava por ciência e economia agrícolas. Era fascinado com a figura do soldado-fazendeiro, a noção militarizada, romantizada do camponês ariano, cujo dever era podar os crescentes ramos da urbanização. Quando Petri leu o bestseller *Volk ohne Raum*, passou a acreditar que o futuro da Alemanha estava ameaçado pela carência de terras imperiais – não territórios além-mar na África, mas terras no Leste da Europa continental. Sua rápida adesão ao movimento nazista e seu forte interesse na missão agrícola chamaram a atenção do "líder agrícola" e primeiro chefe do Escritório de Raça e Assentamento de Himmler. Era o dr. Richard Walter Darré, o especialista no conceito de "sangue e solo", autor de *Peasantry as Life-Source of the German Race* (1928), *New Nobility from Blood and Soil* (1929) e *Pig as Criterion for Nordic Peoples and Semites* (1933). Darré recrutou muitos fazendeiros para o Partido Nazista e colocou Horst Petri sob sua proteção. Tendo Darré como mentor, Horst formou-se em agricultura numa universidade em Jena, e teve treinamento da SS em Buchenwald e Dachau. Sua carreira na SS e como o ideal do fazendeiro-soldado de Darré parecia não ter limites.

Após um ano de namoro, Erna ficou grávida. Os dois pediram imediatamente autorização de casamento ao Escritório de Raça e Assentamento da SS. Aos 18 anos, Erna era uma noiva muito jovem. Na época, a maioria das mulheres se casava entre 25 e 30 anos de idade. O casal teve a bênção de Himmler, mas não do pai de Erna, que não gostava de Horst. Porém, era tarde demais. Eles se casaram em julho de 1938. Erna não era mais a filha do fazendeiro; era a esposa de um oficial da SS, e membro oficial da tribo familiar da SS, à qual daria sua contribuição como mãe racialmente valorizada. Horst Júnior nasceu em novembro de 1938.

No final dos anos 1930, Erna foi fotografada na Turíngia, montada no que parece ser uma motocicleta DKW (Dampf-Kraft-Wagen). A foto foi

Erna Petri na Turíngia, final dos anos 1930

ampliada e colada em seu álbum de recordações, entre as lembranças da era nazista, que Erna guardou como um tesouro por muitos anos depois da guerra. É uma foto marcante, a última em que ela irradia uma inocência juvenil. Vestindo um avental, com as mãos na direção e os pés nos pedais, ela parece pronta a dar a partida, entrando num turbilhão.

Olhando atentamente essa foto, pode-se ver o despontar da perversão nazista da feminilidade. Fruto de sua geração, ela gostava da modernidade do movimento. O Corpo de Veículos Motorizados Nacional-Socialista tinha numerosos seguidores entre os membros da classe média baixa, como os Petri, que não podiam comprar um Volkswagen, mas amavam a emoção das corridas de carros e de motos. Na Alemanha de Erna Petri, o "individualismo irrestrito" inicial da Nova Mulher da era Weimar –, a mulher que andava de moto de short, exibindo cabelos curtinhos e acendendo um cigarro – foi freado por novas formas de conformidade e hierarquias raciais. O desejo alemão entreguerras de unidade nacional, de uma comunidade do Volk, foi transformado na forma mais bruta, mais excludente e criminosa de um clube racial na era nazista, e Petri se tornou uma sócia orgulhosa e ousada desse clube.

O avental padronizado de Erna não era um símbolo de placidez doméstica. Pelo contrário, na Alemanha de Hitler era uma expressão feminina da superioridade germânica em forma de ordem e limpeza. Mesmo antes do domínio nazista, a Liga Colonial das Mulheres na Alemanha promovia a ideia de que a dona de casa eficiente era uma expressão da "germanidade cultural e biológica". No império nazista, isso foi levado ao extremo. As mulheres alemãs deveriam realizar uma missão civilizatória que implicava trazer métodos "superiores" de ordem e gestão doméstica às primitivas terras do Leste. Até o termo "limpeza" adquiriu um sentido violento. Passou a ser um eufemismo de *pogroms* e remoção de raças "inferiores" por meio de deportação e, em última análise, assassinato em massa.

No verão de 1942, sob os auspícios do Escritório de Raça e Assentamento de Himmler, Horst e Erna Petri receberam a missão de cultivar e manter uma plantação polonesa no Leste da Galícia. As fantasias ideológicas de Horst se materializavam, e sua atenciosa esposa estava a seu lado, de avental, acompanhando-o naquela cruzada.

Mulheres como Erna Petri encarnavam os dois extremos da feminilidade alemã: a mulher liberada, por um lado, e a esposa e dona de casa tradicional, por outro. Elas tinham vivido a infância na República de Weimar, mas, quando adultas, na Alemanha de Hitler. Tendo crescido na confusão de um mundo em rápida urbanização, nas oscilações de crises econômicas e tumultuosas políticas de massa, essa geração perdida de mulheres teve que encontrar um rumo no Terceiro Reich de Hitler.

O movimento nazista não transformou a maioria das mulheres em discípulas cegas, nem as subjugou a ponto de se tornarem máquinas de fazer bebês para o Reich. Pelo contrário, as metas raciais utópicas e a agenda nacionalista acenderam uma consciência revolucionária entre as mulheres comuns e as incitaram a um novo ativismo patriótico. As mulheres aprenderam a se conduzir num sistema que tinha limites claros, mas que também lhes trazia outros benefícios, oportunidades e um status mais elevado, especialmente às que iam para o Leste, onde conviviam com a elite governante. Em outras palavras, elas eram um estranho – e muitas vezes confuso – amálgama de duas eras.

Hitler lhes dizia que a guerra era uma luta pela existência da Alemanha, o confronto derradeiro entre os arianos e os eslavos, entre o fascismo alemão e o bolchevismo judaico. Mesmo depois de anos de aprendizado e doutrinação, depois de ver as forças violentas da política radical nas ruas da Alemanha, depois de ouvir falar do regime de terror em ação nos campos de Dachau e Buchenwald, e sendo expostas a formas de antissemitismo oficiais e populares, essas mulheres alemãs ainda não estavam preparadas para o que viram e vivenciaram quando cruzaram as fronteiras do Reich e entraram na Polônia, Ucrânia, Bielorrússia e no Báltico. E ninguém podia imaginar o que algumas delas fariam ali.

CAPÍTULO 3

TESTEMUNHAS

A chegada no Leste

A ENFERMEIRA DA CRUZ VERMELHA Erika Ohr logo esqueceu a solidão de sua partida da Alemanha. Era meados de novembro de 1942. As forças de Hitler tinham se espalhado de modo irregular pelo *front* oriental, uma grande contraofensiva soviética estava a ponto de explodir e mais um inverno russo se aproximava. O trem cruzou a fronteira da Polônia e de repente "tudo era totalmente diferente: os campos, as casas, as estações de trem, os escritos nos letreiros". Pela primeira vez, Ohr viu cidades bombardeadas. Em torno dela, no trem, os soldados com destino a Stalingrado interromperam o que estavam fazendo; não houve mais cantos nem brincadeiras. Ohr entendeu que, apesar de rádios e cinejornais nazistas fazerem alarde da superioridade alemã, a guerra vinha se arrastando mais do que o esperado. Na Alemanha, Stuttgart logo iria sofrer o maior bombardeio aéreo até então. A arrancada nazista pela hegemonia mundial estava sendo decidida ali no *front* oriental, e era para lá que todos os olhos se voltavam, inclusive os de Erika Ohr.

Para Ohr, a viagem parecia tão infinita quanto o horizonte. O trem atravessou lentamente a Bielorrússia, a caminho da Ucrânia. Pela janela não havia muito que se ver além do borrão de planícies cinzentas interrompidas ocasionalmente por manchas de bétulas desfolhadas. O incessante barulho das rodas do trem girando se somava à monotonia. Não parecia haver vida nenhuma nessa terra estranha, nenhuma pessoa, dificilmente um pássaro. Dentro do trem, soldados jaziam estirados entre as mochilas. Alguns cochilavam, outros reliam jornais velhos.

Quando Ohr finalmente chegou à capital da província de Zhytomyr, cerca de 150 quilômetros a oeste de Kiev, já era quase o fim do dia. Ela já pensava no que iria fazer a seguir, quando ouviu vozes femininas falando alemão. Ohr se aproximou das mulheres, militares fardadas que estavam na estação com o chefe delas, um oficial da Wehrmacht. Providenciaram um veículo com motorista para levá-la ao hospital cirúrgico no outro lado da cidade, seu novo local de trabalho. Instalado numa antiga escola, o hospital abrigava uns cem pacientes. Não era nada parecido com o hospital dos soldados em Stuttgart, onde ela fizera treinamento. Esse posto avançado ucraniano cheirava a sangue, pus e urina. Soldados semicongelados gemiam de dor. Balas e estilhaços tinham que ser retirados, membros amputados. Não havia tempo para boas-vindas ou instruções.

Outra enfermeira idealista teve uma estreia ainda mais difícil. Após um rápido curso de enfermagem em Weimar, ela chegou em 1942 a Dnepropetrovsk, na Ucrânia, e foi diretamente para o trabalho, logo no primeiro dia. Os feridos chegavam sem parar e ela precisava ajudar numa operação após a outra. Uns duzentos soldados, sofrendo, gritavam pedindo ajuda. Ela corria de um leito a outro, aplicando injeções, amortecendo os sentidos dos combatentes enquanto os dela explodiam de tensão. Antes de o dia terminar, ela abandonou o posto e correu para seu quarto. Enfiou-se na cama, enrolou-se toda, como uma bola, cobriu a cabeça com os braços, mordendo o dedo como uma criança. Como pudera sonhar que a guerra era uma aventura?

Para Ohr, assim como para tantas outras, cruzar a fronteira Leste era um rito de passagem nazista, a separação de tudo o que era familiar, o que lhes dava uma sensação de isolamento no meio do desconhecido. Nos boletins oficiais de recrutamento e propaganda, as partes ocupadas da Polônia e Ucrânia eram descritas como um campo de provas, um ambiente onde eram testados a obstinação e o compromisso com o movimento. A entrada nesse reino marcava o começo de uma profunda transformação na vida dessas mulheres. As primeiras impressões permaneciam como lembranças indeléveis. Uma enfermeira que chegou em 1942 em Vyazma, na Rússia, relembra seu encontro com "o inimigo". A estação de trem onde ela desembarcou se situava ao lado de um grande campo de prisioneiros de guerra. Massas de prisioneiros soviéticos emaciados olhavam para ela "como animais pendurados na cerca de arame farpado". As descrições de paisagens desoladas e habitantes parecendo bichos, ou invisíveis, eram típicas da retórica colonialista alemã em cartas da época, e persistiram durante décadas em memórias escritas.

Capa de um panfleto para assessores de recrutamento na Polônia: "Mulher Alemã! Jovem Alemã! O Leste Precisa de Você!"

Enquanto muitas achavam a ida para o Leste confusa e difícil, para outras era uma entusiástica passagem para a fase adulta, que lhes dava liberdade de autorrealização. Dirigindo entre as florestas de Minsk "infestadas de *partisans*", a jovem vedete Brigitte Erdmann absorvia o cenário com os "olhos bem abertos", saboreando o perigo. A seu ver, ela era agora uma mulher feita, tendo perdido a virgindade na Bielorrússia, e se sentia honrada com o título de *Frau*, e não *Fräulein*.

Erdmann afirmou sua feminilidade e sexualidade nesse terreno, enquanto outras mulheres expressaram sua masculinidade. Depois de ser voluntária da Associação Patriótica de Mulheres, formando-se como enfermeira, e tendo feito o juramento de lealdade ao *Führer* como membro da Cruz Vermelha alemã, uma mulher decidiu largar seu casamento infeliz e uma filha pequena, e partiu para a Bielorrússia e a Ucrânia. Em cartas enviadas do *front*, ela manifestava sua lealdade à campanha nazista como uma honra "viril". Escrevia entusiasticamente sobre a chance que tinha de ficar de guarda com uma arma nas mãos, igualzinho aos homens. Sua função oficial de enfermeira era claramente um trabalho de mulher, mas, quando teve uma oportunidade de ser soldado, assumiu de bom grado esse papel também. Não sabemos se ela atirou com a arma, nem em quem. Mas, como muitas outras mulheres fardadas, ela se deliciava com o orgulho de ser uma invasora vitoriosa, e dizia que o Leste foi seu lugar de libertação.

Enfermeiras, professoras e secretárias entraram em várias zonas da campanha genocida nazista, perto do *front* e na retaguarda. Muitas não testemunharam diretamente, mas se defrontaram com alguns aspectos do fuzilamento em massa de judeus. Apenas em retrospecto elas reconheceram (ou admitiram) a extensão do que acontecia ao seu redor, e sua própria contribuição para as políticas criminosas do regime. Na época, o Holocausto se desdobrava pela Europa em diversas formas e diversos estágios. Não foi uma conclusão precipitada, nem o evento abrangente que imaginamos hoje. Trabalhando dentro da maquinaria do Holocausto, as funcionárias viam as partes, mas não podiam apreender o todo. Casos de fuzilamentos em massa em setembro e outubro de 1941 em Babi Yar, na Ucrânia, circularam entre os soldados e o pessoal que entrava e saía do *front*, e foram publicados em jornais oficiais alemães e em boletins soviéticos. Unidades da propaganda alemã filmaram *pogroms* em Lviv (Lemberg) que depois foram exibidos em cinejornais nos cinemas alemães. Desde janeiro de 1942, os Aliados mandavam vários avisos aos alemães e seus colaboradores de que os implicados em tais atrocidades seriam punidos depois da guerra. Mas informações convincentes sobre as operações de morte por gás como as de Belzec, que começaram em março de 1942, eram quase inexistentes. De todo modo, no Reich, a maioria não se interessava pelo que acontecia com os judeus deportados para o Leste. Estavam mais preocupados com o destino de entes queridos lutando contra o "bolchevismo judaico".

Se funcionárias, profissionais ou parentes da elite governante nos territórios do Leste testemunhavam ou ouviam falar de alguma atrocidade contra os judeus, era fácil considerar o fato como parte do horror geral da guerra, ou dar de ombros porque era problema deles. O antissemitismo tinha dessensibilizado os alemães quanto à situação dos judeus, principalmente dos judeus estrangeiros. Inicialmente horrorizados com a violência da guerra e do genocídio, muitos se adaptaram e aprenderam a lidar com aquilo. Contanto que os exércitos de Hitler fossem vitoriosos, muitos continuariam prosperando. As imagens mais desagradáveis podiam ser compartimentadas na mente, ofuscadas pela rotina do dia a dia, reprimidas por necessidades imediatas. Era preciso suportar, custasse o que custasse. Não era o que se esperava de uma alemã virtuosa, patriota leal, uma ariana racialmente superior?

No Leste, enfermeiras como Erika Ohr, em sua indumentária da Cruz Vermelha, eram as alemãs mais visíveis e numerosas nos hospitais militares e da SS e nos lares de soldados. Uma imagem onipresente na propaganda da época mostra enfermeiras sorridentes numa estação de trem, levando conforto para os soldados e policiais da SS em trânsito. Entretanto, não havia boas-vindas de enfermeiras para prisioneiros russos e judeus que passavam por essas estações em vagões de carga, como os de um trem sem aquecimento adequado levando 1.007 judeus de Düsseldorf para o gueto de Riga em dezembro de 1941. O trem quebrou mais de uma vez pelo excesso de carga humana, e parou em várias estações. Enquanto estava parado, os judeus tentavam de todas as maneiras obter água e sair do trem. Tendo

Enfermeiras numa estação confortando soldados

percebido durante a viagem que o que os aguardava nada tinha de bom, tentavam atrair a atenção de viajantes parados na plataforma e lhes atiravam cartões-postais e cartas, na esperança de comunicar seu destino aos entes queridos. Numa parada na Letônia, como em muitas outras na Europa ocupada, apareceram enfermeiras da Cruz Vermelha na plataforma. Passava de uma hora da madrugada e a temperatura estava muito abaixo de zero. As enfermeiras trouxeram carne e sopa de centeio quente para os guardas alemães. Enquanto os guardas tomavam a sopa, o pessoal da ferrovia lituana apagou a luz nos "Judenwagen".

Annette Schücking, enfermeira da Cruz Vermelha, viria a ser uma rara exceção no padrão de indiferença e crueldade, documentando não só os horrores que ela via e dos quais ouvia falar, mas também sua indignação moral. Na véspera de sua partida para a Ucrânia, no começo do outono de 1941, uma amiga jornalista avisou que a Rússia não era um lugar bom para ela, que estavam "matando todos os judeus lá". Na ocasião, incapaz de imaginar que essa notícia horrenda podia ser verdade, ela continuou curiosa sobre as promessas de expansão alemã, e era a favor da missão "civilizatória" no Leste. Em breve, porém, as palavras da amiga iriam ficar ecoando em seus ouvidos.

Na viagem de trem para assumir o cargo, dois alemães fardados entraram na cabine de Schücking na estação de Brest Litovsk. No Leste ocupado, as cabines de trens eram espaços exclusivos para arianos. Os "nativos" viajavam em vagões de carga ou de terceira classe. Nas cabines, era comum haver conversas francas entre alemães em trânsito. Os homens fardados começaram a conversar com Schücking e sua colega, outra enfermeira. "De repente um deles nos disse que tinha recebido ordem de fuzilar uma judia em Brest", Schücking recordou mais tarde. O soldado contou que a mulher tinha implorado misericórdia, dizendo que precisava cuidar de uma irmã doente. Ele chamou a irmã e matou as duas. Schücking e a colega ficaram "horrorizadas, mas não disseram nada". Foi a apresentação delas ao Leste.

Não demorou para que as enfermeiras, secretárias e professoras começassem a compreender que a guerra era, como Hitler desejava, uma campanha de aniquilação. Para as mulheres, esse momento de compreensão ocorria durante a viagem, em conversas ouvidas na cabine do trem, ou ao cruzar a fronteira, ou logo na chegada. A aproximação do genocídio era um choque para a maioria, pois não eram formalmente treinadas para a violência, nem para cometer, nem para reagir. Para os homens, era diferente. Os jovens na Alemanha cresciam à sombra do espírito da Grande Guerra, frequentemente com fantasias homoeróticas de trincheiras brutais. Muitos exercícios da Juventude Hitlerista eram direcionados para superar o medo, envergonhar os covardes, suportar a dor e formar laços de camaradagem, como os de uma gangue. Exercícios de marcha, de tiro, açoitamento público de dissidentes e treinamento militar básico preparavam os jovens para matar. As mulheres, à exceção das especialmente treinadas para ser guardas de campo, não recebiam esse grau de doutrinação militar, nem formavam gangues para cometer atrocidades.

Como muito poucas mulheres que chegavam ao Leste tinham sido preparadas para testemunhar ou ajudar a execução em massa, suas reações individuais ao Holocausto revelavam menos sobre sua formação para a guerra do que sobre seu caráter e comprometimento ideológico com o regime. Suas reações variavam entre prestar socorro, num extremo, e matar diretamente, no outro. Mas o número de mulheres comuns que contribuíram de várias maneiras para o assassinato em massa é incontáveis vezes maior do que o das relativamente poucas que tentaram impedir.

Principalmente por curiosidade, mas também por cobiça, muitas alemãs ficaram face a face com o Holocausto em um dos milhares de guetos no Leste. Esses distritos "somente para judeus" eram territórios oficialmente proibidos; quem entrasse lá estaria infringindo o regulamento nazista. Apesar das ameaças e proibições (ou talvez por causa delas), os guetos se tornaram locais de turismo para os alemães. E havia um traço distintamente feminino nessa nova distração: fazer compras e encontros românticos.

Uma enfermeira da Cruz Vermelha em Varsóvia não tinha programa para um dia de folga, e a amiga lhe fez uma surpresa: "Hoje vamos ao gueto! Todo mundo vai fazer compras lá", disse a amiga efusivamente. Os judeus colocavam todos os seus objetos pessoais na rua, em mesas e bancas – sabão, escovas de dentes, cosméticos, cadarços de sapatos, tudo o que as pessoas precisavam. Alguns ofereciam os objetos nas próprias mãos estendidas. A enfermeira hesitou em desafiar as normas entrando no gueto, mas a amiga lhe assegurou que os médicos alemães também iriam junto para se encontrar com médicos judeus que lhes dariam orientações para o tratamento de tifo. As duas partiram para a excursão de compras, e anos depois a enfermeira recordou que tinha visto lá muito mais sujeira e pobreza do que entre a população polonesa. O "cheiro de gueto", o cheiro "daquela gente" ficou muito tempo com ela.

A política nazista de encarcerar judeus em guetos começou na Polônia, em outubro de 1939, um mês depois do começo da guerra. No decorrer do tempo, os guetos assumiram várias formas e usos. Nos vilarejos, os guetos consistiam em poucas ruas atrás da rua principal, demarcados por arame farpado. Vendo os judeus como inimigos e ameaça racial, os alemães os encarceravam como medida segregacionista e de segurança. Qualquer lugar podia servir a esse propósito. Os comandantes militares e os oficiais da SS chegavam a uma cidadezinha como Narodichi, na Ucrânia, anunciavam a formação de um gueto, e mandavam que a população judaica se apresentasse para ser registrada. Em Narodichi, os judeus foram reunidos num clube; em outros lugares, eram levados para uma escola, uma fábrica ou sinagoga, ou ficavam trancados em vagões de trem abandonados, enquanto os nazistas faziam planos de fuzilamento ou deportação para um campo. Podia levar dias, semanas e até meses antes que esses planos se concretizassem, dependendo da disponibilidade das forças policiais e da SS, dos caprichos de oficiais locais e de ordens do alto escalão, como Heinrich Himmler e seus governadores regionais. Nesse ínterim, os oficiais locais alemães, poloneses, ucranianos, lituanos e outros "negociavam" com os judeus aprisionados, que eram obrigados a entregar seus bens – desde casas a casacos e botas – em troca de um pão ou um pouco de lenha. Trabalhadores judeus qualificados eram selecionados entre a população do gueto para executar trabalhos pesados, em construção de estradas e empreendimentos ligados à guerra, na indústria têxtil, metalúrgica, na mineração e carpintaria. Embora esses locais de encarceramento exclusivos para judeus fossem geralmente chamados de guetos, eram de fato estações de passagem para locais de assassinato em massa, bem como "engradados da morte", nas palavras de Goebbels, pois a fome, o tifo e o suicídio levaram a vida de centenas de milhares que foram encaixotados neles.

A vedete alemã Brigitte Erdmann também teve sua experiência de "gueto" em Minsk. Entre os admiradores que frequentavam seus shows, havia um comandante sênior da Organização Todt, uma agência de construção militarizada que era uma das maiores exploradoras do trabalho dos judeus. O comandante prometeu a Brigitte que, no próximo encontro deles, iriam ao gueto. Em Minsk, o gueto tinha uma cerca de dois metros de altura de arame farpado e duas torres de guarda. Abrigando inicialmente 75 mil judeus registrados na chegada dos nazistas, o gueto tinha menos de 1.600 metros quadrados, abrangendo 34 ruas ladeadas por estruturas de madeira de um ou dois andares, e era delimitado pelo rio Svisloch e o velho cemitério judeu. Mais 30 mil judeus-alemães e austríacos ficavam alojados separadamente, numa seção especial do gueto. Ondas de fuzilamentos e execuções em vans cheias de gás venenoso reduziram a população do gueto em dois terços. No outono de 1942 havia aproximadamente 9 mil judeus remanescentes, trabalhadores em sua maioria, mas também algumas mulheres que não trabalhavam, crianças, idosos e enfermos. Perto de 8 mil deles também seriam mortos em 1943, quando o gueto de Minsk foi transformado em campo de trabalho.

Para exibir sua autoridade, e para satisfazer o desejo de perigo da vedete, o comandante quis impressioná-la com um passeio na zona proibida. Erdmann adorou a ideia, e até escreveu para a mãe dizendo estar ansiosa pelo encontro. Uma exibição semelhante ocorrida no gueto de Varsóvia foi registrada numa série de fotos mostrando uma jovem secretária sorridente e um homem da SS numa pitoresca charrete fazendo um *tour* pelo gueto.

Uma jovem professora participante do programa de treinamento da Juventude Hitlerista na Polônia escreveu para casa contando o que havia visto no gueto de Plöhnen em julho de 1942. Apesar de advertidas de que a Polônia era um lugar de "sujeira, preguiça, primitivismo, de moscas, piolhos e sarna", as duzentas jovens que faziam um *tour* pela cidade não estavam preparadas para o que viram. Imaginem só, a moça escreveu aos pais, a gente passa pelas ruas e por casas com portas e janelas fechadas com tábuas, mas lá dentro tem barulho de pessoas se movendo e cochichando. Uma cerca alta contorna as casas, mas não chega até o chão. Por baixo dá para ver pés se arrastando, alguns descalços, outros de chinelos, de sandálias, de sapatos. Tem cheiro de uma massa de gente suja. Ficando na ponta dos pés, e espiando pelo alto da cerca, vimos muitas cabeças carecas. De repente, entendemos que aquilo é um gueto e que todas aquelas pessoas encurraladas ali devem ser judeus. Um sapateiro judeu, trabalhando, "que sorriu com tristeza" a deixou aflita e confusa. Ficaram aliviadas quando saíram da cidade. Aquela inquietante cena do gueto tinha ficado para trás. Ela pôde tirar da cabeça os judeus "desaparecidos".

Espiar dentro do gueto era mais que um movimento de curiosidade. Era um ato de voyeurismo que afirmava a superioridade alemã e a "nova ordem" no Leste. Para um observador alemão, o mundo do judeu oriental era o de um nativo exótico, desagradável. Confinado no gueto, o "outro" ameaçador tinha sido vencido e estava sendo erradicado. No pensamento alemão, os judeus eram uma espécie beirando a extinção e sua inevitável morte despertava um cruel fascínio e orgulho. Uma jornalista descreveu o gueto de Lodz como uma "cidade irreal", de judeus com "kaftans engordurados", e uma estudante escreveu para casa que "as ruas e praças são repletas de judeus perambulando, muitos deles do tipo criminoso. O que vamos fazer com esses vermes?". Sair do gueto era como voltar à civilização, retomar o controle de si e o lugar entre os poderosos. A filha do chefe do distrito nazista de Warthegau, na Polônia, escreveu ao noivo contando sua aventura no gueto de Lodz:

> É realmente fantástico. Uma cidade inteira totalmente isolada por arame farpado... Só se vê aquela gentalha vagabundeando. Nas roupas, eles têm uma estrela de davi amarela, na frente e nas costas (invenção de papai, ele só fala do céu estrelado de Lodz)... Sabe, realmente não se pode ter simpatia por essa gente. Acho que eles sentem muito diferente de nós, e portanto não sentem essa humilhação e tudo o mais.

Nas jovens enviadas para o Leste, ou voluntárias desejosas de realizar sua ambição, de experimentar algo novo e se aprofundar na causa nazista, ver as realidades do Holocausto tinha diversos efeitos: fortalecia sua determinação; confundia ou corroía seu senso de moralidade (como demonstra a afirmação de que os judeus no gueto "não sentem essa humilhação"); e acionava a busca de uma saída para escapar do que era desagradável ou repulsivo, por entorpecentes, como o prazer sexual ou o álcool. A vodca jorrava em festinhas, como recorda uma secretária, com os "homens bonitos do escritório". As transgressões morais pareciam passar despercebidas, ou pelo menos impunes. Cenas de ambição e violência desenfreadas eram comuns. Quem tentava ficar de fora do que estava acontecendo achava poucos lugares intocados pela devastação da guerra, e pouco consolo.

A interação com judeus e assassinatos em massa entrava de maneiras inesperadas, mas recorrentes, no dia a dia dessas mulheres. Certo dia, Ingelene Ivens, a jovem professora baseada perto de Poznan, na Polônia, ficou chocada quando olhou para o playground da escola de uma só sala de aula onde trabalhava. Dois emaciados trabalhadores judeus que tinham fugido de um campo próximo estavam ali, apavorados, procurando refúgio na escola. Talvez imaginassem que as crianças fossem ser solidárias. Em vez disso, as crianças gritaram com eles, e um menino atirou pedras. Ivens interveio e ralhou com o que atirou pedras, enquanto os dois judeus fugiam. Uma enfermeira da Cruz Vermelha alemã se lembrou de um dia em Lviv em que ela e outras enfermeiras estavam andando pela cidade e resolveram ir ao velho cemitério judeu. De repente, ela descobriu que estava andando sobre uma vala comum mal coberta de terra. Seu pé afundou na terra fofa, "grudou em mim, foi desagradável". Um grupo de secretárias fazia um piquenique num bosque perto de Riga, quando sentiram o cheiro de valas comuns recém-cobertas. Foram fazer o piquenique em outro lugar. Na cidadezinha de Buczacz, na Ucrânia, quando a mulher de um supervisor agrícola sentiu um gosto estranho na água, descobriu que cadáveres de judeus tinham poluído o lençol d'água.

O assassinato em massa transforma as pessoas que o testemunham e o ambiente físico em que ocorrem. O que eram colinas onduladas e clareiras verdejantes nas matas da Ucrânia se tornaram crateras escabrosas, montes tumulares e terrenos causticados. Nas encostas foram cavados túmulos de muitos metros de profundidade (o barranco absorvia as balas), as margens dos rios também eram apropriadas aos fuzilamentos (as águas levavam o sangue), e ravinas como Babi Yar eram cheias de cadáveres e cloreto de cálcio, depois fechadas com dinamite. Objetos pessoais e restos humanos eram vistos em pontos arenosos e áridos entre os vilarejos. Os locais de assassinato em massa não ficavam fora de mão, mas encravados nas trilhas e atalhos que ligavam as aldeias. Camponeses, trabalhadores e crianças a caminho da escola passavam por eles a pé ou em charretes. Eram locais de curiosidade e saques. Os locais de genocídio eram também os mesmos que mulheres e homens alemães usavam para recreação, os prados para piqueniques, as florestas para caçadas, os açudes para se refrescar e tomar banhos de sol.

No ambiente rural do Holocausto, os recursos para a grandiosa diligência imperial nazista eram escassos. Os prédios mais novos de um vilarejo serviam a propósitos diversos. Um cinema podia ser local de diversão um dia e, no outro, o lugar para reunir as vítimas antes da execução. Como recordou uma professora alemã em Romanov, na Ucrânia, muitos judeus que sobreviveram ao assassinato em massa ficavam escondidos nas florestas, e o marido dela, que era guarda-florestal, sabia da presença deles. Ela e o marido não ajudaram esses judeus, ou pelo menos ela não disse nas investigações pós-guerra que tinham ajudado. Em seu depoimento, ela descreveu as valas comuns na floresta por onde passava frequentemente. Havia duas covas grandes na área, "do tamanho da nossa casa, de uns dez metros de largura". Antes de serem mortos, os judeus eram reunidos na escola, onde ela trabalhava. Ao fim de cada massacre, mulheres da Associação do Bem-Estar Nacional-Socialista faziam seu tradicional trabalho de caridade: recolhiam, separavam, consertavam e distribuíam as roupas e cobertas dos judeus mortos que tinham sido enterrados às pressas na floresta perto da casa dessa professora.

O cenário urbano também era visivelmente alterado a cada dia. Era comum ver corpos pendurados em sacadas e postes em Kharkiv, Kiev, Minsk e Zhytomyr. Para evitar vê-los, e temerosa de que despencassem dos precários poleiros e caíssem em cima dela, a enfermeira Erika Ohr andava pelas calçadas rente às paredes, evitando as ruas de Zhytomyr. Em Buczacz, um menino alemão, vindo da escola, chegou em casa dizendo à mãe que tinha uma judia morta numa poça de sangue junto à calçada. Na manhã seguinte, a caminho da escola, a mulher morta ainda estava lá na rua, e quando ele voltou para casa, na hora do almoço, viu o corpo de novo. Agitada, a mãe do menino fez queixa na guarda civil. Ela foi reclamar do assassinato da judia ou da "sujeira" do sangue na rua que tinha assustado seu filho? Isso não ficou claro em sua declaração depois da guerra.

Os diversos casos de mulheres que se viram subitamente face a face com um horror inesperado revelam momentos de descoberta seguidos por algum tipo de adaptação. No verão de 1942, Ilse Struwe, a jovem secre-

Civis e militares alemães olhando corpos de homens enforcados
numa rua de Minsk, 1942 ou 1943

tária que tinha sido ensinada na infância a ser vista e não ouvida, estava baseada em Rivne, na Ucrânia, com outras 15 funcionárias de um escritório de operações do Exército. Uma jovem judia chamada Klebka trabalhava no escritório. Um dia, Struwe resolveu visitar Klebka no "gueto miserável, todo cercado, onde os judeus eram obrigados a viver... Eram casas horríveis, caindo aos pedaços, sujas... 'Ninho imundo de judeus' era o termo usado em Rivne".

Ao ver o gueto, ficou claro para Struwe que os judeus estavam numa situação desesperada. Ficou horrorizada, mas continuou a trabalhar e a ter uma convivência agradável com as colegas do dormitório especial onde moravam. Mas havia limites para o distanciamento. A casa da equipe feminina em que Struwe morava ficava em frente ao cinema, do outro lado da rua. Os homens da SS usavam o cinema como ponto de reunião dos judeus retirados dos guetos para serem fuzilados nos arredores da cidade. O quarto de Struwe ficava de frente para o cinema.

Uma noite, acordei com um burburinho de vozes, barulho de latas, ordens de soldados... Levantei-me, fui à janela e olhei para a rua... Uma multidão estava saindo do cinema para a rua, e foram levados embora pelos guardas. Era entre três e quatro da madrugada. Vi claramente homens, mulheres, crianças, velhos e jovens. Pelas roupas, pude ver que tinham vindo do gueto. Desde setembro de 1941 era obrigatório o uso da estrela para todos os judeus. A princípio, não entendi o que estava acontecendo. O que eles estavam fazendo? Por que estavam jogando panelas na rua, uma atrás da outra, com tanta raiva? De repente, me veio. Eles estavam atraindo a atenção: Olhem aqui o que está acontecendo conosco! Não deixem! Socorro!

Fiquei atrás da janela, com vontade de gritar: Façam alguma coisa! Isso não basta! Peguem armas! Vocês estão em maioria! Uns poucos de vocês podem se salvar! Aquelas pessoas, pela minha estimativa eram umas trezentas – depois eu soube que eram muito mais – e estavam sendo levadas por um punhado de soldados. Mas os prisioneiros [os judeus] arrastavam os pés, resmungavam de cabeça baixa, seguindo pela rua escura, rendiam-se sem nenhuma luta. E continuei olhando bem, até a fila desaparecer. Depois voltei a me deitar. Aquelas pessoas iam ser mortas. Eu sabia... Na manhã seguinte, no escritório, ficou-se sabendo que aqueles judeus tinham sido fuzilados a poucos quilômetros de Rivne. Nunca mais vimos Klebka.

As mulheres do escritório falaram sobre o massacre. Struwe se lembra de reações diversas. Algumas objetaram, reclamando da perda de mão de obra judaica. Uma disse baixinho que os alemães iriam conquistar até à morte. Outra murmurou: Que horrível. A maioria tinha medo de se manifestar contra e só diziam que a Alemanha seria vitoriosa. Ninguém criticou os jovens policiais que atiraram nos judeus.

Struwe, como tantas outras, queria *ver* o que estava acontecendo: correu à janela e esticou o pescoço para ver melhor. Entretanto, os líderes alemães

Ilse Struwe num piquenique com colegas na Ucrânia, 1942 ou 1943

tentavam reduzir o número de testemunhas diretas de seus crimes. A Solução Final era um segredo oficial. Nas palavras de Himmler, era "uma página de glória nunca mencionada e que nunca deve ser mencionada". Testemunhas como Ilse Struwe não deveriam olhar, quanto mais registrar e relatar. Num comunicado de deportação de judeus do gueto de Tarnów, o comandante alemão local ordenou que todos os residentes da rua por onde os judeus iriam ser escoltados fechassem as cortinas das janelas durante a *Aktion*. Mas esses eventos despertavam, no mínimo, curiosidade, e para muitos espectadores, *Schadenfreude*. Quem presenciou a cena vivenciou o evento de uma forma sensorial que se revela em seus relatos da cacofonia da destruição de objetos, gritos das vítimas, saraivada de fuzis. Struwe ficou confusa, sentindo o perigo, mas assistia de uma distância confortável. Ficou surpresa com o fato de os judeus nada fazerem para se salvar, mas também, ponderou ingenuamente, a falta de luta por parte deles a absolvia de qualquer responsabilidade por não se envolver. Depois que eles passaram, ela voltou para a cama e tentou dormir. Fechou os olhos, mas as imagens e os sons continuaram a lhe atravessar a mente.

A *Aktion* a que Struwe assistiu foi parte das sucessivas ondas regionais de massacres na Ucrânia ocupada, efetuados por ordem de Heinrich Himmler, que pressionava os oficiais da ocupação civil para implementar a "Solução Final da Questão Judaica", totalmente, "cem por cento". Em Rivne e cidades das redondezas em Volhynia, 160 mil judeus foram massacrados nas liquidações de guetos e fuzilamentos em massa na segunda metade de 1942. Foram enterrados às pressas em cerca de duzentas valas comuns na região.

De Rivne, Struwe foi transferida para Poltava, mais a leste, no outono de 1942. Agora, ao desconforto com o que ela havia assistido em Rivne se somavam a desilusão com a guerra e o papel dela ali. Relatórios sobre baixas alemãs no Sexto Exército no cerco de Stalingrado se empilhavam em sua escrivaninha. Teve que dizer adeus a seus colegas homens, que não mais gozariam da segurança do trabalho de escritório, pois estavam sendo mandados para Stalingrado, em substituição aos mortos. Novas equipes femininas chegavam. À medida que datilografava a lista secreta de baixas e passava pelo rádio o número de mortos para Berlim, Struwe entendia que a derrota em Stalingrado era muito provável. No escritório, as condições e o humor se deterioravam. E ela começou a questionar a guerra: "O que estou fazendo aqui? Quem sou eu? O que estou fazendo nessa guerra de homens? Os homens fazem guerra. Os homens matam. E precisam de mulheres como ajudantes na guerra deles."

Desde seus tempos em Belgrado, em 1941, Struwe vinha se acostumando às fotos macabras de execuções públicas. Os correspondentes nas Forças Armadas tiravam fotos das vítimas antes, durante e depois da morte delas, e enviavam aos quartéis-generais para efeitos de propaganda. O trabalho de Struwe consistia em abrir a correspondência para os chefes, de modo que ela via e lia a correspondência trivial e o material confidencial. Um dia, colocaram em sua mesa uma pasta cheia de fotos de *partisans* mortos "acocorados, com os braços levantados". Ela pensou: Como alguém pode fotografar tamanhas atrocidades? Em Belgrado, ela ficava indignada com as fotos porque achava que as imagens podiam ser usadas pela resistência, pondo em risco a segurança alemã. Na Ucrânia, ela passou a questionar a política de assassinato em massa.

Struwe pôs as fotos de lado e abriu a pasta seguinte. Ela reprimia os sentimentos e as questões incômodas. Trabalhava sem emoção, como uma máquina. Mais tarde ela diria "uma parte de mim ficava fora de mim". Outra mulher, trabalhando em Minsk, manifestou uma reação semelhante numa carta para sua mãe, em janeiro de 1943: "Desaprendi meu *Todesangst* (medo da morte), vivo o momento e o trabalho, e não me permito pensar no amanhã [ou] em ontem. Quando é que alguém se acostuma a essa vida? Só quero trabalhar, trabalhar, trabalhar. Não pensar, não sentir!"

Mas os sentimentos de Ilse Struwe não podiam ser totalmente contidos, e o que ela viu não podia ser totalmente apagado da memória. Em suas memórias, ela se lembra de chorar incessantemente e, isolando-se, não conseguia fazer amizades. Somente quando foi transferida para a Itália, em 1943, conseguiu se livrar da depressão que teve na Ucrânia.

Desilusão semelhante teve Annette Schücking, a ex-estudante de direito, cujo choque no primeiro encontro com soldados no trem em Brest não foi nada em comparação com o que ela iria ver e ouvir ao chegar a seu destino na Ucrânia. No primeiro dia em Novgorod Volynsk, uma antiga cidade fortificada com aproximadamente 18 mil habitantes (metade dos quais judeus), Schücking soube que todos os judeus tinham sido mortos. Um oficial alemão declarou isso friamente enquanto jantavam. Os ucranianos que trabalhavam com Schücking no lar dos soldados lhe contaram que 10 mil judeus da cidade e dos povoados vizinhos tinham sido fuzilados. Para ela, isso era incompreensível.

Decidida a ver por si mesma, ela foi ao bairro judeu e viu as casas saqueadas. No chão havia textos hebraicos e objetos pessoais. Seus colegas alemães tinham saqueado objetos úteis, como castiçais, para usar no alojamento ou levar para casa como butim. Suas instruções em Novgorod Volynsk incluíam um *tour* pela fortaleza, que ficava na margem do rio Sluch, onde judeus tinham sido mortos no mês anterior, setembro de 1941. O guia da

Foto pessoal de Annette Schücking do lar dos soldados em Novgorod-Volynsk

excursão, membro da equipe de engenharia, mostrou o local na margem do rio onde 450 homens, mulheres e crianças estavam enterrados.

O dia a dia no lar dos soldados onde Schücking era uma funcionária de apoio significava ter contato constante com soldados. Às vezes vinham milhares num só dia, para conversar e apreciar a comida alemã. A propaganda nazista chamava esses refúgios militares de "ilhas de lar". Nessas cantinas exclusivas para alemães, os soldados falavam abertamente dos massacres a que haviam assistido e de que tinham participado. "Muitas vezes, as conversas com os soldados tomavam rapidamente um tom pessoal", Schücking relatou mais tarde. "Eram homens que não tinham convívio com mulheres por um longo tempo. Havia mulheres ucranianas, é claro, mas eles não podiam falar com elas, e todos eles tinham uma forte necessidade de falar."

Um dia ela estava a bordo de um caminhão e o soldado alemão que o dirigia desatou a contar sua história, de um incidente não distante do lar dos soldados, em Koziatyn, uma aldeia a sudeste de Kiev. Ele e seus colegas tinham trancado muitas centenas de judeus, sem água nem comida. Enfraquecer os judeus era uma medida preparatória. Dois dias depois, os judeus foram fuzilados por um esquadrão especial, que estava em atividade na região. Utilizando seu aprendizado em advocacia, Schücking colheu detalhes precisos da operação e os registrou em cartas a seus pais. Os soldados alemães precisavam dizer o que tinham visto, ouvido e feito. E ela precisava escrever tudo aquilo.

Uma enfermeira da Cruz Vermelha alemã em Varsóvia, em 1943, ficou ouvindo um soldado ferido que não conseguia dormir. Sua companhia tinha sido destacada para o comando de uma unidade de fuzilamento. Havia uma cova enorme. Os civis eram levados para a borda e ele e seus homens atiravam na nuca deles. Uma senhora idosa na borda da cova correu para ele. Estava aterrorizada, desesperada. Tinha na mão uma foto dela. Entregou a foto a ele, pedindo que a entregasse ao marido dela. O soldado tinha guardado a foto numa caderneta e mostrou-a para a enfermeira.

Histórias como essa corriam por toda parte. Soldados e homens da SS que sujavam as mãos de sangue do genocídio contavam seus atos às colegas. Um dia, dois executores entraram nos aposentos particulares da vedete Brigitte Erdmann, "com os olhos queimando de ódio, o ódio de um animal mortalmente ferido ou de uma criança maltratada". Um deles pousou a cabeça no ombro dela, e ela o confortou. Ela adorava a atenção desses homens desesperados, e preferia consolá-los a confrontá-los.

As cartas de Schücking para casa revelam uma mulher mais crítica da violência dos homens que conheceu. Em 28 de dezembro de 1941, viajando de carro, ela conheceu um sargento. Ele contou que tinha sido voluntário para fuzilar judeus numa ação que estava prevista em Vinnytsia, na Ucrânia. Queria ser promovido. Annette aconselhou-o a não participar porque ele "iria ter pesadelos". Em janeiro, ela voltou a encontrar o sargento, que confirmou ter participado dos fuzilamentos em massa em Khmilnyk, onde, em 9 de janeiro de 1942, policiais da SS, auxiliados pelo exército local e habitantes do lugar, mataram 6 mil judeus. Segundo um sobrevivente, os soldados alemães "entraram arrasando tudo, quebrando janelas, atirando... Os cadáveres se espalhavam por toda parte, a neve ficou vermelha de sangue, os bárbaros corriam, gritando como animais: 'Mata os *kikes*! *Jude kaput!*'".

Para tornar o assassinato em massa mais econômico, líderes da SS, comandantes militares regionais e oficiais do Partido Nazista desenvolveram um programa para confiscar e redistribuir os bens dos judeus. Toneladas de roupas foram armazenadas, lavadas, consertadas e dadas a refugiados de etnia germânica que chegavam para colonizar os territórios ocupados. No final de 1941, Schücking viu roupas empilhadas num depósito da Associação do Bem-Estar Nacional-Socialista (NSV). Schücking tinha ido comprar algumas coisas para as ajudantes de cozinha ucranianas de seu local de trabalho. Algumas colegas alemãs que a acompanhavam agradeceram entusiasticamente aos alemães que abriram o depósito, gritando "Heil, Hitler" quando viram o butim. Schücking ficou horrorizada ao ver as pilhas de roupas de crianças, e não pegou nada. Algumas colegas sentiram o mesmo desconforto. Schücking escreveu para sua mãe e disse a amigas que não aceitassem nada da NSV porque eram coisas de judeus assassinados.

Todas as semanas ela percorria de carro 100 quilômetros, de Novgorod-Volynsk até a capital, Rivne, para buscar suprimentos. Foi ali que Schücking teve a experiência de "gueto". Viu mulheres e crianças sendo levadas em julho de 1942, provavelmente como parte da mesma operação testemunhada por Ilse Struwe. Embora Schücking e Struwe talvez não tenham se encontrado em Rivne, houve ali uma interseção da vida das duas, e elas reagiram aos eventos de maneira similar, apesar da grande diferença de histórico de cada uma. Assim como Ilse Struwe, Annette Schücking expressou sentimentos de desamparo, medo e frustração. Mas a empatia tinha limites. Ambas se perguntaram: Afinal, o que se pode fazer? Mantinham-se ocupadas no trabalho e procuravam se divertir em piqueniques e concertos com os colegas. Eram umas das poucas mulheres cercadas de milhares de soldados, e evitavam cuidadosamente os mais truculentos, os homens da SS e outros notórios oficiais da ocupação que brandiam o chicote e a pistola. Após algumas semanas na Ucrânia, diante das evidências do assassinato em massa em Rivne no começo de novembro de 1941, e vendo o estado deteriorado dos poucos trabalhadores judeus que restavam e que depois foram mortos enquanto ela estava lá, Schücking escreveu para a mãe:

"O que papai diz é verdade; as pessoas sem restrições morais exalam um odor estranho. Agora sei reconhecer essas pessoas, e muitos realmente cheiram a sangue. Ah, mamãe, o mundo é um enorme matadouro."

Dentre as dezenas de milhares de mulheres solteiras trabalhando nos diversos escritórios militares, administrativos e de empresas privadas nos territórios do Leste, Schücking e Struwe representavam a categoria mais numerosa, as espectadoras. Não lhes deram a opção de participar diretamente da violência, ou, como diriam alguns extremistas, a "oportunidade" de colaborar. Eram patriotas alemãs cumprindo seu dever cívico. Eram curiosas; buscavam aventura. Depois que entraram nos territórios do Leste e viram atrocidades, como a liquidação do gueto de Rivne, articularam sentimentos de ansiedade e horror.

Uma secretária em Slonim acordou às quatro da madrugada com o barulho de tiros. Passou horas olhando pela janela, vendo milhares de judeus sendo retirados do gueto sob tiroteio constante e colocados em fila. O gueto estava em chamas. No dia seguinte, quando teve permissão para sair do alojamento – a SS e a polícia tinham decretado bloqueio durante a operação – ela viu duas longas fileiras de corpos de judeus carbonizados nas ruas laterais ao gueto. Assim como Schücking e Struwe, ela mal podia evitar assistir ao assassinato em massa. Ela não perdoava aquilo, mas também não podia impedir.

CAPÍTULO 4

CÚMPLICES

Mulheres como Annette Schücking, Ilse Struwe, Ingelene Ivens e Erika Ohr não foram excepcionais durante a guerra. Foram excepcionais *depois* dela. Das centenas de milhares que foram para o Leste, poucas publicaram ou falaram publicamente sobre as vítimas judias e as atrocidades que viram, ao contrário dessas quatro mulheres. Durante a era nazista, muitas ficaram felizes em ostentar a farda, assumindo a vida adulta e a identidade cívica do movimento. Depois, em 1945, arrancaram as insígnias e enfiaram as fardas em gavetas e baús no sótão. Esconderam a proveniência dos objetos saqueados no Leste, inclusive os pertences dos judeus.

O silêncio geral das alemãs depois da guerra tem muitas raízes, principalmente a vergonha, o sofrimento e o medo. Certamente, era do interesse de muitas que estiveram nos campos de morte esconder o fato de que ficavam perto das cenas dos crimes. Mesmo que quisessem falar, poucos queriam ouvir. Não existe uma tradição social que estimule as mulheres a contar histórias de guerra sobre a violência que viram, viveram ou perpetraram. Em contraste, as mulheres alemãs podiam falar de suas dificuldades e sua condição de vítimas no *front* doméstico, de terem feito o trabalho de homens, operando veículos pesados, de terem feito policiamento de mercados e administração de fazendas, falar sobre a devastação dos bombardeios aéreos em sua cidade natal, sobre os desabrigados, as fugas e a fome no pós-guerra. Os ouvintes eram muito receptivos a recordações que afirmavam os papéis tradicionais das mulheres em tempos de guerra como leais defensoras, serviçais e mártires inocentes.

A juventude delas explica por que tantas foram tragadas pelo momento e pelo movimento. Ou isso seria uma desculpa posterior? Em memórias e entrevistas, e mesmo como rés em julgamentos, as mulheres alemãs relatavam ações vergonhosas seguidas do comentário: "Ah, eu era tão jovem naquele tempo." Sendo jovens, eram ingênuas, e eram maleáveis. Mas durante a guerra cada uma delas chegou mais perto da terrível realidade dos feitos da nação, e cada uma delas teve que fazer uma escolha. E embora não houvesse a opção de deixar o cargo, nem de evitar testemunhar o genocídio, havia opções de comportamento durante e depois da guerra.

Muitas alemãs se defrontaram com o que aconteceu, em seus vários estágios. Bisbilhotaram os guetos levadas pela curiosidade, descobriram valas comuns e, como Annette Schücking, foram convidadas a se apropriar de roupas e objetos pessoais de judeus. Como Ingelene Ivens, viram refugiados judeus pedindo ajuda no playground da escola. Como Ilse Struwe, espiaram pela janela, vendo judeus levados para os arrabaldes, e ouviram os fuzilamentos. Para se proteger, muitas escolheram fechar os olhos mais tarde. Mas e as mulheres que estavam no centro da maquinaria de assassinato em massa e não podiam fazer vista grossa?

Em estudos sobre o Holocausto, um tipo de perpetrador, no modelo de Adolf Eichmann e outros que organizaram deportações de judeus para o quartel-general de Berlim, é o matador burocrático, o assassino de escritório. Ele comete genocídio dando ou transmitindo ordens escritas. Assim, sua caneta ou as teclas da máquina de escrever se tornam armas. Esse tipo de genocida moderno supõe que a papelada, bem como seu administrador, permanecem limpos, sem manchas de sangue. O assassino de escritório cumpre seu dever oficial. E se convence de que, enquanto ordena a morte de dezenas de milhares, ele continua decente, civilizado e até inocente do crime. E as mulheres que trabalhavam nesses escritórios, as assistentes cujos dedos ágeis apertavam as teclas das máquinas de escrever e cujas mãos limpas distribuíam as ordens para matar?

À medida que o império de Hitler se expandia e se contraía, as mulheres tinham que assumir mais tarefas, não só gerenciando casas e fazendas, mas também dirigindo sistemas de governo e negócios privados. De fato, a proporção de mulheres nos escritórios da Gestapo em Viena e Berlim era excepcionalmente alta, chegando a 40% no fim da guerra. As mulheres deveriam dar suporte aos homens, bem como assumir os cargos deles a fim de liberá-los para a luta. As exigências da guerra aceleraram as tendências do trabalho no período entreguerras, e também reverteram as políticas educacionais dos anos 1930. O acesso das mulheres à educação superior aumentou por algum tempo, as mulheres ocupavam cada vez mais postos nos escritórios governamentais, e uma nova hierarquia feminina emergiu, desde auxiliares a superioras. Mas essa mobilidade social teve um preço: a participação nas operações de assassinato em massa.

Secretárias, arquivistas, datilógrafas e telefonistas eram envolvidas pelos tentáculos burocráticos do sistema de regras do Reich. Cada escritório e cada posto avançado empregavam pelo menos uma mulher do Reich. Se havia em média uma assistente atendendo a cinco administradores homens, o número de mulheres nos escritórios civis do governo da Polônia ocupada chegava a cinco mil, pelo menos o dobro do número total delas na Ucrânia, Bielorrússia e no Báltico somados. Como cúmplices administrativas nos escritórios centrais onde era organizado e implementado o Holocausto – como o escritório do governador distrital ou do Departamento de Assuntos Judaicos da polícia de segurança –, muitas alegavam que estavam "apenas fazendo seu trabalho". Mas seus procedimentos de rotina geraram crimes sem precedentes. Nenhuma podia alegar desconhecer o impacto humano de seu trabalho.

Pouco se escreveu sobre o trabalho interno nesses escritórios, em parte devido à desatenção aos reveladores depoimentos de secretárias que estavam lá dentro ou aos dos judeus sobreviventes que interagiram com elas e as identificaram como presentes nas cenas dos crimes. Na hierarquia local de administradoras alemãs, a secretária do comissário distrital (governador regional) era a pessoa mais frequentemente vista ao lado dele. Os comissários não eram muitos (principalmente se considerarmos a vasta área que governavam), mas eram notoriamente visíveis, zombeteiramente descritos como faisões por causa da farda que usavam, sempre empertigados, um uniforme de cor marrom-mostarda berrante decorado com faixas e distintivos nazistas muito coloridos. As assistentes ganharam o apelido de franguinhas, *Goldammern*, ou "martelinho amarelo", um passarinho do tamanho de um pardal, de bico grosso, que faz ninhos em moitas e valetas. Naqueles ambientes de cidade pequena, como a vila polaco-lituana de Lida, os oficiais alemães passavam boa parte do tempo juntos. Com suas famílias, compartilhavam dos mesmos alojamentos, escolas, cantinas, escritórios, e faziam piqueniques e nadavam juntos nos lagos e riachos.

Da elite de Lida fazia parte Liselotte Meier, a jovem que preferiu trabalhar em escritório no Leste a ficar na fábrica em Leipzig. Durante o mês de instrução no castelo Crössinsee, na Pomerânia, Polônia, ela teve treinamento de tiro com pistola. Na instrução, um dos dignatários chamou-lhe a atenção, um belo veterano da tropa de choque chamado Hermann Hanweg. Tinha quase o dobro da idade dela, havia aberto caminho na escalada da administração nazista e, como muitos "velhos guerreiros", foi recompensado com uma sinecura no império. Os dois passaram muito tempo juntos em Minsk e se apaixonaram. Quando ganhou o cargo de comissário distrital em Lida, Hanweg quis que Liselotte o acompanhasse. Ao chegarem, no começo do outono de 1941, um esquadrão móvel de tiro já havia passado por lá e massacrado a *intelligentsia* judaica e os pacientes no hospital local. Entretanto, ainda restavam milhares de judeus, e era dever de Hanweg deixar a região *Judenfrei*, livre de judeus.

Meier, de 20 anos, aprendeu a ficar junto de Hanweg e misturar trabalho com prazer. Seguia-o a toda parte. Tendo sua mesa na frente da porta da sala dele, ela controlava todo o acesso ao chefe. Conhecia todos os membros do conselho judaico. Vinte anos após o fim da guerra, ela ainda sabia identificá-los pelo nome. Era íntima também da família de Hanweg, embora talvez não por escolha dela. Quando foi transferido para Lida, Hanweg mandou Meier acompanhar sua esposa e três filhos. As crianças chamavam Meier de "Vice-Mama", e a mulher do comissário a chamava de "Brutus".

Em Lida, as crianças Hanweg frequentavam uma escola especial alemã e brincavam nos parques e florestas. Acompanhavam a mãe e o pai nas idas às lojas do gueto, onde milhares de judeus tentavam desesperadamente se manter vivos obedecendo a qualquer ordem e satisfazendo qualquer capricho dos alemães. A fim de agradar ao comissário, um grupo de artesãos criou um sofisticado trenzinho elétrico para o aniversário do filho dele. Presentearam Hanweg com uma coleção de anéis, um para cada membro da família. Hoje o anel do comissário ainda é uma preciosa relíquia de família. Ostenta uma grande peça de âmbar engastada em prata, e é decorado com o brasão dos Hanweg – machado e clava minúsculos, finamente cinzelados por um artista com olhar atento para cada detalhe da filigrana.

A escalada de privações no Velho Reich naqueles tempos de guerra, a escassez de comida e moradia, tornava irresistíveis as riquezas do Leste. As secretárias até recebiam de casa cartas e alguns objetos especiais, mas o grosso das encomendas nos correios não ia da Alemanha para o Leste, e sim o contrário. O pessoal dos territórios ocupados lotava vagões de carga com saques enviados para suas famílias na Alemanha e na Áustria. Eram caixotes de ovos, farinha, açúcar, roupas e mobílias. Foi a maior campanha de roubo organizado e exploração econômica na história, e as mulheres alemãs estavam entre os principais agentes e beneficiários.

Tal indulgência não era tolerada pelo regime. Os bens dos judeus eram oficialmente propriedade do Reich, e não destinados ao consumo individual. Alguns saqueadores, mulheres entre eles, foram punidos, e até executados por roubar do Reich. Mas é claro que nessa atividade em particular havia pouca preocupação com obediência ao *Führer*, principalmente porque o roubo maciço era parte integrante da economia do Terceiro Reich. Já que era obrigada a fazer o trabalho sujo do assassinato em massa, a pessoa esperava uma recompensa. A cobiça dos homens e mulheres alemães que tinham acesso à pilhagem parecia insaciável. A esposa de um policial de Varsóvia, por exemplo, acumulou tantas coisas que não tinha espaço para esconder tudo, e simplesmente empilhou o produto dos saques ao redor da casa, do lado de fora. A empreendedora esposa de um oficial da polícia em Lviv que decidiu vender o produto de sua pilhagem montou descaradamente uma loja na mesma rua do quartel-general da polícia, onde seu marido trabalhava. Esposas de altos oficiais desfilavam usando casacos de pele roubados e exigiam residências de luxo, ordenando a operários judeus que colocassem louças de banheiro roubadas em seus toaletes suntuosos e que construíssem varandas personalizadas. De fato, os excessos eram tão escandalosos que geraram vários relatórios de críticas e investigações durante a guerra.

A distribuição e o consumo dos bens dos judeus ali perto dos locais de massacre eram vistos como um triunfo e motivo de comemoração. A Operação (*Aktion*) Reinhard, a campanha nazista para matar de 1,7 a dois milhões de judeus-poloneses, juntamente com judeus de outras nacionalidades, que foram mandados para as câmaras de gás de Belzec, Sobibor e Treblinka, produziu um dos maiores depósitos de saques da Europa ocupada. No topo da cadeia do butim, perto de Lublin, estava o gerente dessa operação de massacre, o major-general da SS Odilo Globocnik, rodeado por suas "damas". Segundo um ex-assessor, as secretárias de Globocnik faziam "alegremente" listas de judeus deportados para Treblinka, de judeus mortos e de bens confiscados.

As amantes e secretárias de Globocnik não foram perpetradoras diretas do Holocausto, ou pelo menos não surgiu nenhum testemunho ou documento provando que tenham cometido atos violentos. Mas foram cúmplices: anotavam ditados e datilografavam as ordens facilitando o roubo, a deportação e o assassinato em massa de judeus. Exerciam essas funções sabendo que estavam contribuindo para a meta de extermínio do povo judeu. Transmitiam a Himmler os relatórios de Globocnik sobre o "sucesso" de operações da Solução Final. Criadoras de um refúgio profissional e privado para gestores de alto escalão, como Globocnik, elas contribuíram para a normalização do perverso.

Um dia, quando o filho de Hanweg foi às oficinas do gueto, onde gostava de brincar, descobriu que não havia nenhum judeu lá. Como os judeus de Lida eram fuzilados geralmente no vilarejo e nas aldeias vizinhas, não ficou surpreso quando ouviu adultos dizendo que quase todos os judeus tinham sido mortos. O primeiro e maior massacre ocorreu em 8 de maio de 1942, a dois quilômetros de Lida, quando 5.670 judeus foram levados para locais afastados, obrigados a se despir e se ajoelhar ao lado das valas comuns, e fuzilados. Um judeu escalado para a tarefa espalhou cal viva e terra sobre os corpos. Hanweg e seus assessores obrigaram os judeus que tinham acabado de enterrar seus entes queridos a se curvarem em reverência e agradecer por tê-los deixado vivos. Na aldeia, os corpos de velhos e crianças enchiam as ruas. Essas vítimas eram muito frágeis ou muito pequenas para andar sozinhas a caminho da própria morte.

Nos escritórios, todas as secretárias viram a comoção e ouviram as rajadas de balas. Mas Liselotte Meier foi mais que uma testemunha passiva. Ela participou do planejamento dos massacres e estava presente em vários dos fuzilamentos que ocorreram em 1942-43. De fato, depoimentos no pós-guerra sobre crimes cometidos pelo escritório do comissário de Lida enfatizaram que Meier era a pessoa que estava mais a par de tudo, "mais bem informada que qualquer um dos oficiais de lá".

Escriturária diplomada, Meier ia com Hanweg três ou quatro vezes por semana às oficinas dos judeus e mantinha um registro minucioso das encomendas e datas de entrega. Ela discutia as encomendas com os membros do conselho judaico e com o mais velho do conselho, um engenheiro chamado Altman. E fazia suas próprias encomendas também. Um ex-trabalhador judeu recorda:

> Os oficiais do comissariado, oficiais alemães, e os parentes deles tiravam vantagem das oficinas, faziam inúmeras encomendas que eram entregues em dia. Um departamento especial trabalhava com retalhos de couro recebidos de fábricas de botas, e fazia artigos de couro, como cintos, carteiras, bolsas, caixas de listras coloridas e bijuterias de couro que atraíam especialmente as oficiais dos escritórios do comissariado.

Os trabalhadores judeus atendiam a todos os desejos de Meier e Hanweg: construíram uma piscina para o lazer deles, restauraram uma casa e serviam guloseimas pós-coito aos dois nus na cama. Em retrospecto, parece incompreensível que um relacionamento íntimo se desenvolvesse em meio àquele redemoinho de violência genocida. Mas os horrores da violência genocida não eram um mero pano de fundo para o caso de amor de Meier e Hanweg; eram um drama central inflamando sua paixão. Os dois estavam embriagados com aquele poder recém-descoberto e aquele "lugar ao sol", uma sensação conhecida na Alemanha como *Ostrausch*, a "corrida para o Leste". Era uma euforia que se exprimia em sexo e violência.

A secretária-concubina de Hanweg tornou-se sua confidente. Ele deu a ela acesso especial ao cofre do escritório, onde guardava as ordens mais secretas. Ela não se limitava a anotar os ditados do comissário, que era principalmente o trabalho da estenógrafa, mas ele a mandava escrever ordens e tratar de assuntos administrativos com outros oficiais alemães, inclusive com os chefes da guarda civil. Quando questionada depois da guerra, Liselotte Meier não se lembrava se tinha dado uma ordem autorizando o fuzilamento de 16 judeus que haviam chegado atrasados ao trabalho, uma ordem que mais tarde outros a acusaram de ter escrito. Em reuniões secretas de planejamento de assassinato em massa, Meier fazia a ata da reunião e coordenava a logística com os executores da polícia de segurança (SD), a guarda civil local, o prefeito natural do país e o adjunto do comissário encarregado de "assuntos de judeus". Ela era cautelosa com relação à quantidade de informação colocada no papel. Mais tarde ela declarou: "Havia pouca transmissão escrita sobre as ações com judeus, que eram absolutamente secretas." Seu chefe simplesmente dizia ao chefe de polícia e aos funcionários do escritório quando e onde as valas seriam cavadas.

Meier guardava o ambicionado carimbo oficial na gaveta de sua escrivaninha, o que significava que ela podia assinar pelo comissário. O selo oficial e os formulários especiais, assim como o cartão de identificação dos trabalhadores (chamado Cartão Dourado), eram instrumentos burocráticos potencialmente salvadores. Para um judeu, o único meio de escapar ao fuzilamento na beira de covas, além da fuga e do suicídio, era obter um contrato de trabalho. O comissário e sua equipe tinham autoridade para atestar quem era e quem não era judeu. Podiam decidir quem seria morto

Judeus obrigados a marchar por Lida antes de serem mortos, com guardas alemães – uma mulher, oficial ou civil, está entre eles – presumivelmente selecionando trabalhadores e se apropriando de bens dos judeus, março de 1942

e quem seria poupado. As secretárias que participavam da seleção de trabalhadores judeus e emitiam os cartões de identificação tinham seus favoritos. Um favorecido por Meier era o cabeleireiro que a atendia em seu alojamento particular. Esse cabeleireiro era um judeu útil, enquanto muitos outros eram, como ela dizia, "esse *Dreck*", lixo. Em Slonim (onde é a Bielorrússia hoje), uma assistente especial do comissário distrital, a secretária Erna Reichmann, se postou ao lado de uma fila de dois mil judeus sendo escoltados para o local de fuzilamento, e alguns trabalhadores eram retirados da fila, ou conforme uma lista formal datilografada por ela e suas colegas, ou escolhidos espontaneamente. Reichmann viu uma judia que "não tinha terminado de tricotar um casaco para ela" e mandou que saísse da fila.

No entanto, no modo de pensar nazista, até esses trabalhadores judeus eram, em última análise, dispensáveis. Destituídos de todo valor e dignidade como seres humanos, os judeus se tornaram escravos e joguetes dos capatazes alemães. Matar judeus era uma fonte de diversão em Lida, assim como caçar coelhos. Um judeu sobrevivente recorda:

Num domingo, todos os judeus foram levados a uma floresta ali perto para espantar os coelhos das tocas e fazê-los correr na direção dos caçadores. Centenas de homens foram recrutados para esse serviço, e a longa fila de judeus seguiu pela estrada até a floresta, andando na neve alta, tremendo de frio e de medo do que iriam encontrar. De repente apareceu um grupo em charretes de inverno, inclusive o comissário Hanweg e sua equipe, oficiais graduados, e mulheres usando belos casacos de peles. Estavam todos bêbados, recostados nos bancos das charretes, se abraçando e gritando, os estrondos das gargalhadas ecoavam na dis-

"Frau Apfelbaum" com um rifle na floresta de Lida

tância. As charretes galopavam entre as fileiras de judeus e a gritaria era cada vez mais alta. Os selvagens alemães zombavam dos judeus, riam deles e davam chicotadas nos mais próximos. Um oficial bêbado apontou o rifle de caça e começou a atirar nos judeus, e seus acompanhantes davam gargalhadas de prazer. As balas atingiram alguns nas fileiras, que caíram em poças de sangue.

Depois da guerra, Meier admitiu ter acompanhado os colegas nessas excursões e caçadas dominicais. Os judeus se tornaram alvos fáceis que traziam satisfação instantânea a atiradores inexperientes, e geralmente embriagados. Exaustos e malnutridos, os trabalhadores judeus caminhavam lentamente pela neve. Suas silhuetas negras se destacavam na paisagem branca do inverno. Alguns sortudos se esquivavam das balas dos alemães e encontravam abrigo na camuflagem da floresta. "As árvores nos salvaram", disse um sobrevivente de Lida. "Confiamos tanto nas moitas que eles não conseguiram nos ver lá." Meier não podia imaginar que, vinte anos depois, os judeus de Lida iriam reaparecer para identificá-la e acusá-la.

Muitos historiadores do Holocausto se concentraram na primeira onda de massacres na União Soviética, perpetrados pelas unidades de segurança móvel conhecidas como *Einsatzgruppen*. No final de 1941, esses esquadrões de atiradores de elite tinham abatido perto de 500 mil judeus-soviéticos. Tão extensa era a documentação de seu serviço macabro que, depois da guerra, os promotores americanos realizaram um julgamento em Nuremberg especialmente para os líderes dos *Einsatzgruppen*. Mas pouco se disse a respeito de quem datilografou essas provas condenatórias. Havia pelo menos 13 datilógrafas empregadas pelo Einsatzgruppen A. Uma delas ouviu atentamente seu chefe, Walther Stahlecker, ditando números que chegavam a 135.567 judeus, comunistas e doentes mentais mortos na Estônia, Letônia, Lituânia e Bielorrússia no fim do verão e no outono de 1941. Ela ajudou a datilografar, copiar e autenticar o relatório de 143 páginas a ser enviado para Berlim pelo posto avançado do Einsatzgruppen A em Riga. Um mapa especial acompanhando o relatório final de Stahlecker para Heydrich, em janeiro de 1942, mostra a finalização quase completa da Solução Final na

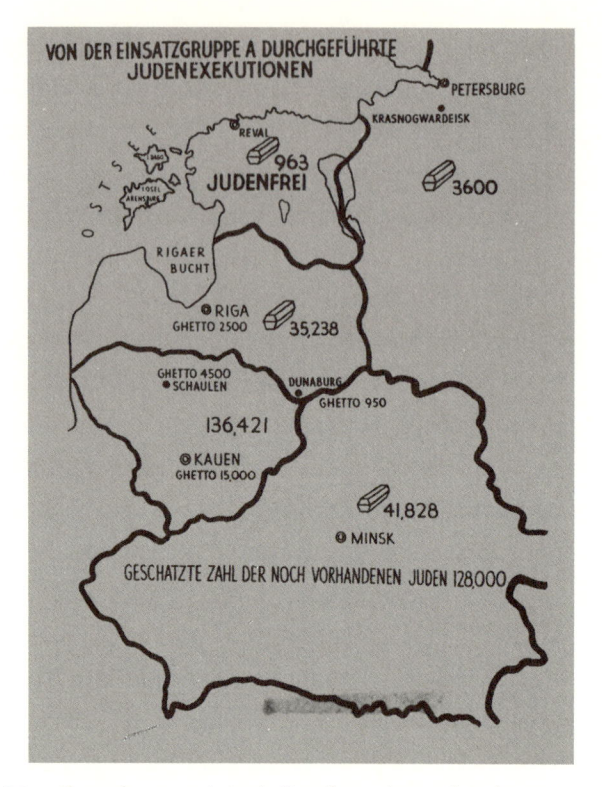

Mapa ilustrado com caixões indicando o número de judeus mortos
em cada região em 1941, enviado pelo Einsatzgruppen A

Ostland. Em cada região havia o desenho de um caixão com uma legenda do número total de judeus mortos naquela região.

Quem recebia os relatórios de Stahlecker não precisava se dar ao trabalho de ler todos os dados. Nas legendas, os números eram bem expressivos e a representação visual dos caixões comunicava claramente a área da matança. As mulheres nos escritórios da SS prepararam milhares de páginas desses relatórios, os receberam no quartel-general de Berlim e os distribuíram pelas agências do Reich.

Himmler percebeu que as mulheres constituíam uma força de trabalho crucial para a efetivação de seus planos genocidas. Além da associação com a SS, como guardas de campos de concentração e esposas férteis, as mulheres eram autorizadas a se unir à organização da elite do terror num corpo auxiliar administrativo especial. No começo de 1942, Himmler ordenou a implantação de uma unidade feminina de administração e comunicação da SS, os SS-Frauenkorps. Ele precisou convencer seus subordinados de que as mulheres deveriam ser respeitadas, não só por sua contribuição biológica, mas também por sua capacidade organizacional. Num famoso discurso para os generais da SS em Poznan, em outubro de 1943, Himmler elogiou seus colegas por enviarem suas filhas, irmãs, noivas e namoradas para o programa de treinamento da nova elite. Apelando para o cavalheirismo e o senso de honra dos homens, ele os exortou a cooperar com essa integração das mulheres na força de trabalho, por ser necessária ao esforço de guerra. Quanto à moral das moças, Himmler visitou a escola de recrutas, garantindo que o serviço na SS não iria degradá-las, mas, pelo contrário, iria potencializar suas qualidades para o casamento.

A presença e promoção de mulheres nos locais de trabalho da SS não foram livres de conflitos e tensões. A primeira mulher nomeada superintendente de Birkenau, Johanna Langefeld, recebeu Himmler quando ele visitou Auschwitz em 18 de julho de 1942. Seu colega Rudolf Höss, comandante de Auschwitz, achou que Langefeld foi assertiva demais e questionou se ela iria implementar os planos para o grande campo de mulheres em Birkenau. Himmler enfatizou que "um campo de mulheres deve ser comandado por uma mulher". Ele apoiou a posição de Langefeld como superintendente sênior e advertiu os homens da SS para que não entrassem no campo das mulheres. Abriram-se possibilidades de carreiras nos campos de concentração e em outros aparatos burocráticos para as mulheres no Estado moderno nazista, não em posições subordinadas, mas numa hierarquia que as colocava em posições de comando com um poder sem precedentes, com o respeitado status dado pela farda de uma oficial do governo.

Quando administradoras e guardas femininas cometiam abusos com a população de prisioneiros num campo importante, ou datilografavam ordens de massacres de judeus e de civis poloneses, ucranianos e bielorrussos tachados de *partisans*, elas ajudavam a tornar as operações de assassinato em massa um procedimento padrão. Emprestavam seus conhecimentos e sua capacidade individual à maquinaria de destruição. Em Varsóvia, secretárias da polícia secreta manuseavam a papelada em represálias a prisioneiros políticos poloneses. O que isso realmente acarretava? Como disse uma ex-funcionária, "No corredor havia um monte de fichas, umas cem fichas ou mais, e quando apenas uns cinquenta iriam ser mortos, a escolha das fichas ficava a critério das mulheres. Às vezes, o chefe da divisão dizia: 'Essa ou aquela pessoa tem que ir, tira essa merda daí'". Mas, em geral, "cabia às recepcionistas decidir quem seria morto. Às vezes uma delas perguntava à colega: 'Que tal esse aqui? Sim ou não?'" Esse olhar interno no Departamento de Polícia de Varsóvia capta os traços essenciais do terror nazista — a papelada por trás dele, a magnitude, a fúria ideológica, o aleatório como rotina — e a dependência das mulheres no trabalho de escritório.

Em Tarnopol (uma cidadezinha na atual Ucrânia, mas na Polônia ocupada durante a guerra), uma datilógrafa de 22 anos de idade no escritório da Gestapo notou que houve diversas reuniões no mês de agosto de 1942, com a presença de todos os homens da SS da região. Depois dessas reuniões, seu chefe lhe informou que o escritório estaria vazio no dia seguinte e que as mulheres teriam que "defender o forte". Quando a equipe masculina voltou, chegou num clima festivo, contando histórias de massacres com detalhes aterradores. A matança tinha sido feita com uma prancha bem grande, "como um trampolim", sobre uma vala comum. Os judeus eram obrigados a caminhar sobre a prancha e caíam na vala ao serem atingidos por balas de exímios atiradores situados a distância. Os policiais da SS do escritório da jovem datilógrafa efetuaram fuzilamentos em Tarnopol, Skalat e Brezhany. Um deles, ao retornar de um massacre, estendeu a mão para cumprimentá-la. Ela recusou, dizendo que a mão dele estava suja. "Sim", ele respondeu rindo, com um gesto de apertar o gatilho, e apontou para a farda e as botas, dizendo: "Veja, aqui tem um pingo de sangue, outro aqui, e mais outro aqui."

Sabine Dick, a secretária que trabalhou no Escritório Central de Segurança do Reich em Berlim antes de decidir assumir um cargo na polícia secreta em Minsk, estendeu a mão para o chefe manchado de sangue. Quando ela chegou à Bielorrússia, já era uma secretária madura, que tinha estado por dentro da Gestapo por quase uma década. Queria subir na carreira e aumentar seu salário. Tinham-lhe prometido o melhor cargo, de secretária pessoal de Georg Heuser, ex-estudante de direito, detetive profissional e matador veterano do Einsatzgruppe A. Mais tarde ele seria condenado por um tribunal da Alemanha Ocidental pelo assassinato de 11.103 pessoas.

Georg Heuser e Sabine Dick dirigiram um escritório eficiente e se tornaram amigos. Segundo o depoimento de Dick, quando Heuser precisava expedir ordens de uma *Aktion* contra os judeus, corria à mesa da assistente: "Sabine, escreva isso, rápido!" Sabine Dick entendia a linguagem codificada dessas ordens. Embora Heuser ditasse algo sobre "destruição total de um gueto em tal lugar", o texto raramente se referia explicitamente a judeus. Geralmente, ele lhe dava instruções para emitir três cópias das ordens, sendo uma para cada comandante de esquadrão de fuzilamento. Ela providenciava os papéis e era Heuser quem os entregava, em mãos, aos comandantes da unidade. Desse modo as ordens não circulavam muito e não havia duplicatas. Uma vez expedidas as ordens, o clima no escritório era de calma, e às vezes até festivo e relaxado. Os homens ficavam aliviados por não serem chamados à verdadeira luta nas batalhas contra a resistência. Matar judeus indefesos era mais fácil.

As ordens de ataque aos membros da resistência eram diferentes. Muito mais detalhes eram postos no papel, inclusive os nomes de todos os participantes, a distribuição das armas, da comida e de outros suprimentos. Nas ordens de execução de judeus que Sabine Dick datilografava não havia menção a distribuição de comida. Só eram requisitados *schnapps* para os atiradores. Os homens dos esquadrões de execução geralmente voltavam da *Aktion* bêbados e iam para o dormitório das mulheres. Sob o pretexto de que havia mais relatórios a serem datilografados, eles arrastavam as mulheres para fora do dormitório e, como uma secretária definiu delicadamente, "queriam nossa companhia".

As operações antirresistência podiam se arrastar por semanas, ao passo que os fuzilamentos em massa ocorriam num dia só. Todos os policiais da SS na equipe tinham que cometer atrocidades contra os *partisans* e os civis, mas ninguém era punido por recusar a participar numa *Aktion* contra os judeus, ou se preferisse ficar no escritório no dia do massacre. Não se exigia, nem de homens, nem de mulheres, que cometessem genocídio, e no entanto o Holocausto não teria acontecido se o senso de dever não tivesse prevalecido sobre o senso moral. Ao acatar o senso de dever em detrimento da moral, homens e mulheres eram mais iguais do que diferentes.

Pouco depois que Sabine Dick e suas colegas chegaram aos territórios do Leste, no final de 1941, viram que os judeus que viviam lá, ou que tinham sido transportados do Reich para lá, estavam sendo massacrados. O escritório da Gestapo em Minsk, que empregava pelo menos dez mulheres entre atendentes, datilógrafas, escriturárias e tradutoras, era um epicentro do Holocausto. Muitos dos mais notórios perpetradores tinham passado algum tempo lá, inclusive Heinrich Himmler, que gostava de tomar decisões no local e usava campos de matança na Bielorrússia para fazer experimentos assassinos com explosivos e monóxido de carbono. No escritório de Sabine Dick havia cerca de 100 trabalhadores judeus que dormiam no porão. No prédio havia também salas de interrogatórios e câmaras de tortura. Alguns judeus foram enforcados no pátio, outros foram trancados em vans cheias de gás na frente do prédio. Essa era a atmosfera do local de trabalho de Sabine.

Não era de surpreender, portanto, que se falasse de judeus deportados ou prisioneiros em termos desumanos. Na cultura de consumo, comércio e lucro, uma cultura dominada pelas mulheres alemãs, os judeus eram vistos como mercadoria. Quando chegavam carregamentos de judeus em Minsk, o escritório da Gestapo se deliciava com iguarias em abundância – que chamavam de *Judenwurst*, salsichas judaicas – roubadas dos deportados. Nada ia para o lixo, exceto a "escória humana". No centro da organização e distribuição dos bens e posses dos judeus, as secretárias cuidavam das "salsichas dos judeus" roubadas. Antes ou depois da morte dos judeus, elas preparavam as iguarias, serviam e comiam junto com os colegas.

Mas Sabine Dick desejava mais que comida judaica. Os colegas de trabalho falavam de uma grande casa de fazenda em Maly Trostenets, a cerca de 12 quilômetros de Minsk, cheia de roupas e objetos pessoais de judeus. A propriedade em Maly Trostenets era um campo de trabalho e a área principal de recebimento, onde judeus locais e da Holanda, Áustria, Tchecoslováquia, Alemanha e Polônia eram fuzilados em valas comuns, que depois eram aterradas com uso de tratores. A fazenda e seus arredores logo teriam a maior concentração de valas comuns no território da Bielorrússia. As estimativas de judeus mortos lá vão de 65 mil a 200 mil. Muitos dos mortos em Maly Trostenets eram ricos, tinham vindo de Hamburgo, Frankfurt e Viena, trazendo com eles seus objetos mais preciosos. Quando o irmão de Dick foi morto na guerra e ela precisou de um vestido de luto, ela naturalmente pensou no depósito de Maly Trostenets como o lugar ideal para encontrar um traje. O *Obersturmbannführer* Eduard Strauch, chefe de Heuser, observou que não seria apropriado para ela, uma alemã em sua posição, usar coisas de judeus. Mas ela pegou o vestido assim mesmo. E pegou também um atestado com seu dentista de que precisava de uma obturação de ouro nos dentes e apresentou o atestado a Georg Heuser. Ele deu a ela três alianças de casamento de judeus, retiradas da pilha de ouro guardada no cofre do escritório. Depois da guerra, Dick alegou que as alianças tinham sido perdidas no caos dos bombardeios dos Aliados. Mas os investigadores não pediram a ela que abrisse a boca.

As secretárias Liselotte Meier e Sabine Dick estavam no centro da maquinaria de morte nazista e, como tantas outras, elas resolveram se beneficiar da proximidade do poder, saqueando da maneira mais depravada. A cumplicidade de professoras, enfermeiras, assistentes sociais e conselheiras de assentamento no Leste não era tão comum e difundida quanto a das secretárias (nem quanto a das esposas, como veremos). Mas era também significativa, e vale a pena ser examinada pelas evidências que fornece sobre o modo como o genocídio envolvia as mulheres em suas operações, frequentemente *ad hoc*.

Mapeando a presença de mulheres alemãs no Leste, podemos encontrá-las em maior número nas regiões de grande concentração de pessoas de etnia germânica: em partes da Lituânia, Ucrânia e Leste da Polônia, e em povoamentos dos tempos da Rússia czarista, onde fazendeiros e artesãos germânicos viviam desde o século XVIII. Hitler e Himmler visualizavam essas colônias como futuras utopias arianas e fortalezas do Reich, e jovens alemãs foram encarregadas de desenvolvê-las, na qualidade de missionárias do *Führer*, chamadas de "portadoras da cultura".

Uma das fortalezas desse povo de etnia germânica ficava encravada entre Zhytomyr e Vinnytsia, onde Hitler e Himmler instalaram seu quartel-general ultrassecreto no verão de 1942. Mais de cem mulheres vieram do Reich para transformar os jovens locais em seguidores de Hitler. Como representantes oficiais da Associação do Bem-Estar Nacional-Socialista, essas entusiastas colonialistas fundaram 41 jardins de infância e várias maternidade e postos de enfermagem. As parteiras ensinavam "higiene racial" às jovens mães. Assistentes sociais e educadoras ensinavam que os judeus estavam determinados a destruir o povo alemão e que a guerra era uma luta contra os judeus, que tinham sitiado e ameaçado matar os alemães de fome. Aconselhavam as jovens a proteger a raça germânica seguindo o exemplo do *Führer*, que não fumava nem bebia. Distribuíam fotos de Hitler e bandeiras da suástica, e ensinavam canções nazistas aos jovens. Aqueles germânicos eram geralmente pobres, mas muito receptivos aos conceitos antissemitas de bode expiatório judeu e de vingança. Tinham vivido o terror bolchevique nos anos 1930 e associavam os judeus ao bolchevismo. As portadoras da cultura alemã, que trabalhavam diligentemente para doutrinar os germânicos, eram facilitadoras mortais da vingança.

Vimos que dentro da sociedade da ocupação nazista havia outro grupo de mulheres, as esposas dos homens da SS. O que mais chama a atenção no caso das esposas é que, diferentemente das secretárias, professoras, enfermeiras e "portadoras da cultura", elas não tinham qualquer função direta na divisão do trabalho que tornou possível o Holocausto. No entanto, sua proximidade com os assassinos e seu próprio fanatismo ideológico faziam de muitas delas participantes em potencial. Outras agiam como facilitadoras.

Os líderes nazistas tomaram várias medidas para manter os casamentos intactos durante a guerra, como leis contra o adultério. Sempre que possível, eles encorajavam as esposas dos oficiais a fazer breves visitas aos maridos no Leste. Para viajar, era preciso ter um passe especial de entrada nos territórios ocupados, o que era conseguido por quem fazia o convite, em geral o marido, um parente ou um chefe de alguma agência do governo.

Vera Wohlauf, cujo primeiro casamento com um comerciante de Hamburgo ela trocou por um segundo, com um oficial da SS, chegou à Polônia no verão de 1942. Ela e o futuro marido, Julius, tinham feito rápidos preparativos para a cerimônia de casamento durante a licença dele, em fins de junho, e Vera não perdeu tempo para ir ao encontro dele no Leste.

Julius foi destacado para comandar uma das três companhias do 101º Batalhão da Polícia de Ordem na liquidação do gueto de Miedzyrzec-Podlaski em 25-26 de agosto de 1942. No decorrer desses dois dias, mais de 11 mil judeus foram reunidos no mercado. Aqueles que não conseguiam andar ou que resistiam à deportação eram espancados e mortos a tiros. Muitos não resistiram ao calor do verão. Cadáveres de jovens, homens, mulheres e crianças, aproximadamente 960 corpos, ficaram espalhados ou empilhados nas ruas. Depois de serem levados para a estação de trem, onde 60 vagões estavam à espera, os sobreviventes foram empurrados para dentro de vagões de carga, até 140 em cada vagão. Muitos foram esmagados e sufocaram por falta de espaço e de ar. Os que sobreviveram ao massacre da deportação foram transportados para Treblinka e enfiados na câmara de gás logo ao chegar.

Na manhã do massacre, o capitão Julius Wohlauf estava atrasado para o trabalho. Quando seus colegas chegaram à residência dele, Vera saiu de casa e se acomodou no assento da cabine do caminhão, que fazia parte do comboio a caminho de Miedzyrzec. Talvez ainda houvesse um friozinho da manhã no ar, ou talvez Vera quisesse se trajar a caráter, mas o fato é que ela apareceu vestindo um casaco militar sobre a roupa leve de verão, e com um boné na cabeça.

Vera não era a única mulher presente ao massacre. Outras esposas de oficiais e enfermeiras da Cruz Vermelha alemã também estavam lá. Depois da guerra, quando o 101º Batalhão da Polícia de Ordem foi investigado, as enfermeiras não foram encontradas. As esposas de alguns policiais da ordem foram. Perguntaram a Vera sobre o massacre em Miedzyrzec. Ela o descreveu como um "assentamento pacífico, quase idílico para um campo de trabalho do Leste". Todavia, o depoimento de outras testemunhas foi diferente. Vera Wohlauf foi uma presença inusitada, chamativa, no mercado onde os judeus ficaram reunidos para a deportação. Ela não se contentou em ficar de lado, e foi circulando entre os judeus, ostentando seu poder e humilhando as vítimas. Após a guerra, testemunhas disseram que ela brandia um chicote, um símbolo de status dos colonizadores, e que estava grávida. Vera, famosa por querer chamar atenção, se colocou no centro do derramamento de sangue na cidade. Na perspectiva dos judeus, que já haviam sofrido com violentos espancamentos e brutais tiroteios dos nazistas, Vera surgiu como perseguidora, como "um deles".

A história dessa *Aktion* foi examinada pelos estudiosos do Holocausto Christopher Browning, Gudrun Schwarz e Daniel Goldhagen. Cada um deles analisou os eventos e chegou a conclusões diferentes sobre um aspecto incomum desse horrendo massacre: a presença de Vera Wohlauf. Na análise de Browning, os homens ficaram desconfortáveis com a presença dela no massacre, o que despertou um sentimento de vergonha. Goldhagen, em contraste, enfatizou que os homens do 101º Batalhão ficaram orgulhosos de seus atos contra os judeus. A incongruente presença de Vera, grávida, meramente lhes lembrou que os atos sujos do genocídio eram "trabalho de homem". Mas tanto Browning como Goldhagen analisam a presença e as ações de Vera em relação aos homens alemães, os matadores, em vez de examinar a própria atuação dela em Miedzyrzec.

Dois meses antes do massacre, Vera fez o exame médico exigido para se casar com Julius. O médico notou que Vera tinha menstruado em maio de 1942 e não mostrava sinais de estar grávida. Vera deu à luz no começo de fevereiro de 1943, o que significa que nos massacres de agosto ela estava nos primeiros dois meses de gravidez do primeiro filho. Nesse primeiro estágio, ela não estaria visivelmente grávida, contrariando o que foi apresentado com destaque nas recordações pós-guerra dos camaradas de Julius Wohlauf e narrado pela esposa de outro policial da mesma unidade. A informação de seu "estado" pode ter sido dada por Vera na ocasião do massacre, ou salientada em retrospecto.

A esposa de um tenente do batalhão declarou depois da guerra que o comandante da polícia teve uma reunião "pública" depois da *Aktion* de Miedzyrzec "diante de um grande número de oficiais e não comissionados, e na presença de várias esposas que estavam em visita aos maridos, inclusive eu". O comandante major Trapp disse que ações de execução eram vedadas às mulheres, dado que era "revoltante que mulheres em estado de gravidez assistissem a tal coisa". Na Alemanha de Hitler, a medalha de honra feminina era a barriga de grávida. Na cultura biologicamente orientada do Reich, as mulheres eram valorizadas pela fertilidade. O corpo e a saúde da mulher não eram assunto particular dela, e sim sujeitos a discussão pública.

A presença de Vera Wohlauf grávida foi entendida na época, e depois, como uma afronta dupla aos papéis de gênero de homem e mulher. Uma alemã respeitável no centro do massacre já era problemática para os homens, que usufruíam da companhia da esposa no *front*, mas queriam manter certos limites quanto ao envolvimento direto de mulheres no banho de sangue. Os autores do Holocausto e os soldados lutavam na guerra para defender a Alemanha, sintetizada na imagem da mãe fértil. Ao incorporar o *front* doméstico, Vera atravessou a fronteira e entrou na zona de guerra e violência genocida do Holocausto. A reação dos colegas de Wohlauf revela confusão, talvez uma forma de dissonância cognitiva. Os judeus enquanto abstração, uma força fantasmática, tinham que morrer para que os alemães pudessem viver. Assim racionalizavam os perpetradores nazistas. Mas como um matador habitual, numa unidade de polícia na Polônia, poderia racionalizar o sangue em suas mãos diante daquela jovem esposa que imitava suas ações brutais? Para manter sua honra e lealdade, ele devia executar a impiedosa tarefa a fim de permanecer inocente.

Talvez o que mais tenha perturbado Julius e seus colegas foi que Vera, mulher em todos os aspectos, se comportou como um homem. Sua presença na Polônia, juntamente com as muitas outras alemãs que acompanhavam os maridos ou trabalhavam na administração da ocupação, testava e remodelava padrões de conduta e sexualidade. O que as mulheres aprendiam a fazer no estrangeiro era um comportamento inaceitável em seu país natal. Essa revolução não era um processo fácil, mas fragmentado por tensões e conflitos, muitos dos quais continuaram a pontuar, no pós-guerra, depoimentos e recordações do genocídio. Embora se preste a um estudo interessante, a dissonância também obscureceu a história do que Vera realmente fez como participante direta no Holocausto.

Havia muitas mulheres alemãs que, movidas pela curiosidade, crueldade ou outros motivos, compareciam às cenas dos crimes. Como cúmplices, elas incitavam os parceiros a matar enquanto atuavam em seu próprio modo abusivo. Tratavam com desprezo os judeus nos guetos e em estações de trem. Confiscavam e consumiam bens pessoais dos judeus. Organizavam festas quando judeus eram obrigados a deixar suas casas para encarar a morte certa na beira das valas comuns e nos campos de extermínio. Fotos da liquidação do gueto de Hrubieszow mostram espectadoras alemãs sorridentes. Enquanto os judeus seguiam para o trem com destino a Sobibor, as esposas dos policiais da SS que supervisionavam a operação lanchavam bolo e café. Fotos de um álbum particular de um membro do 101º Batalhão da Polícia de Ordem mostram Vera bebendo cerveja com seu marido e colegas. A foto foi tirada quando ela o visitou no verão de 1942. Teria sido tirada em 25 ou 26 de agosto, depois dos massacres em Miedzyrzec?

As atividades triviais e sociais do dia a dia, muitas vezes interações íntimas, eram entrelaçadas com a violência genocida do Holocausto. O fato de que Vera e Julius passaram a lua de mel em cenários de guetos, execuções em massa e deportações de judeus nas redondezas de Miedzyrzec, ou do café com bolo servido aos executores e suas esposas enquanto assistiam aos espancamentos e deportações de judeus, demonstra como o sistema de assassinato em massa pode ficar inserido no cotidiano. Essa inserção, e a banalização que a acompanhou, permitiu que esses crimes ocorressem sem impedimentos.

Mulheres cúmplices, como Liselotte Meier, Sabine Dick e Vera Wohlauf, foram mais que testemunhas do assassinato em massa. Elas contribuíram de tal forma que só faltou puxar o gatilho. Relações profissionais entre homens e mulheres que desenvolviam sistemas eficazes nos escritórios, a dinâmica da intimidade entre colegas, as alianças profanas de nazistas com

Vera e Julius Wohlauf divertindo-se no verão de 1942

amantes e cônjuges, as ambições e ideias antissemitas de profissionais femininas e nazistas fanáticos – todas essas forças fizeram dos pronunciamentos e declarações de Hitler e das sinistras políticas de Himmler a horrenda realidade cotidiana do Holocausto.

O grande número de criminosas que roubavam dos judeus, administravam o genocídio e participavam de cenas de crimes não consta em nossa memória coletiva e nas histórias oficiais. O papel das alemãs na guerra de Hitler não pode mais ser entendido como sua mobilização e vitimização no *front* doméstico. A Alemanha de Hitler produziu outro tipo de caráter na guerra, uma expressão de ativismo e patriotismo femininos da espécie mais violenta e perversa.

CAPÍTULO 5

PERPETRADORAS

A PRIMEIRA ASSASSINA EM MASSA NAZISTA não foi a guarda de campo de concentração, mas a enfermeira. Dentre todas as profissionais femininas, ela foi a mais mortal. O planejamento central de operações de assassinato em massa não começou nas câmaras de gás de Auschwitz-Birkenau, nem nos locais de fuzilamentos na Polônia. Começou nos hospitais do Reich. Os primeiros métodos foram a pílula para dormir, a injeção e a fome. As primeiras vítimas foram as crianças. Durante a guerra, as enfermeiras deram a milhares de bebês deformados e adolescentes inválidos overdoses de barbitúricos, injeções letais de morfina, e lhes negaram comida e água.

Tudo isso era feito em nome do progresso e da saúde da nação. No fim do século XIX, a moderna ciência da genética gerou o campo internacional da eugenia, um termo definido no subtítulo de um livro de 1910, escrito por um norte-americano, principal especialista nesse campo, formado em Harvard, chamado Charles Davenport – *Eugenics: The Science of Human Improvement by Better Breeding*. Nos círculos alemães, a eugenia era também conhecida como higiene racial, e direcionada mais especificamente a políticas de aumento da população ariana. Defeitos e traços "genéticos" herdados eram entendidos como manifestações de uma raça ou grupo que definia as diferentes civilizações humanas, algumas consideradas mais avançadas que outras, e todas competindo pela sobrevivência. O racismo, como o nacionalismo, era visto positivamente. O progresso, imaginado em ideais alemães de beleza e conduta, só poderia ser alcançado por meio da remoção das pragas da humanidade. Nas mãos de revolucionários fanáticos, essa ciência da desigualdade humana tinha que ser levada ao extremo. Manipulações biológicas e esterilizações eram insuficientes para alcançar as metas da perfeição ariana através da engenharia social, e a segregação também não era suficiente. A única solução total, "final" do problema da degeneração racial era destruir o contaminador, começando pelos alemães "defeituosos". Enganosamente chamado de "eutanásia" ou "morte misericordiosa", esse programa ultrassecreto foi autorizado pessoalmente por Adolf Hitler e executado no espaço coberto pela guerra.

Desde o início no Reich, anterior à invasão da Polônia, o programa de "eutanásia" envolveu o recrutamento de parteiras e equipes da medicina, tanto médicos como enfermeiras. Esses profissionais iriam matar mais de 200 mil pessoas na Alemanha, Áustria e nos países vizinhos anexados pelo Reich, a Polônia e a Tchecoslováquia. Perto de 400 instituições médicas se especializaram em operações assassinas de avaliação e seleção racial, experimentos cruéis, esterilização em massa, inanição e envenenamento. Nas semanas seguintes à invasão da Polônia, o ministro do Interior do Reich exigiu de médicos e parteiras relatórios identificando recém-nascidos e crianças menores de 3 anos com deficiências físicas ou mentais graves. As mães eram pressionadas para entregar filhos "doentes" a supostas clínicas pediátricas que se tornaram centros de processamento e morte. Cerca de oito mil crianças foram mortas na Alemanha e na Áustria antes que o programa fosse expandido para incluir adultos. As categorias de doenças e deficiências "incuráveis", inclusive "fragilidade mental", "insanidade criminal" e "demência", eram cada vez mais difusas.

Os fuzilamentos de pacientes psiquiátricos poloneses começaram em Kocborowo (Conradstein, na Alemanha), em setembro de 1939. Em outubro de 1939, veio a inédita morte por gás de pacientes do hospício em Owinska (Treskau), que foi levada ao Forte VII em Poznan, onde uma câmara rudimentar foi lacrada com argila, num experimento a que o próprio Himmler assistiu, em dezembro de 1939. A SS e unidades móveis de matadores da polícia fizeram uma varredura na Polônia, e depois no Báltico, Ucrânia e Bielorrússia, matando a tiros milhares de pacientes em hospícios e hospitais, e matando outros com gás em vans fechadas. No Reich, nos hospícios de Grafeneck e Hadamar, a equipe administrativa do hospital enviava os comunicados de morte e, como vimos, mandavam cinzas misturadas para as famílias das vítimas. Com o respaldo de Hitler, os profissionais de saúde, os técnicos e especialistas da área desenvolveram uma nova especialidade genocida, que foi aplicada em operações cada vez mais abrangentes de assassinato em massa nos territórios mais remotos do Leste. No fim de 1941 e começo de 1942, cientistas, engenheiros, "foguistas de crematório", motoristas e equipes médicas foram transferidos para a Bielorrússia e a Polônia para implantar os métodos de morte por gás, testados em prisioneiros soviéticos e depois aplicados em judeus em Belzec, Sobibor e Treblinka, os centros de matança da Operação Reinhard. Os humanos viraram carga, cobaias e cinzas.

A extensão da morte "misericordiosa" aos soldados alemães no *front* oriental também pode ter sido parte das operações de assassinato em massa. Segundo o depoimento pós-guerra de um membro de uma missão ultrassecreta, agentes selecionados do programa de "eutanásia" que tinham jurado segredo ao *Führer* foram mobilizados para servir no Leste e levados para hospitais de campo perto de Minsk, onde "aliviavam o sofrimento" dos soldados alemães. Em dezembro de 1941 e janeiro de 1942, Viktor Brack, um oficial da SS que deixou sua marca no sistema nazista como especialista em esterilização e morte por gás, liderou uma equipe de médicos, enfermeiras e técnicos em uma missão desse tipo no Leste. Os informantes alemães da época suspeitavam, e foi sugerido por historiadores desde então, que as equipes médicas matavam soldados alemães com ferimentos críticos e deficiências mentais e físicas, dados como baixas na fracassada ofensiva a Moscou. Uma das primeiras a mencionar esse procedimento foi a enfermeira e matadora profissional Pauline Kneissler, que conhecemos no capítulo 2.

Num tribunal pós-guerra, Kneissler revelou que tinha sido enviada para Minsk a fim de cuidar dos feridos, mas no mesmo depoimento ela se queixou de não ter tido permissão para o trabalho "normal" de enfermeira com a Cruz Vermelha alemã num hospital de campo. Essa contradição em seu depoimento empresta credibilidade a uma declaração que ela teria feito a uma amiga, fora do tribunal. Enquanto estava no Leste, ela dava injeções letais em soldados cegos, mutilados e com danos cerebrais. Os mortos eram "dos nossos", ela disse à amiga, referindo-se aos alemães. Ao que parece, quando Kneissler deu essa informação à amiga, ela justificou a ação dizendo, como dissera sobre as mortes por gás no castelo Grafeneck, que os pacientes morriam sem dor.

A possibilidade de que equipes alemãs tenham matado soldados do próprio Reich era – e ainda é – um tabu, e não sabemos ao certo se aconteceu. Mas se o regime já estava matando alemães adultos com deficiências ou com diagnóstico de insanidade mental, por que os oficiais iriam se dar ao trabalho de transportar feridos graves ou traumatizados de volta do *front* para o Reich? Na guerra deflagrada no Leste, os soldados feridos podiam ser dados como mortos em combate, o que lhes garantia uma morte honrosa, que seria pranteada, e não questionada pela família. Talvez fosse a linha dura ideológica do corpo de enfermeiras, as enfermeiras "marrons" do Partido Nazista, que levasse a cabo essas ações. Com os aventais cheios de ampolas de morfina e agulhas, elas estavam certamente bem equipadas para conceder aos gravemente feridos e traumatizados uma morte "misericordiosa". Em 1942, o médico de Hitler, dr. Karl Brandt, que coliderou o programa de eutanásia no Reich, foi promovido ao cargo de Comissário-Geral de Assuntos de Saúde e Sanitários. Nessa posição, ele supervisionou uma expansão da matança de pacientes – conhecida como Operação Brandt –, ampliada para hospitais e postos de enfermagem requisitados para propósitos militares. No fim da guerra, os alemães vítimas da eutanásia que foram transferidos de hospitais e enfermarias para centros de extermínio por gás incluíam pacientes geriátricos, pessoas com distúrbios nervosos e outras sequelas de bombardeios aéreos, e soldados traumatizados.

Depois que os pacientes de hospícios e hospitais na Ucrânia, Bielorrússia, Báltico e Polônia eram mortos por unidades móveis ou equipes médicas, as autoridades assumiam o comando dos prédios, que eram convertidos em clubes da Juventude Hitlerista, alojamentos de soldados alemães, clubes de oficiais da SS ou dormitórios de mulheres. Mas, na Polônia, alguns desses prédios esvaziados foram usados como centros de morte de outros grupos de vítimas. Em 1942, a equipe de eutanásia de Hitler organizava deportações de pacientes do Reich para um hospício em Meseritz-Obrawalde, uma cidadezinha na fronteira polaco-alemã. Transportes vindos de 26 cidades alemãs chegaram lá entre 1942 e 1944, geralmente na calada da noite. Os que vieram de Hamburgo no final de 1943 e começo de 1944 trouxeram 407 pacientes disfuncionais, sendo 213 homens, 189 mulheres e cinco crianças. Poucos sobreviveram. Meseritz tinha capacidade para acomodar 900 pacientes, mas durante a guerra "os transportes continuavam chegando", disse mais tarde a médica-chefe. Dois mil foram instalados no prédio abarrotado, sujeitos a sofrimentos rotineiros iguais aos de um campo de concentração. Eram submetidos a inspeção, trabalhos forçados e seleções periódicas. Médicos e enfermeiras matavam os pacientes, que, segundo promotores no pós-guerra, "davam trabalho extra às enfermeiras, os surdos-mudos, os muito doentes, os obstrutivos ou indisciplinados e qualquer pessoa que fosse simplesmente chata", bem como "os que fugiam e eram capturados e os envolvidos em ligações sexuais indesejáveis". As estimativas do número de mortos variam de 6 mil a 18 mil nesse único local.

As enfermeiras que mais tarde confessaram ter matado pacientes em Meseritz não tinham assinado o juramento de sigilo do programa da eutanásia que Pauline Kneissler assinara. Uma delas contou que era preciso pelo menos duas enfermeiras para matar um paciente porque eles resistiam a tomar grandes doses de remédios e injeções. Meseritz-Obrawalde era um dos locais "remotos" de eutanásia, deliberadamente situado na fronteira oriental do Reich, onde era possível receber grandes transportes, matar indiscriminadamente e dar fim às vítimas longe da vista.

O Holocausto, inclusive a campanha da eutanásia, era uma política patrocinada pelo Estado. A matança era organizada e efetuada por empregados e contratados do Estado e das organizações do Partido Nazista, e ocorria em instituições dirigidas pelo Estado – campos de concentração, hospícios, hospitais e centros de matança designados para esse fim. Dentro dessas instituições públicas havia muitas mulheres trabalhando como atendentes, detetives, supervisoras e guardas, e enfermeiras e médicas que se encarregavam pessoalmente dos assassinatos. Os exemplos de assassinas que veremos a seguir, porém, levam as cenas dos crimes para além desses locais oficiais de terror e encarceramento, para o perímetro dos campos, para os guetos rurais no Leste, para casas de policiais da SS e jardins de casas e propriedades particulares, para os mercados e os arredores de cidadezinhas do Leste Europeu.

A fronteira, um palco europeu onde Hitler e seus partidários realizavam suas fantasias imperialistas, era também um espaço para realizarem políticas criminais com impunidade. Muitas das perpetradoras que veremos neste capítulo fizeram isso também. Elas se enfiaram em outro papel, o de uma personagem híbrida que incorporava a rígida patriota nazista, a destemida mulher do Velho Oeste americano e a antissemita impiedosa. Andavam com pistolas e rifles, brandiam chicotes, usavam calças de montaria e cavalgavam. A transformação foi extrema.

Johanna Altvater, a ambiciosa secretária comercial oriunda da opressiva Minden, tinha 22 anos quando chegou à cidadezinha de Volodymyr-Volynsky, na fronteira da Ucrânia com a Polônia. Uma sede de município com 30 mil habitantes, Volodymyr-Volynsky era cercada de florestas e campos de trigo delineados pelas pantanosas margens de dois rios, o Bug e o Luga, onde os alemães faziam piqueniques e passeavam de barco. A cidade era também uma importante junta industrial e militar, com quartéis, uma estação de rádio, aeroporto, depósitos de combustível, olaria, moinho têxtil e uma fábrica de roupas. Para os judeus do lugar, tudo isso tinha uma importância crítica para sua sobrevivência, pois significava trabalho.

Poucos meses antes da chegada de Altvater, em setembro de 1941, membros de uma unidade especial do comando da SS e da polícia especial tinham dado início às primeiras medidas antissemitas em Volodymyr-Volynsky. Com a ajuda do comandante militar alemão local, formaram um conselho judaico que depois foi humilhado publicamente, e seus membros, queimados vivos. O líder do conselho judaico matou a família e cometeu suicídio. Em 30 de setembro, no Yom Kippur, ocorreu um grande massacre. O chefe de Altvater, um "nanico de olhos fuzilantes" chamado Wilhelm Westerheide, chegou para tomar posse do cargo de comissário regional. Para os judeus sobreviventes à primeira onda de massacres, ficou bem claro que a vida não iria melhorar sob o comando do comissário Westerheide. Ele começou praticando "tiro ao alvo" nos judeus que faziam um carregamento de barris de combustível na estação de trem.

Em abril de 1942, o gueto foi fechado com arame farpado. Até então, os judeus eram obrigados a usar identificação e morar num determinado bairro, mas podiam entrar e sair daquela área. Judeus, ucranianos e poloneses interagiam na economia do "mercado negro" local. Uma vez fechado o gueto, foi formada uma força policial de judeus. Assim como o conselho judaico, a polícia judaica deveria cumprir as ordens dos alemães. Westerheide e sua equipe obrigavam os judeus a entregar dinheiro, joias, mobílias e objetos de valor em troca de falsas promessas de proteção. Lenha e carvão, necessários para sobreviver aos rigores do inverno, também eram confiscados. Em junho de 1942 o gueto foi dividido em duas comunidades. Na visão de um sobrevivente, a "morta", dos judeus que não trabalhavam, na maioria mulheres, crianças e idosos, e a "viva", muito menor, de trabalhadores qualificados. Auxiliares da polícia ucraniana montavam guarda no perímetro do gueto.

No verão de 1942 e outono de 1943, ondas de ações de fuzilamento promovidas pelos alemães reduziram a população judaica em toda a região, de 20 mil para 400 ou 500. Esses massacres começaram no final de agosto de 1942, quando Westerheide voltou da conferência de comissários em Lutsk. Nessa conferência, ele e outros governadores distritais da Ucrânia ocupada souberam que seus chefes lhes ordenaram levar a cabo a Solução Final "cem por cento".

Embora a ordem não tenha sido expedida diretamente para "Fraülein Hanna", Johanna Altvater decidiu fazer sua parte. Ela costumava acompanhar seu chefe em visitas rotineiras ao gueto, e amarrava os cavalos dos dois no portão de entrada. Em 16 de setembro de 1942, Altvater entrou no gueto e se aproximou de dois meninos, um de 6 anos e outro bem pequenino, que moravam perto do muro do gueto. Acenou para eles, chamando-os como se fosse lhes dar guloseimas. O pequenino se aproximou, ela o levantou e apertou com tanta força que a criança gritava e se contorcia. Altvater agarrou o menino pelas pernas, de cabeça para baixo, e bateu a cabeça dele contra o muro, como quem bate um tapete para tirar a poeira. Atirou a criança sem vida nos pés do pai, que mais tarde depôs: "Nunca vi um sadismo assim numa mulher, e jamais vou esquecer." O pai recordou que não havia outros alemães presentes. Altvater assassinou o menino sozinha.

Durante a liquidação do gueto, o comandante alemão dos campos de prisioneiros russos nos arredores viu Fraülein Hanna, em calças de montaria, enfiando homens, mulheres e crianças judias num caminhão. Ela circulava pelo gueto estalando o chicote, tentando pôr ordem no caos, "como se estivesse tocando o gado", como disse esse alemão. Altvater foi ao prédio que servia como hospital improvisado, entrou bruscamente na enfermaria infantil e andou de leito em leito, olhando cada criança. Parou, pegou uma criança, levou-a à sacada e jogou-a lá embaixo. Empurrou as crianças mais velhas para a sacada, que ficava no terceiro andar, e jogou-as por cima do peitoril. Nem todas as crianças morreram no impacto, mas as que sobreviveram ficaram gravemente feridas.

Altvater não agiu sozinha na enfermaria; ela estava lá com um amigo, o chefe da guarda civil alemã, chamado Keller. Ele tinha autoridade para mandar o enfermeiro judeu, Michal Geist, ir lá embaixo verificar se as crianças que estavam imóveis estavam mesmo mortas. As feridas e as que restavam na enfermaria foram colocadas num caminhão. Estando o serviço quase terminado, Altvater e Keller foram embora no caminhão, presumivelmente para as valas comuns na periferia na cidade.

A especialidade de Altvater – ou, como disse um sobrevivente, seu "horrível hábito" – era matar crianças. Um observador disse que Altvater costumava atraí-las com doces. Quando a criança se aproximava e abria a boca, ela atirava na boca da criança com a pequena pistola de prata que sempre carregava. Alguns sugerem que Altvater e Westerheide eram amantes, mas muitos a ridicularizavam, chamando-a de "mulher-homem" de Westerheide (*Mannweib*). Altvater não se dava bem com outras mulheres baseadas na cidade, inclusive com outra secretária do mesmo escritório e uma enfermeira alemã da Cruz Vermelha. Ela ia ao lar dos soldados socializar, mas as outras mulheres "não a admiravam, porque andava se pavoneando em seu uniforme marrom do Partido Nazista e se comportava como uma típica machona". Tinha uma compleição larga e o cabelo cortado bem curto, "cabelo de homem". Sobreviventes judeus e testemunhas alemãs lembraram de seus traços masculinos, que associavam a seu comportamento agressivo. Nessas descrições da violência nazista, Johanna Altvater é retratada numa forma masculino-feminina, ambígua, até mesmo repulsiva. Sua aparência excepcionalmente masculina era um modo de explicar seus atos terrivelmente violentos, assim como – por meio de um mecanismo diferente – o ultrafeminino estado de gravidez de Vera Wohlauf tornava sua violência especialmente repugnante. Mas em nenhum dos casos a questão de gênero por si só explica a extensão da violência cometida.

Saindo do gueto de Volodymyr-Volynsky, os judeus foram levados aos campos de Piatydny, onde descobriram grandes valas em forma de cruz. Os trabalhadores judeus eram obrigados a cavar as próprias covas coletivas. Nas duas semanas seguintes, 15 mil judeus foram fuzilados lá. Westerheide, que mais tarde se gabava de ter "apagado" tantos judeus, foi visto lá, montado num cavalo, além do colega de Altvater, Keller, identificado depois como "um dos piores". Perto do local de fuzilamento, Westerheide e seus assessores festejavam numa mesa de banquete com algumas mulheres. Altvater estava entre os foliões, comendo e bebendo em meio à sanguinolência. A música tocando ao fundo se misturava com o som das rajadas de balas. De quando em quando, um dos alemães se levantava da mesa, ia até o local dos tiros, matava uns judeus e voltava para a festa. Fazendeiros poloneses que estavam nos campos ali perto trabalhando e apanhando peras ouviram os gritos e tiros e avisaram aos judeus escondidos na floresta que não voltassem ao gueto.

Os três mil judeus sobreviventes ficaram presos, espremidos em cabanas atrás de fileiras de arame farpado. Dormiam vários numa só cama ou no chão, sem aquecimento, e recebiam uma ração diária de não mais que 390 calorias, ou menos de 100 gramas de pão (umas três fatias). Não era suficiente para evitar doenças, e uma epidemia de tifo espalhou-se pelo gueto. Uma das crianças que entrou nas ruínas foi Leon Ginsburg, de 10 anos de idade. Procurou por seus parentes e soube que os alemães e seus colaboradores tinham matado a maioria deles. Os judeus do gueto contaram a Leon o que tinha ocorrido. Talvez se referindo a Johanna Altvater, disseram que "uma polonesa, a amante do comandante", chamada Anna, tinha sido "a primeira a pegar sapatos e roupas de mulher". No gueto devastado, Leon viu fotos em preto e branco espalhadas pelas ruas de chão de terra, rostos sorridentes de judeus antes da guerra, em casamentos, férias, escolas, aniversários. Agora estavam todos mortos, olhando para ele como fantasmas. Vendo que tinha que sair dali, Leon planejou sua fuga para a floresta.

Se Leon tivesse ficado no gueto, provavelmente não teria sobrevivido. Westerheide, Keller, Fraülein Hanna e seus colegas da SS eram incansáveis. No primeiro semestre de 1943 organizaram outro fuzilamento, e 1.200 judeus do gueto e da área em volta foram assassinados. Mil artesãos e suas famílias mantiveram-se vivos até os últimos dias da ocupação alemã, quando o escritório de Westerheide foi evacuado, em dezembro de 1943. De fato, o último massacre de judeus de que se tem notícia na Ucrânia ocupada pelos nazistas ocorreu em 13-14 de dezembro de 1943.

Os líderes nazistas sabiam que poderiam perder a campanha militar, mas estavam decididos a ganhar a guerra contra os judeus. Completando a última varredura na direção oeste, vindo da Rússia para a Alemanha, com ordens para matar toda a população judaica remanescente, uma unidade especial trouxe os últimos judeus para uma "área arborizada depois que um pelotão motorizado da guarda civil e auxiliares ucranianos haviam isolado a área. As toras de uma pira para cremar os corpos tinham sido preparadas de antemão".

No final de 1943, antes do fechamento do escritório em Volodymyr-Volynsky, Johanna Altvater já tinha voltado para o Reich. Após servir como secretária da mais alta autoridade do distrito, ela foi transferida para a capital regional, Lutsk. Segundo sua ficha, ela foi remanejada por motivos disciplinares. Depois da guerra, Altvater explicou que a razão de sua transferência para Lutsk tinha sido um incidente. Depois de uma noite de festa, ela e seus amigos farristas levaram uma "vaca" para o gueto. Não se sabe que tipo de brincadeira estavam fazendo. Ela tirou licença para passar o Natal em casa e não voltou para Volodymyr-Volynsky. Os soviéticos retomaram a região em janeiro e fevereiro de 1944. Ainda esperançosa de ter um futuro no Leste, Altvater se candidatou para um programa do serviço civil de treinamento da elite colonial.

Quando Johanna Altvater posava de oficial nazista e ficava violenta, assumia uma aparência masculina. Vera Wohlauf vestiu um casaco militar para ir aos massacres e deportações em Miedzyrzec-Podlaski. Essas mutações não eram totais e irreversíveis, mas ilustram os papéis maleáveis em que as mulheres entravam e saíam. Elas percorreram múltiplas zonas de guerra no Leste, e algumas ficaram condicionadas ao que era considerado trabalho de homem; os papéis e as maneiras tradicionais de se conduzir ficavam confusos. Nunca essa mutabilidade foi mais aberrante do que nos casos de esposas de SS que se tornaram perpetradoras. Elas tinham capacidade de matar e ao mesmo tempo apresentavam uma combinação de vários papéis: dona de plantação, matrona dos prados de vestido e avental comandando escravos, mãe carregando bebê, *Hausfrau* armada de pistola.

Os oficiais da SS e suas esposas baseados na Polônia, Ucrânia, Bielorrússia e no Báltico se esbaldavam com a liberdade do Leste, a vida de aventura, a riqueza da terra fértil, a pilhagem dos objetos confiscados dos "nativos" e o poder do chicote. No final de 1942, a SS controlava perto de meio milhão de acres cultivados entre o mar Negro e o Báltico. Na constelação de plantações requisitadas pela SS, estava Grzenda (Hriada), antes uma grande mansão, ou *dwór*, de um nobre polonês, nos arredores de onde hoje é Lviv.

Em junho de 1942, Erna Petri, memoravelmente fotografada montada na motocicleta na Turíngia, sua terra natal, chegou a Grzenda com seu filho de 3 anos. Situada entre colinas e prados, a mansão de altos pilares brancos tinha vista para as aldeias ao redor. Os visitantes entravam por um portão ornamental de ferro trabalhado e um caminho circular de acesso ao pórtico e uma fileira de estábulos, galinheiros e alojamentos de criados. Um século antes, artesãos tinham assentado cuidadosamente pequenos ladrilhos pretos, brancos e de terracota no chão do pórtico norte e no vestíbulo. Balaustradas ornamentadas decoravam a escadaria e o terraço. É fácil

Erna Petri no campo com seu filho (*alto*) e conduzindo uma charrete
na frente da mansão (*embaixo*) em sua propriedade em Grzenda

imaginar a animação e o orgulho que Erna Petri deve ter sentido ao chegar nessa casa grandiosa, nesse contraste brutal com a opressiva fazenda da família na Turíngia.

Dois dias depois ela viu o marido, Horst, batendo nos trabalhadores. Ele estuprava as criadas da casa. Os fazendeiros diziam que ele era um sádico que tinha prazer na violência; ele ria enquanto açoitava ucranianos, poloneses e judeus. Horst não se via assim. Achava que estava afirmando sua autoridade. Mesmo com a guerra se arrastando e a vitória parecendo improvável, Horst e Erna se tornavam cada vez mais brutais, tentando manter o pulso firme na propriedade. No verão de 1943 eles caçaram e abateram judeus que tinham fugido durante as liquidações dos guetos e de vagões de trens a caminho das câmaras de gás. Horst comandava ataques às aldeias vizinhas. Erna, que morou em Grzenda de junho de 1942 até o início de 1944, também passou a bater nos trabalhadores, inclusive no ferreiro, que ela esbofeteou. A violência era tecida no cotidiano do ambiente doméstico da bucólica vida na fazenda.

A propriedade dos Petri tinha lindos jardins e muitos lugares para passear nas tardes de domingo. Vários oficiais de alto escalão da capital, Lviv, conhecida em alemão como Lemberg, iam visitá-los. Num domingo, a esposa do mais alto oficial da SS da região chegou com dois ajudantes, o chofer e um assistente. Enquanto os Petri caminhavam com os visitantes pelo jardim, um dos ajudantes apareceu dizendo que quatro judeus fugitivos de um trem para uma câmara de gás perto de Lublin tinham sido apanhados na propriedade. O chofer e Horst conversaram sobre o que fazer com eles. Horst disse à esposa e à visitante que aquilo era serviço para homens, as mulheres não tinham com que se preocupar. Enquanto elas continuavam andando pelo jardim em direção à casa, ouviram quatro tiros de pistola.

Meses depois, no verão de 1943, Erna Petri tinha ido a Lviv fazer compras e estava voltando para casa. Era um belo dia de sol. Ela vinha recostada na charrete, e o cocheiro manuseava as rédeas. Erna avistou alguma coisa a distância. Quando a charrete chegou mais perto, ela viu seis crianças agachadas na beira da estrada, vestidas em farrapos. Ocorreu-lhe que eram "as crianças que fugiram do trem na estação da Saschkow". E continuou relatando:

> Na época, todos os judeus remanescentes em vários campos estavam sendo transportados para campos de extermínio. Nesses transportes, e principalmente na estação de Saschkow, judeus fugiam e tentavam se salvar. Todos esses judeus estavam nus, de modo que os ucranianos

e poloneses moradores da área pudessem ser distinguidos deles. Era fácil reconhecer os judeus.

As crianças estavam aterrorizadas e com fome. Petri pegou-as e as levou para casa. Acalmou as crianças e conquistou a confiança delas trazendo-lhes comida da cozinha. Todos os judeus que estivessem perambulando pelo mato deveriam ser presos e fuzilados. Ela sabia disso. Horst não estava em casa. Erna esperou e, como Horst não chegava, ela resolveu matar as seis pessoalmente. Levou-as para a mesma cova na floresta onde outros judeus tinham sido fuzilados e enterrados. Trazia com ela a pistola que seu pai guardara da Primeira Guerra Mundial e lhe dera como presente de despedida na partida para o "Leste Selvagem" da Ucrânia.

Erna Petri mandou que as crianças ficassem em fileira na beira da cova, de costas para ela. Pôs a pistola a 10 centímetros da nuca da primeira criança, atirou, passou para a segunda criança e fez a mesma coisa. Após ter atirado nas duas primeiras, "as outras ficaram a princípio chocadas, depois começaram a chorar. Não choravam alto, soluçavam". Erna não se deixou "ficar abalada", e atirou "até todas ficarem caídas na vala. Nenhuma delas tentou fugir, pois parecia que estavam em trânsito havia muitos dias e estavam totalmente exaustas".

Erna estava sozinha quando cometeu esse crime, mas não vivia nada sozinha naquela casa. Além do marido, moravam em Grzenda seus dois filhos pequenos: o filho que ela trouxera em 1942 e uma filha, nascida ali, em 1943. Sua sogra e um tio estavam hospedados lá, fugindo dos bombardeios e do racionamento no Reich, e além disso vivia rodeada dos camponeses que trabalhavam na lavoura. A vista mais bonita da mansão na colina era do terraço no segundo andar, onde Erna, a quintessência da Hausfrau-anfitriã, servia *Kaffee und Kuchen* para os colegas de Horst do Exército e da SS. Servindo o café, Erna ouvia os homens conversando sobre os fuzilamentos dos judeus. Aprendeu que a maneira mais eficaz de matar era um único tiro na nuca. Quando levou as crianças para a beira da cova, ela sabia exatamente o que fazer.

A violência doméstica adquiriu outro significado, mais extenso, no Terceiro Reich. As mulheres matadoras praticavam atos hediondos dentro e perto de casa. O mais comum era atirar do terraço, na presença de parentes e amantes.

Na primavera de 1942, Liesel Willhaus, a filha do metalúrgico católico da Saarland, chegou com sua filha a Lviv. Foram para o campo de Janowska, onde seu marido, o *Untersturmfüher* Gustav Willhaus, foi nomeado comandante. Liesel e Gustav ainda estavam tentando a escalada no sistema nazista, ainda determinados a trocar seu legado da classe trabalhadora por uma nova vida de riqueza e poder no Leste. A promoção de Gustav foi a grande virada. Liesel inspecionou seu novo lar. O casarão se situava na extremidade do campo de trânsito e trabalho escravo. Judeus selecionados moravam e trabalhavam numa fábrica de máquinas, e a linha de trem trazia a maior parte da população judaica de Lviv para a câmara de gás de Belzec, que começou a recebê-los em março de 1942, na ocasião em que Gustav Willhaus chegou a Janowska. Cerca de 300 mil judeus-poloneses e ucranianos passaram por Janowska ou morreram lá, o maior campo de trabalho e trânsito de judeus na Ucrânia.

Não muito depois de assumir o posto, Gustav Willhaus ficou conhecido como o "comandante de campo sedento de sangue". Sobreviventes do Holocausto o chamavam de "assassino por natureza", que matava as pessoas sem hesitação, mas também sem muito entusiasmo. Ele executava as vítimas como um "cortador de palha". A esposa dele criou sua própria reputação. Primeiro, Liesel exigiu reformas na casa e ordenou a construção de um terraço no segundo andar, para a família desfrutar de refeições ao pôr do sol. Encontrou ampla mão de obra escrava entre os judeus para fazer tudo o que ela desejasse na casa, inclusive a jardinagem. Do terraço, Liesel os vigiava atentamente. E usava esse ponto de vantagem para atirar em judeus "por esporte", disse uma testemunha judia. "A mulher de Willhaus... também tinha uma pistola. Quando a família recebia convidados, se sentavam na espaçosa varanda de entrada do luxuoso casarão, e [ela] exibia sua pontaria atirando em internos no campo, para deleite dos hóspedes. A filhinha deles, Heike, aplaudia vigorosamente."

A arma preferida por Liesel Willhaus era um Flobert, um rifle francês projetado para ambientes internos, que parecia luxuoso, mas era de fabricação barata. Os rifles Flobert tinham ampla circulação na época e eram usados principalmente para prática de tiro ao alvo. Era um exemplo clássico da arma "domesticada" exibida nos pomposos salões vitorianos e usada para matar pequenos animais invasores nos jardins. Tinha pequeno alcance (cerca de 30 metros), mas o impacto era forte o suficiente para causar ferimentos letais. Na Ucrânia, o rifle de salão calhava muito bem para o estilo da pioneira.

Nem sempre era instantânea a morte das vítimas da farra pistoleira dos Willhaus. Certa vez, Liesel acertou um único tiro num trabalhador judeu que andava perto da casa. O marido estava ao lado dela no terraço. Em outra ocasião, numa manhã de setembro de 1942, ela apareceu no terraço com o marido e alguns convidados e atirou num grupo de prisioneiros judeus que estavam recolhendo lixo a uns 20 metros de distância. Um dos mortos era um homem de 30 anos, da aldeia de Sambor.

Num domingo de abril de 1943, Willhaus apareceu novamente no terraço e, com a filha ao lado, atirou num grupo de trabalhadores judeus no jardim. Pelo menos quatro deles caíram imediatamente, inclusive Jakob Helfer, da aldeia da Bobrka. Naquele mesmo verão, ela mirou num grupo de trabalhadores no campo, um pouco mais longe. Eles estavam muito juntos. Morreram uns cinco. Não muito depois, ela atirou em judeus durante uma inspeção, mirando precisamente na cabeça deles. Segundo investigações no pós-guerra, Willhaus também fazia mira no coração de judeus com tifo. Atirava neles à queima-roupa.

Toda a atmosfera dentro e em torno da casa dos Willhaus era de bizarra contradição. A justaposição de um lar burguês alemão repressivamente bem equipado contrastava com os tiroteios e o sofrimento dos internos judeus. A "galeria de tiro" no terraço era na verdade um dos métodos mais "limpos" praticado pelos Willhaus e seus amigos. Sua especialidade eram mais os espetáculos de sadismo: espancamentos públicos, enforcamentos, amputação de órgãos sexuais, membros de crianças arrancados.

Esposas de homens da SS, inclusive a mulher de um comandante de Auschwitz, afirmaram depois da guerra que não sabiam o que acontecia atrás dos muros e do arame farpado dos campos. Declararam que suas casas eram santuários de normalidade completamente separados, onde seus maridos encontravam refúgio do trabalho estressante. Mas o campo e o lar não eram mundos separados, eles se sobrepunham. As esposas visitavam os maridos no escritório – Liesel Willhaus, por exemplo, era vista frequentemente entrando no campo Janowska –, e estes chegavam em casa trazendo consigo impiedade e técnicas para matar judeus. Não é possível acreditar que as esposas dos SS não viam nada, e não é possível acreditar que algumas, como Erna Petri e Liesel Willhaus, não quiseram participar dos crimes.

Vimos que, na loucura do Leste, a violência sádica, rotinas domésticas e relações íntimas se entrelaçavam. Tanto Liesel Willhaus como Erna Petri foram para o Leste casadas, mas, para as solteiras, aquela comunidade incestuosa, emaranhada em si mesma, servia para fazer dos postos avançados alemães um "mercado de casamento" entre parceiros com afinidade ideológica e, em geral, moralmente corruptos. Romances nos escritórios eram comuns, e nem sempre o resultado era um casamento. Muitas crianças nasceram fora do matrimônio. Esse comportamento promíscuo não era alvo de reprovação; pelo contrário, a propagação da raça ariana era um dever patriótico. Os filhos dessa nova elite não estavam protegidos da violência. Existem casos documentados de pais envolvendo os filhos na matança, e mães como Liesel Willhaus envolvendo as filhas. A história do crescimento da violência feminina durante o Reich se entrelaça com a revolução sexual, que testou limites e definições de matrimônio, procriação, educação de filhos, feminilidade e prazer.

As histórias de duas outras matadoras, as secretárias vienenses Gertrude Segel e Josefine Krepp, ilustram muito bem como parcerias violentas se organizavam em ambientes formais de escritório e atuavam no escopo pessoal. Nesses dois casos, as mulheres conheceram seus maridos da SS como secretárias no escritório da Gestapo onde funcionava uma rede nazista austríaca. Muitos tinham se conhecido na esteira da *Anschluss*, quando o Partido Nazista e seus seguidores se infiltraram e assumiram o Estado austríaco. À medida que o Reich se expandia para o Leste, muitos desses austríacos se sentiram em casa, ocupando escritórios nas antigas terras dos Habsburgo na Galícia e Iugoslávia.

Cerca de 65 quilômetros ao sul de Lviv, na cidadezinha de Drohobych, a secretária da Gestapo Gertrude Segel também matava trabalhadores judeus em seu jardim. Em fevereiro de 1941, quando Gertrude conheceu Felix Landau, comandante da Sipo e SD em Radom, na Polônia, ele era casado e tinha dois filhos. Em poucos meses se tornaram amantes e Gertrude terminou o noivado com um soldado austríaco que estava no *front* e não era da SS. Felix Landau também foi mandado para a frente de batalha – na "guerra contra os judeus" no Leste da Ucrânia ocupada.

Enquanto praticava assassinato em massa na Ucrânia, Landau manteve um diário revelando suas oscilações entre amante desamparado e assassino a sangue-frio. Ele compôs esse texto em forma de cartas para sua "Trude". Em 5 de julho de 1941, Landau escreveu para sua "adorável coelhinha", talvez racionalizando suas ações, contando que um polonês ensanguentado gesticulou para os alemães atirarem mais depressa, a fim de acabar com seu sofrimento. Landau queria impressionar Gertrude. Enfatizava que aquela carnificina humana era um trabalho difícil. Preocupava-se com a possibilidade de ela abandoná-lo. Nas anotações de 12 e 13 de julho de 1941, Landau se referiu novamente às incessantes exigências do assassinato em massa: "Mal consegui dormir... Finalmente, consegui ler toda a minha correspondência... Trude escreveu que não sabe se pode me manter sua promessa [de ser fiel]. Por que isso tem que acontecer comigo, com uma pessoa que amo tanto? Preciso vê-la e falar com ela, e então minha pequena Trude será forte de novo. Ela precisa vir para cá [para Drohobych]."

Drohobych, habitada em 1939 por uns 10 mil poloneses, o mesmo número de ucranianos, e 15 mil judeus, teve um progresso inédito no final do século XIX, uma riqueza súbita decorrente da descoberta de campos de petróleo nos arredores. Landau havia se instalado em grande estilo, numa casa confortável, e queria desesperadamente que Gertrude viesse ficar com ele. Fez arranjos para que ela fosse transferida e ao mesmo tempo deu entrada no divórcio da esposa, que também era ex-secretária da Gestapo. A esposa voltou para o Reich, deixando Landau e os dois filhos pequenos em Drohobych. Segel arrumou um trabalho de secretária em Drohobych e foi morar na casa de Landau, onde acumularam montes de objetos de valor confiscados dos judeus, como peles, quadros e porcelanas. Obrigaram o talentoso artista judeu Bruno Schulz a pintar murais no quarto das crianças. Eram belas pinturas de cenas de contos de fadas em que as personagens tinham o rosto de membros da comunidade judaica de Drohobych, inclusive o dele, Schulz, que mais tarde foi morto por um rival de Landau na Gestapo.

Assim como as famílias Willhaus e Petri, Gertude Segel e Felix Landau tinham um terraço em casa. Segundo o depoimento de uma testemunha judia, na tarde de domingo de 14 de junho de 1942, Gertrude e Felix jogavam cartas no terraço. O rádio estava ligado e o sol brilhava. Eles estavam recostados em cadeiras estofadas. Gertrude vestia um maiô, e Felix estava de terno branco. Um pequeno grupo de homens e mulheres judeus trabalhavam lá embaixo, no jardim, afofando a terra. De repente, Felix se levantou e pegou o rifle Flobert. Começou a atirar nos pombos. Gertrude tentou também. Nesse momento, um dos dois apontou a arma para os jardineiros e atirou num homem chamado Fliegner. Saíram do terraço e entraram em casa rindo.

Nas ruas da cidade, Felix Landau era conhecido por suas orgias de tiroteios. Uma das maiores foi em novembro de 1942, quando ele e seus homens mataram mais de 200 judeus, dentre eles intelectuais e profissionais importantes, como um professor judeu chamado Szulc e um dr. Loew, dentista de um sargento da Gestapo. Na cidade, Landau era o famoso "General Judeu", que presidia os massacres desde os primeiros dias da ocupação, em 1942 e 1943, reduzindo a população judaica de mais de 15 mil para poucas centenas no fim da guerra.

O hedonismo de Felix e Gertrude também ficou famoso, principalmente quando se manifestava em festas de arromba. O sobrevivente judeu Jacob Goldsztein depôs que Landau e Segel davam festas com muito álcool para oficiais da ocupação no salão municipal. Uma dessas foi provavelmente a festa de casamento deles, em 5 de maio de 1943. Gertrude dançou em cima das mesas, batendo nas mãos dos oficiais da SS sentados à mesa. Após a noite de bebedeira, Landau voltou ao salão porque Segel tinha perdido seu colar de ouro. Landau encontrou Goldsztein e outro judeu limpando o salão e acusou-os de terem roubado o colar. Landau ordenou a Goldsztein que se apresentasse no escritório dele no dia seguinte, e tornou a pressioná-lo, dizendo calmamente que devolvesse o colar. Goldsztein retrucou que não estava com o colar e que nunca faria uma coisa dessas, como roubar um colar.

Segel estava presente ao interrogatório, recostada num sofá. "Não seja idiota, seu porco judeu, você pegou o colar!", ela gritou. Landau ficou mais zangado ainda. Sua "Trude" estava aborrecida e esperava que ele agisse. Começou a socar e chutar Goldsztein, e o jogou no chão. Ordenou que ele se levantasse, dizendo que preferia bater nele em pé, pois era mais conveniente do que ficar abaixado no chão. Mais tarde, Goldsztein soube que um homem da SS que estava flertando com Gertrude tinha roubado o colar. (E acabou devolvendo.) O colar tinha pertencido a uma judia. Landau o tinha confiscado durante um massacre para dar de presente a Gertrude.

Sobreviventes judeus depuseram também que Gertrude ordenou a morte de três criadas de sua casa e pisoteou uma criança judia até a morte. Mas no final dos anos 1950 os investigadores da Áustria e Alemanha Ocidental não se deram ao trabalho de usar esses testemunhos incriminadores contra ela.

Uma amiga austríaca de Segel, Josefine Krepp, agora Josefine Block, foi morar com o marido na Ucrânia em 1942. Em Drohobych, Josefine Block não era oficialmente empregada da Gestapo, mas andava pelos escritórios. Seu marido tinha prazer em encarregar sua pequena "Fini" de projetos próprios, como supervisionar o jardim da comunidade e expandir as oficinas de trabalhadores judeus. Ela ficou grávida no verão de 1942, mas não se contentava em ser mãe da criança que o casal já tinha e do bebê por nascer.

Quando trouxeram 200 "ciganos" para a cidade, ela foi vista estalando o chicote, ordenando aos milicianos ucranianos que se apressassem a matá-los. A noite vinha chegando e os "prisioneiros" tinham que estar mortos antes de escurecer, ela disse. Em outra ocasião, Block apareceu no mercado de hortaliças, chamou duas meninas judias que pareciam muito fracas para trabalhar e ordenou aos empregados do marido que as matassem na presença dela. Block ia frequentemente ao mercado buscar legumes e frutas, e, à chegada dela, o medo tomava conta dos trabalhadores judeus. Quando o gueto foi liquidado, em junho de 1943, ela apareceu novamente, dessa vez no ponto de reunião dos judeus que seriam deportados. Estava vestindo um terninho cinza e de cabelos soltos. Levava uma câmera e um chicote. Às vezes dava uma chicotada num judeu. Os prisioneiros, aterrorizados, eram submetidos à humilhação de serem fotografados. Uma menina de 7 anos chegou perto dela, chorando, implorando pela vida. "Vou te ajudar!", disse Block. Agarrou a menina pelos cabelos, deu-lhe socos, jogou-a no chão e pisou forte na cabeça dela. Quando Block foi embora, a mãe da menina tomou nos braços a filha inerte e tentou em vão ressuscitá-la.

Muitas vezes, trabalhadores judeus desesperados pediam socorro a Block, imaginando que uma jovem mãe seria solidária. Mas Block tinha sempre uma arma à mão e mudava de papel num instante, passando de mãe calma e bonita a brutamontes nazista. Ela era vista usando o carrinho de bebê para atropelar judeus que cruzavam seu caminho nas ruas. Mais tarde duas testemunhas disseram que ela havia matado uma criancinha judia com o carrinho. Os habitantes se queixavam dela, mas seu marido, chefe da Gestapo, se submetia à esposa, dizendo que não podia tomar nenhuma decisão sem ela.

A documentação dos tempos da guerra e do pós-guerra sobre esposas de nazistas nos postos avançados está espalhada em diversos arquivos e papéis pessoais. Soubemos da presença e do comportamento violento dessas mulheres principalmente através de testemunhos de alemães, ucranianos, poloneses e judeus. Acostumados como estamos a pensar em matança, guerra e genocídio como atividades masculinas, na ausência de provas acessíveis em contrário não enxergamos a extensão da participação das mulheres. Sabemos que as vítimas do Holocausto passaram por privações, humilhações, sofrimento e até morreram nas mãos das mulheres alemãs, mas minimizamos esse fato ao perseverar em várias concepções de genocídio historicamente inexatas e tendenciosas.

Historicamente, a maioria dos assassinatos em massa ocorria em campo aberto, e não confinada em instituições estatais. Isso se aplica aos alemães nos campos de morte nazistas, que eram vistos matando pessoalmente e trazendo outros para matar também. Muitos indivíduos cujas obrigações normais pouco tinham a ver com as políticas antijudaicas, quanto mais matar judeus, eram recrutados e convencidos a matar. O comissário Westerheide, por exemplo, chefe de Johanna Altvater, simplesmente abordava alemães na rua e perguntava se estavam interessados em ajudar numa *Aktion*. Um oficial convidou um colega para uma sessão esportiva de tiro, manifestando seu prazer com a expectativa de usar judeus como alvos. Não só os homens eram recrutados, mas mulheres e meninas eram chamadas para executar tarefas variadas ligadas à matança em si. Meninas ucranianas eram usadas rotineiramente para ajudar na coleta e conserto de roupas das vítimas. Nas valas comuns, as "compactadoras" pressionavam os corpos, pisando-os com os pés descalços. As "coletoras" apanhavam feno e talos de girassol para acelerar o fogo na queima dos corpos.

Na guerra nazista contra os judeus na Europa Oriental, a divisão espacial entre o *front* de batalha e o *front* doméstico era inexistente. As cenas de crimes incluíam os terraços das mansões, os campos de propriedades rurais, como Grzenda, e as mesas de banquete perto dos fuzilamentos. Para mulheres como Erna Petri, Liesel Willhaus, Gertrude Segel, Johana Altvater e Josefine Block, a contribuição para o esforço de guerra ia muito além de dar consolo, proteção e apoio a um parceiro ou a um chefe fanático. Essas perpetradoras eram incrivelmente, escandalosamente peritas em escorregar de um papel para outro, passar de irrefreável revolucionária a esposa mansa e subserviente. Muitas assassinas tinham funções no mundo profissional, como secretárias e enfermeiras, por exemplo. Formadas e socializadas num momento particular da Alemanha de Hitler, elas exploravam seu poder como carreiristas e capatazes imperiais.

Será que algum dia saberemos exatamente quantas alemãs se comportaram com tanta violência, matando com injeções envenenadas, pistolas, cães de ataque e outras armas letais? Os números apenas não explicam os eventos, mas podem ser reveladores. Por exemplo: acadêmicos e leigos supuseram por muito tempo que o sistema de campos nazistas se limitava a poucas centenas, talvez a alguns milhares, de locais de internamento. Mas pesquisadores do Museu Memorial do Holocausto, nos Estados Unidos, determinaram recentemente que havia mais de 40 mil locais de detenção na Europa dominada pelos nazistas. Os campos e guetos, geralmente vistos como um universo separado do resto da sociedade, hoje podem ser entendidos como misturados com as comunidades locais. A ideia de que os muros dos campos eram barreiras para manter a distância está se desfazendo. Embora o maior número de campos não implique um número significativamente maior de vítimas, dado que as vítimas podiam passar por diversos campos e guetos, isso nos diz que havia um número significativamente maior de perpetradores, cúmplices e testemunhas que criavam, operavam e frequentavam esses locais. Participavam muito mais pessoas do que pensávamos. Muito mais pessoas sabiam da perseguição sistemática e das mortes. E "mais" quer dizer em todos os sentidos: estavam envolvidos mais homens, mulheres e crianças do que sabíamos. O grande número de campos e sua integração nas comunidades locais ressaltam a dimensão social da história do Holocausto.

É possível estimar quantas mulheres alemãs se tornaram matadoras no Leste? Podemos começar seguindo os métodos aplicados às estimativas de perpetradores homens. Mas as estimativas que temos de perpetradores alemães homens são aproximadas e baseadas principalmente em arquivos de instituições acusadas de implementar o Holocausto. Fazendo um cruzamento de listas do pessoal colocado em organizações criminais com registros de indivíduos pertencentes a unidades separadas dessas organizações, como o 101º Batalhão da Polícia de Ordem, historiadores estimaram que cerca de 200 mil alemães (e austríacos) foram agentes diretos do genocídio em fuzilamentos em campo aberto, liquidações de guetos e centros de morte por gás.

Quanto a mulheres, não temos fontes comparáveis. Existem listas incompletas de guardas de campo femininas em 1944 e 1945, mas fornecem apenas dados pontuais sobre o envolvimento feminino e contêm informação apenas sobre campos administrados por um braço das agências de Himmler, o Escritório de Administração e Economia da RSHA. Em todo caso, esses registros revelam que cerca de 350 mulheres (a maioria treinada em Ravensbrück) trabalharam como guardas de campo durante esses anos. Até agora esse tem sido o único número associado a estimativas de mulheres perpetradoras do Holocausto. Mas certamente nem todas as guardas de campos foram matadoras e, inversamente, nem todas as matadoras foram guardas de campo. Um número enorme de vítimas no Leste foi executado fora dos muros dos campos. A lista de guardas femininas treinadas em Ravensbrück ou baseadas nos 12 maiores campos, principalmente no Reich em 1944 e no início de 1945, como a lista que encontrei em Zhytomyr, é a ponta do iceberg. A história dos perpetradores masculinos pode estar limitada às fichas dos guardas em Dachau? Nas últimas décadas, as lentes focalizadas em matadores homens foram ampliadas para incluir mulheres comuns, alemãs e não alemãs, em unidades policiais, em unidades do Exército e civis à paisana. Minha pesquisa sobre mulheres matadoras e as situações em que matavam deve ampliar também nossa visão quanto à atuação das mulheres.

Os documentos que pesquisei sobre a presença de mulheres, profissionais e membros das famílias, no Leste apontam para muitas centenas de milhares delas. Numa sociedade pacífica, mulheres cometem em média 14% de todos os crimes violentos e 1% dos assassinatos. Em tempos de paz, mulheres assassinas agem sozinhas, e contra vítimas individuais, geralmente maridos e parceiros, e não contra grupos. Numa sociedade bélica, genocida, tanto o número de homens como o de mulheres que cometem atos violentos é muito mais alto, e cada ato individual pode levar a um número muito maior de mortes. Depois de aterrorizar as crianças na enfermaria do gueto, Johanna Altvater matou algumas pessoalmente, ali mesmo. Outras foram embarcadas num veículo para o local de assassinato em massa, onde foram fuziladas por unidades de policiais homens. Estatisticamente, se tomarmos a porcentagem de homicídios cometidos por mulheres numa sociedade pacífica e a aplicarmos ao Leste genocida, onde as mulheres mal chegavam a 10% da população de alemães, o número estimado de mulheres matadoras será de aproximadamente três mil. Em outras palavras, podemos multiplicar Erna Petri por três mil. Mas na suposição, mais provável, de que mulheres em sociedades genocidas – mulheres autorizadas pelo Estado, tendo como alvo grupos "inimigos" – são responsáveis por uma percentagem maior de assassinatos do que mulheres em sociedades pacíficas, então três mil parece um número irrealisticamente pequeno.

Em se tratando de mulheres como as secretárias, esposas e amantes dos homens da SS que vimos neste capítulo, jamais teremos um número exato. Mas as evidências aqui nos dão novas ideias sobre o Holocausto especificamente, e sobre o genocídio de uma maneira mais geral. Sempre soubemos, é claro, que as mulheres têm capacidade de ser violentas, e até de matar, mas pouco sabíamos sobre as circunstâncias e ideias que transformam mulheres em genocidas, os papéis variados que tiveram dentro e fora do sistema, e as formas de comportamento que adotaram. Agora é possível imaginar que os padrões de comportamentos violentos e assassinos revelados aqui ocorreram nos tempos de guerra na Ucrânia, Polônia, Bielorrússia, Lituânia e outras partes da Europa sob o domínio nazista. As alemãs que foram para o Leste incorporaram o que a expansão do império nazista se tornava: cada vez mais violenta. Jovens mulheres comuns, com biografias típicas do pré-guerra, e não somente um pequeno grupo de nazistas fanáticas, foram para o Leste e se envolveram nos crimes do Holocausto, inclusive na matança.

Felizmente, com a derrota militar da Alemanha, o apogeu dos perpetradores chegou ao fim. A máquina de destruição parou. Mas a vida dessas alemãs não parou. Elas voltaram para casa, para os destroços do Reich, e tentaram enterrar seu passado criminoso.

CAPÍTULO 6

POR QUE ELAS MATAVAM?

A explicação pós-guerra delas e a nossa

O MITO ALEMÃO DA INOCÊNCIA e do martírio feminino nasceu no colapso e rendição do Reich aos Aliados. Os horrores do regime foram vividos pelos poloneses e outras grandes populações no Leste ocupado desde 1939, e pelos judeus e outros alvos políticos e raciais na Alemanha nazista desde 1933, mas, para as mulheres comuns da Alemanha, os tempos difíceis chegaram com a derrocada do Reich. No rescaldo, vieram as provações físicas e os dilemas morais na evacuação do Leste, a violência do Exército soviético, a luta pela sobrevivência no que restava da terra natal e a devastação de famílias sob a ocupação dos Aliados.

Uma jovem professora primária na Ucrânia, que se deparou com o avanço do Exército Vermelho para o rio Dnieper no verão de 1943, recorda a evacuação. Havia muitas crianças na escola, todas órfãs. Ela e suas colegas acharam que as crianças iriam ser mortas pelos soviéticos, mas decidiram abandoná-las assim mesmo. As crianças choravam, temendo pela vida, e se agarravam à professora, não deixando que ela saísse. Mas "tínhamos que ir", ela disse. Ela saiu da Ucrânia com outras mulheres e seguiram em direção à fronteira da Alemanha com a Polônia. Quando recebeu da Gestapo o passe de saída, teve que assinar um documento jurando silêncio sobre tudo o que tinha feito e visto na Ucrânia. Depois da guerra, essa professora soube que a ocupação de Chernihiv pelo Exército Vermelho tinha sido de fato um "banho de sangue". Soube que todos os homens, mulheres e crianças que tiveram qualquer coisa a ver com os alemães tinham sido mortos.

Toda a equipe do hospital de Zhytomyr onde Erika Ohr trabalhava como enfermeira foi evacuada na última hora, em dezembro de 1943. O pequeno comboio de caminhões levando equipes médicas e soldados feridos foi seguindo através do caos de soldados em fuga para leste e oeste, a pé, em caminhões, em ruidosos aviões superlotados. Nos campos às margens da estrada tanques alemães rolavam por cima de túmulos recém-cavados de soldados alemães, destruindo lápides com nomes e números das unidades militares em que tinham servido. Os números das unidades poderiam dar ao serviço secreto soviético informações úteis para rastrear os movimentos das tropas alemãs.

Após meses de paradas no Oeste da Ucrânia e da Polônia, Ohr finalmente chegou à Hungria, perto de Pécs. Era maio de 1944. Ela reparou que os habitantes não eram muito amigáveis. Mais tarde, Ohr e suas colegas souberam que poucos dias antes da chegada delas a população judaica tinha sido "transportada". Mas alguns judeus permaneceram. Perto do dormitório das enfermeiras havia um gueto com mulheres e crianças. Intrusos roubaram coisas do dormitório delas. Dada a proximidade do gueto, Ohr imaginou que os intrusos eram moradores do gueto. Alguns judeus desesperados roubavam, é claro, pois os nazistas tinham tirado tudo deles, mas Ohr não oferece provas dessa suposição, nem parece estar a par das possíveis razões dos judeus para cometerem tal ato. Na propaganda nazista, era comum associar judeus ao crime, e Hitler e Goebbels martelaram nessa tecla até o amargo fim. Talvez isso tenha deixado uma impressão duradoura em Ohr.

No fim da guerra, Ohr já estava acostumada a tratar e enterrar soldados alemães. Estava menos preparada para cuidar de civis doentes. Mulheres, crianças e idosos de etnia germânica que fugiam a pé do Leste para a Alemanha estavam entre os doentes e feridos. Ficaram todos amontoados num hospital perto de Brünn (hoje Brno, na República Tcheca), que foi assolado por uma epidemia de sarampo. Crianças alemãs morriam todas as noites. Ohr não sabia o que fazer com os corpos. Não podiam ficar com os vivos, junto dos lamentos das mães e irmãos. O hospital tinha sido improvisado no prédio vazio de uma escola. Ao lado da sala principal, onde famílias de refugiados alemães jaziam doentes no chão, Ohr descobriu uma sala cheia de ganchos nas paredes. Era o vestiário da escola, onde, até semanas antes, os alunos penduravam casacos e guardavam as botas. Ohr pendurou nos ganchos as crianças mortas. Ao sair do vestiário, fechou bem a porta.

Ohr contraiu sarampo e não conseguiu ser evacuada junto com as colegas, em meados de abril de 1945. Era preciso arranjar um transporte especial para ela. Ficou sozinha na sala principal, com febre alta. Ouvia as sirenes anunciando bombardeios aéreos, com medo de ter sido esquecida. Não queria ficar para trás.

Fossem culpadas ou inocentes dos crimes nazistas, as mulheres alemãs esperavam ser alvo de vingança e objeto de ataques sexuais. Na proclamação de Hitler em 15 de abril – sua última – a todos os soldados no *front* oriental, quando se referiu ao recentemente falecido presidente Roosevelt como "o maior criminoso de todos os tempos", ele disse que a defesa final da Alemanha deveria ser a proteção do *Volk*, sobretudo das mulheres e meninas:

> Pela última vez, o inimigo mortal judeu-bolchevique enviou suas massas ao ataque. Estão tentando demolir a Alemanha e exterminar nosso povo. Vocês, soldados do Leste, sabem muito bem o destino que ameaça sobretudo as mulheres, meninas e crianças alemãs. Os velhos e crianças são assassinados, e as mulheres e meninas são degradadas como prostitutas de quartel. O resto é mandado para a Sibéria.

O ministro da Propaganda nazista, Joseph Goebbels, tentou mobilizar a determinação (e o medo) das massas alemãs com imagens dos soldados do Exército Vermelho como "hordas asiáticas" estuprando selvagemente as mulheres alemãs. Essas imagens aterradoras se tornaram realidade. Notícias de estupro em massa foram confirmadas por milhões de alemãs evacuadas que caminhavam penosamente para o Oeste, na caótica e humilhante reviravolta. Estimativas de mulheres estupradas – e certamente nem todas eram alemãs – vão de 100 mil a dois milhões. Meninas e idosas não eram poupadas.

O regime nazista depôs as armas incondicionalmente em 8 de maio de 1945, marcando oficialmente o fim de uma era na Europa. Para as mulheres que atingiram a idade adulta na vigência do Terceiro Reich, que tiveram a adolescência, a formação profissional, o primeiro emprego, o primeiro relacionamento e o nascimento do primeiro filho no Reich, a derrota significou ambições frustradas, sonhos irrealizados e futuro incerto. Não se podia apagar completamente o que fora visto e feito. Algumas legalistas e fanáticas não podiam imaginar a vida sem Hitler. Umas poucas mulheres, ou temendo a retaliação dos Aliados ou profundamente envergonhadas, não viram solução fora do suicídio. Mulheres que retornavam do Leste tinham a esperança de que o passado permanecesse lá. Uma delas, que se identificou como patriota e nazista convicta, lamentou em seu diário que o mundo tinha desmoronado à sua volta. Será que essas mulheres retornadas do Leste poderiam encontrar refúgio nas massas de alemãs vitimizadas, viúvas chorosas e mães sofridas que tinham suportado os bombardeios aéreos no *front* da terra natal, os estupros em massa dos soldados do Exército Vermelho e as agruras do país derrotado?

Líderes dos Aliados deixaram muito claro em vários discursos – como a Declaração de Moscou de 1943 – que aqueles que cometessem crimes seriam punidos. Com a liberação dos territórios ocupados, proliferaram por lá os tribunais militares e tribunais "canguru", autonomeados, que não respeitavam normas judiciais. Oficiais alemães e seus colaboradores locais foram presos, submetidos a procedimentos sumários e enforcados. Os julgamentos começaram com o amplamente divulgado tribunal de Krasnodar, na Rússia, em julho de 1943, e culminaram com os procedimentos marcadamente sóbrios e minuciosos do tribunal militar de Nuremberg, em que o promotor-chefe norte-americano, Robert H. Jackson, declarou seu reconhecimento aos vitoriosos por concordarem em "deter a mão da vingança", submetendo "seus inimigos cativos ao julgamento da lei".

Forças norte-americanas, britânicas, francesas e soviéticas estabeleceram governos militares em zonas da Alemanha e da Áustria, e introduziram uma nova legislação para punir os criminosos de guerra e "desnazificar" a sociedade alemã nos termos e decretos instituídos pelo Conselho de Controle Aliado. Desnazificar significava punir os criminosos nazistas e reeducar, exorcizando os males da ideologia nazista da sociedade e das instituições alemãs, ou seja, arrancando as sementes de ervas daninhas. Há variações significativas na maneira com que cada potência Aliada lidou com os suspeitos. No decorrer de uma década, a maioria dos detidos nas zonas ocidentais da Alemanha foram libertados. A mulher do mais alto escalão do Partido Nazista, Gertrud Scholtz-Klink, usou a espert2eza para escapar da custódia soviética, mas depois foi presa pelos franceses por falsificar seus documentos de identidade. Tudo indica que ela não era uma ré agradável, porque os franceses a mantiveram na prisão durante quatro anos, e impuseram uma proibição de dez anos de suas atividades jornalísticas, políticas e docentes. Pouco depois de expirar a proibição, essa nazista inveterada publicou um relato autocongratulatório das mulheres alemãs do Terceiro Reich.

Todas as mulheres fardadas foram apanhadas no arrastão dos Aliados e colocadas em campos de internamento. Nos territórios ocupados pelos sovié-

Prisioneiras alemãs detidas em Kassel, Alemanha

ticos, as mulheres foram tratadas com dureza. Umas 20 mil foram presas no Leste e deportadas para o interior da Rússia; não estavam entre as repatriadas para a Alemanha no final dos anos 1950, na onda política de perdões e anistias. Foram executadas ou morreram no cativeiro.

Ilse Struwe foi relativamente sortuda. Essa secretária da Wermacht ficou internada até dezembro de 1946, mas não foi deportada para a União Soviética. Era mais útil como secretária na Administração da Ocupação Militar Soviética. Ela não falou sobre o que viu naquela noite da janela do seu quarto em Rivne, e não falou das fotos de atrocidades que vira. Se dissesse qualquer coisa a qualquer pessoa, ponderou, "seria o mesmo que me enforcar num poste". Esperou até os anos 1990 para publicar suas memórias.

Erika Ohr também foi apanhada pelos Aliados e internada no verão de 1945 num campo dos americanos. Ela diz ter visto ali prisioneiros alemães sendo torturados, enterrados em pé até o pescoço. A única explicação que lhe ocorre, em suas memórias, é de cunho antissemita. Na visão de Ohr, como muitos dirigentes do campo americano falavam alemão, deviam ter algum parentesco com os judeus que tinham sido obrigados a emigrar. E agora eles se vingavam dos soldados alemães.

Como a maioria das mulheres não tinha postos de comando, a não ser nas organizações femininas do Partido Nazista e como médicas em alguns estabelecimentos hospitalares, elas não se sentaram no banco dos réus com os nazistas mais importantes, como Hermmann Goering, Rudolf Hess e Alfred Rosenberg, que foram julgados pelo Tribunal Militar Internacional em Nuremberg. Os Aliados estavam de olho em presas maiores e usavam seus parcos recursos investigativos para rastrear nazistas de alto escalão. Algumas mulheres foram julgadas em tribunais regionais. Os soviéticos (e mais tarde os alemães orientais) condenaram guardas do maior campo feminino do Reich – Ravensbrück – e os ingleses caçaram as "Bestas de Bergen-Belsen", inclusive a jovem Irma Grese, de 22 anos, que foi executada por um tribunal militar. Duas alemãs foram julgadas na zona americana em Nuremberg. A primeira foi a dra. Herta Oberheuser, condenada a vinte anos por seus cruéis experimentos médicos e libertada após cumprir sete anos. (Ela retomou a prática médica como pediatra em Schleswig-Holstein até ser descoberta e ter a licença cassada.) A outra foi uma sequestradora patrocinada pelo Estado, chamada Inge Viermetz. Era secretária, galgou posições dentro do Escritório de Raça e Assentamento da SS chegando a chefe de departamento, e foi levada a julgamento por deportação de centenas de crianças polonesas e iugoslavas. Alegou inocência e negou todas as maldades. A insistência de Viermetz em que tinha feito um trabalho caritativo de bem-estar convenceu os juízes. Foi absolvida em 1948.

Um dos mais famosos promotores dos julgamentos de Nuremberg foi Robert Kempner. Quando ele voltou à Alemanha com o Exército americano, pois tinha sido forçado a emigrar do país em 1935 por ser um advogado judeu, ele procurou sua antiga secretária em Berlim, Emmy Hoechtl. Ela havia trabalhado durante a guerra no Escritório Central de Segurança do Reich com o chefe da polícia criminal, Arthur Nebe, líder do Einsatzgruppe B. Emmy Hoechtl ajudou Kempner a encontrar alguns dos documentos mais incriminadores nos arquivos alemães, contribuindo para a acusação e condenação de seus conterrâneos. Mas quando foi interrogada formalmente, em 1961, por ocasião das investigações do emprego de vans de gás no Leste, Hoechtl declarou não se lembrar de nada sobre os crimes ou sobre as atividades criminosas de seus chefes.

Robert Kempner colaborou com sua esposa, Ruth Kempner, num estudo oficial intitulado "Women in Nazi Germany". Esse estudo foi encomendado pelo governo dos Estados Unidos como fonte de informação para a desnazificação das mulheres alemãs. Os Kempner avisaram aos oficiais da ocupação americana na Alemanha que as alemãs eram adeptas fanáticas do nazismo e tinham se integrado em todas as áreas do governo, inclusive se formando em unidades policiais para monitorar mercados na Alemanha e gerenciar a distribuição correta das rações. Eles estimavam que sete milhões de mulheres e meninas tinham sido doutrinadas pelo movimento. Dezesseis milhões tinham sido mobilizadas pela Frente de Trabalho do Reich. Ao colocar as mulheres em categorias conforme o grau de "perigo público" proposto por eles, os Kempner determinaram que 600 mil mulheres ainda eram perigosas por serem líderes políticas ativas e doutrinadoras. Os Kempner aconselharam as autoridades a fazer um expurgo e reorganização totais no aparato educacional e administrativo do Estado alemão, que estava infiltrado por mulheres nazistas. Foi um enorme trabalho de transformação ideológica que, eles acreditavam, só poderia ser realizado com paciência e "sem ilusões sobre limitações da extensão de sua [das mulheres alemãs] personalidade".

De fato, as alemãs foram adeptas muito ativas do Terceiro Reich, como os Kempner perceberam na época, e a passagem do tempo revelou que houve mais delas envolvidas nos crimes do regime do que os oficiais nos tribunais de Nuremberg e da desnazificação sabiam, ou queriam saber. As ilusões sobre o comportamento das perpetradoras persistiram, assim como a confusão sobre seus motivos.

O exame das profundezas dos motivos pessoais exige mais que a reconstrução de uma biografia ou de uma cena do crime. As narrativas de mulheres que viveram nos territórios ocupados do Leste e que foram confrontadas em interrogatórios no pós-guerra para divulgar suas experiências, ou que mais tarde refletiram sobre essas experiências, dão indicações de seus motivos, mas as narrativas estão longe de ser transparentes. Embora nem todas nos tenham enganado intencionalmente, os autorretratos em suas memórias e depoimentos são direcionados para atrair um público, sejam interrogadores burocráticos, promotores zelosos, parentes solidários ou historiadores curiosos. Naturalmente, as representações de si mesmas exageram, induzem ao erro, autoglorificam ou comovem. Atos vergonhosos ou ilícitos, indiscrições, erros embaraçosos, afiliações deploráveis e sentimentos negativos, como o ódio, são geralmente encobertos ou omitidos.

As memórias de enfermeiras, que compõem uma grande parte do total, contêm informações valiosas sobre experiências femininas na guerra, mas podem ser enganosas. Ao lê-las, eu não soube ao certo se as autoras eram realmente ingênuas ou desatentas na juventude, ou se sua inocência tinha sido enaltecida para os leitores atuais. Como Erika Ohr pôde descrever em detalhes uma dor de dente ou uma refeição na Polônia em 1944, mas recordava-se apenas vagamente da sensação por trás de um *partisan* sendo morto a tiros no ambulatório de um hospital de campo? "Não se pôde estabelecer quem ele era e o que planejava", Ohr escreveu por alto, continuando: "Nessa guerra havia tantas ambiguidades dos dois lados." O relativismo moral e a inconsequência refletem o pensamento durante e após a guerra.

Como as enfermeiras acusadas explicaram os motivos e atos violentos? Nos tribunais alemães e aliados, elas sempre recorriam a suas afiliações institucionais e formação de cuidadoras como uma espécie de prova de intenções adequadas. Elas repetem a afirmação de que precisavam cumprir seu dever. Na investigação pós-guerra dos crimes cometidos no hospício polonês de Meseritz-Obrawalde, uma enfermeira contou a um tribunal alemão que fora seu superior, um médico diretor do hospício, que exigiu que ela e outras enfermeiras novatas aplicassem as injeções letais. Ela alegou que a princípio havia recusado, mas o diretor lhe disse que não adiantava recusar porque, "como servidora pública com estabilidade por muitos anos", ela tinha que cumprir seu dever, "especialmente em tempos de guerra". Depois ele tentou apelar para seu lado emocional, garantindo que a injeção iria dar fim ao sofrimento dos pacientes. Não era isso o que ela queria? Dar alívio aos pacientes? Em seu depoimento, a enfermeira insistiu que fizera apenas o que se esperava dela. Outra enfermeira, acusada de envenenar pacientes na Polônia, explicou:

> Eu nunca praticaria um roubo. Sei que não se deve fazer isso. Nos tempos difíceis [anos da Depressão pré-guerra], eu fui vendedora e naqueles tempos tive muitas oportunidades de fazer isso facilmente. Mas nunca fiz uma coisa dessas simplesmente porque eu sabia que isso não é permitido. Mesmo quando criança, eu aprendi: você não pode roubar. Ministrar medicação com objetivo de matar uma pessoa mentalmente doente, eu vi como meu dever, que não podia recusar.

Na cabeça dela, ela não era criminosa. Tivera uma boa criação e aprendera que roubar era crime. Cumprir seu dever não era crime, e ela acreditava nisso, mesmo sabendo que cumprir o dever significava matar um ser humano.

Além de compartilhar os instrumentos da violência (a agulha hipodérmica, o chicote e a pistola), o compromisso fervoroso com uma causa ideológica, a percepção imoral do dever e pactos de lealdade e sigilo, os perpetradores alemães, homens e mulheres, demonstram um perfil psicológico de negação e repressão. Aqueles confrontados com seus delitos respondiam com frases padronizadas: *Eu não sei. Não sei nada sobre isso. Não me lembro. Eu tinha que cumprir ordens. Eu estava de licença. Ouvi falar de certas ações contra judeus, mas não vi nenhum judeu. Quando cheguei ao meu posto, todos os judeus já tinham ido embora.* As mulheres acusadas tinham conhecimento dos depoimentos dos homens, eram versadas na arte da autodefesa verbal e também desenvolveram suas próprias estratégias.

Certamente, qualquer pessoa sendo interrogada por um promotor ou investigador por um crime grave será cautelosa e tentará evitar a punição. No medo e no desespero, para se salvar e poupar a família de maior vergonha e sobrecarga, a pessoa mente, sobretudo se o crime foi cometido num tempo e lugar muito longe do local do julgamento e, portanto, difícil de ser provado. Muitos mentiram. É de surpreender que, dentre os mais de 300 mil alemães e austríacos investigados na Europa, pouquíssimos tenham confessado?

Mais complexa que a estratégia básica da negação pura e simples era a defesa de se colocar como mártir ou vítima. Nas palavras da enfermeira Pauline Kneissler: "Nunca entendi a morte misericordiosa como assassinato... Minha vida inteira foi de dedicação e sacrifício... Nunca fui cruel com as pessoas... e por isso hoje eu sofro, e sofro." Perpetradores que negam seus crimes não se veem como malfeitores que merecem castigo. São as vítimas e os promotores que pensam diferente. Nessa exploração do mal, o psicólogo social Roy Baumeister argumenta que os perpetradores "podem ver algo errado no que fizeram, mas também veem que foram afetados por fatores externos, inclusive por alguns que fogem ao seu controle. Eles se veem tendo agido de um modo que era totalmente apropriado e justificado".

Erna Petri não negou seus assassinatos, nem se declarou abertamente vitimizada, mas atribuiu suas ações às circunstâncias da época, e não menos à influência de seu marido, que era certamente um homem brutal. Quando foi pressionada para explicar por que ela matou pessoalmente homens e crianças judeus, Erna declarou:

> Naquela época, quando fiz os fuzilamentos, eu mal tinha 25 anos, ainda era jovem e inexperiente. Eu vivia sob meu marido, que era da SS e conduziu fuzilamentos de pessoas judias. Eu raramente tinha contato com outras mulheres, por isso, no decorrer daquela época, fiquei mais enrijecida, dessensibilizada. Eu não queria ficar atrás dos homens da SS. Eu queria mostrar a eles que eu, como mulher, podia me conduzir como um homem. Então matei quatro judeus e seis crianças judias. Eu queria me mostrar para os homens. Além disso, naqueles dias, naquela região, ouvia-se por toda parte que pessoas e crianças judias eram mortas, o que também me levou a matá-las.

Se Erna enfatizou seu papel de esposa obediente, não seria de esperar que seu marido assumisse alguma culpa associada à iniciativa dela de matar? Na verdade, depois que a Stasi forçou Erna Petri a confessar, ela declarou que havia negado seus crimes em interrogatórios anteriores porque supôs que o marido iria acobertá-la. Mas não acobertou.

Um dos motivos mais difíceis de ser documentado foi, paradoxalmente, o mais difundido: o antissemitismo. No Terceiro Reich, o antissemitismo era a ideologia oficial, o que aumentava sua invulnerabilidade. Era um elemento definidor do Reich. Permeava a vida cotidiana, modelava relações íntimas e profissionais, e gerava políticas governamentais criminosas. Haveria uma forma feminina de pensamento e expressão antissemita, específica do papel das mulheres, de seu lugar no sistema e na sociedade nazista como as secretárias, esposas de oficiais, enfermeiras e professoras?

Durante a era nazista, os desejos emocionais, necessidades materiais e ambições profissionais das mulheres alemãs – obter favores de um superior, competir com colegas ou parceiros, se garantir no emprego, conseguir uma casa confortável ou um vestido "novo" – determinavam a vida ou a morte de um judeu. Em retrospecto, esses desejos, preocupações e ambições são facilmente descartáveis como caprichos insignificantes quando colocados diante das consequências do ódio e sadismo premeditados. Mas o trivial e o grandioso se entrelaçaram.

Uma força propulsora por trás da radicalização da violência no Reich foi expressa por Erna Petri, e se aplicava tanto aos homens como às mulheres. Quando Erna Petri, Johanna Altvater e outras insensíveis matavam crianças judias, manifestavam um antissemitismo nazista tão profundo que reduzia a nada o valor da vida até de uma criança. Quando o interrogador perguntou a Petri como, sendo ela mãe de dois filhos, pôde matar crianças judias inocentes, ela respondeu:

> Não posso entender hoje como é que naquele tempo eu estava em tal estado que me conduzi tão brutal e repreensivelmente – atirando em crianças judias. No entanto, antes [antes de chegar à propriedade na Ucrânia] eu fui tão condicionada pelo fascismo e as leis raciais que estabeleciam uma visão das pessoas judias. Como me disseram, eu tinha que destruir os judeus. Foi com essa ideia na cabeça que cheguei a cometer um ato tão brutal.

Num ambiente ainda mais perto do *front*, na zona de guerra contra a resistência e em pleno Holocausto, os oficiais nazistas com suas esposas e assistentes femininas tentaram sustentar a missão racista, imperialista, e se apoiaram na violência como instrumento primário de controle. O Leste pode ter sido um "mundo de homens", mas as mulheres souberam se adaptar a ele e depois racionalizar ferrenhamente suas ações.

O depoimento de Petri é raro. São poucos os registros, durante e após a guerra, de mulheres alemãs expondo suas considerações sobre os judeus e o Holocausto. Mais comum era um discurso colonialista sobre a burrice, sujeira e preguiça dos "locais", referindo-se aos poloneses, ucranianos e judeus, ou referências veladas às terras sombrias infestadas de "bolcheviques", "criminosos" e "*partisans*", ou ao nativo infantilizado, que é esperto, mas inferior, e portanto dispensável. Em seus relatos, tanto nos tribunais como nas memórias, as mulheres tentaram minimizar o Holocausto e a extensão em que foi alimentado pelo seu próprio antissemitismo. Elas se referiam ao Holocausto como "aquela coisa de judeus da guerra", ou diziam que "foi só que alguns judeus eram mortos", ou explicavam que "os judeus querem se vingar de nós". Josefine Block sugeriu que os judeus eram culpados por não salvar a própria pele. Erika Raeder, a saliente esposa de um almirante encarcerado, desesperada para tirar seu marido idoso e enfermo da cadeia, chegou ao ponto de dizer, sem papas na língua, que "o tratamento que nós, alemães, tivemos que suportar foi pior que qualquer coisa que tenha acontecido aos judeus". A comparação de Raeder foi, e é, moralmente errada e repreensível. No entanto ela ganhou a simpatia de líderes ingleses e americanos, e da imprensa alemã ocidental. Seu marido, que tinha sido condenado à prisão perpétua, foi solto com muitos outros criminosos nazistas de alto escalão em 1955. O perdão aos perpetradores pode ter sido um ato de conveniência política para promover a integração da Alemanha Ocidental na aliança do Ocidente. Contudo, para os conservadores alemães, nazistas e neonazistas, as anistias concedidas pelos Aliados foram uma afirmação de sua autopercepção como vítimas e alvos de preconceitos. Comparar o sofrimento de alemães e judeus e pôr a culpa da guerra nestes últimos foram mais que estratégias de defesa para negar os crimes e a culpa dos nazistas. A negação do Holocausto associada a essas estratégias não se originou nos tribunais pós-guerra, mas tem raízes na ideologia do Terceiro Reich. A maioria dos perpetradores nazistas e seus cúmplices – e muitas testemunhas de crimes, que suprimiram o que viram – não podiam ter empatia com os judeus, nem durante, nem após a guerra.

Como os observadores da época e de depois da guerra explicam o comportamento extremamente violento, e até mesmo sádico, de algumas mulheres? As testemunhas da guerra que viram as perpetradoras e os promotores que as interrogaram no pós-guerra ficaram estupefatos com a crueldade delas. Quando sobreviventes tentavam articular como era o mundo virado de cabeça para baixo pelo genocídio, quem os ouvia achava seu testemunho acima de qualquer compreensão. Vejamos o sobrevivente que testemunhou a crueldade de Altvater: "Eu nunca tinha visto um sadismo assim numa mulher, nunca vou me esquecer." As matadoras permaneceram, em suas ações e aparência, na memória dos sobreviventes. Esperava-se que a massa de alemães fardados, os soldados com cabelos de corte militar e os policiais pudessem matar, e matassem – mas as mulheres? Como as mulheres podiam agir daquela maneira? Que uma figura de aparência maternal, carinhosa pudesse consolar ternamente num momento, e no momento seguinte espancar, e até matar, era e é um dos aspectos mais estapafúrdios do comportamento feminino nessa história. No entanto, esses comportamentos estavam frequentemente incorporados nas enfermeiras, mães e esposas que foram cúmplices e perpetradoras.

Supor que a violência não é uma característica feminina, e que as mulheres não são capazes de assassinato em massa, tem um apelo óbvio: dá esperança de que pelo menos uma metade da raça humana não vai devorar a outra, que vai proteger crianças e, assim, salvaguardar o futuro. Mas minimizar o comportamento violento das mulheres cria um falso escudo contra uma confrontação mais direta com o genocídio e suas desconcertantes realidades.

Como alguns "especialistas" explicam o que essas mulheres fizeram? O criminologista do século XIX Cesare Lombroso, conhecido por medir a cabeça dos sujeitos de suas pesquisas para determinar o comportamento deles, afirmou que as matadoras tinham o cérebro menor e eram excepcionalmente cabeludas, assemelhadas a primatas subdesenvolvidos. Sigmund Freud sugere que esse comportamento desviante das mulheres tem raízes em seu desejo de serem homens, baseado na inveja do pênis. Outra teoria duvidosa propõe que as mulheres cometeram mais crimes do que os documentados, dado que as mulheres são "naturalmente traiçoeiras" e dissimuladas. A "prova" está na habilidade delas para esconder a menstruação e simular orgasmos.

Mas quão extremas são *realmente* as diferenças entre homens e mulheres quando se trata de comportamento violento? Estudos recentes de comportamento animal, principalmente de primatas, mostraram que os machos são mais violentos. Quando ameaçadas, as fêmeas se protegem formando vínculos com outras. Os machos são dominantes na hierarquia social, mas as fêmeas são a fonte de mediação e reconciliação. Quando as relações entre machos primatas ficam tensas, elas têm um papel fundamental na diminuição da tensão. Podemos aplicar teorias do comportamento animal ao Holocausto? Ao comparar os perpetradores nazistas a animais, nos lembramos de Yehuda Bauer, eminente historiador do Holocausto, dizendo que aplicar termos como *bestial* e *bestialidade* aos nazistas é "um insulto ao reino animal... porque os animais não fazem coisas assim. O comportamento dos perpetradores era muito humano, e não desumano". O genocídio, enquanto uma ideia e um ato, é um fenômeno humano. A perpetração do genocídio exige capacidades cognitivas humanas, uma ideologia de ódio com todo o seu poder mítico e emocional, e sistemas bem desenvolvidos para organizá-lo e implantá-lo. Os humanos são os únicos animais que cometem genocídio. O trabalho do importante primatólogo Frans de Waal apoia o fato de que a maioria das mulheres do Terceiro Reich não eram instintivamente violentas. Mas elas também *não* eram mediadoras, não eram os agentes empáticos do declínio da violência que encontramos entre as primatas.

Em sociedades não genocidas, os homens cometem em média quase nove décimos da totalidade de crimes violentos. Mulheres que cometem atos violentos o fazem geralmente na forma de violência doméstica, e raramente contra outras mulheres. Alguns teóricos atribuem a preponderância da violência masculina a traços de caráter, tais como uma autoestima mais elevada nos homens, "a arrogância do 'ego masculino'", em contraste com os "padrões femininos de insegurança, falta de assertividade e depressão". Se o comportamento violento pode ser explicado por esses traços de caráter e expectativas socialmente construídas, então a desvalorização da vida individual na Alemanha nazista mudou esses traços e expectativas, encorajando as mulheres a serem tão assertivas ou arrogantes quanto os homens, e propagando uma ideologia inerentemente violenta de superioridade racial. A violência da Alemanha nazista não foi uma aberração, um afastamento inexplicável da natureza e do comportamento tipicamente femininos. Pelo contrário, como enfatizou a teórica Hannah Arendt, os movimentos totalitários usam a violência como um instrumento, aplicando-a de forma manipulativa para obter e manter o poder. As perpetradoras do Holocausto empregavam armas, chicotes e injeções letais para alcançar uma dominância que não seria possível de outro modo, para se impor sobre vítimas que o regime tornou impotentes.

Um estudo recente sobre mulheres criminosas, baseado em 103 internas em uma prisão dos Estados Unidos, mostrou que "o componente insensível e destituído de emoção da psicopatia é comparável em homens e mulheres", mas a maneira com que esse comportamento antissocial se apresenta, difere. Em outras palavras, homens e mulheres podem ter igual medida de traços emocionais potencialmente causadores de comportamento violento, como impulsividade e falta de empatia, mas as mulheres em geral são condicionadas para ser socialmente menos agressivas. A expressão de traços que podem pressupor violência é influenciada por outras experiências socioculturais de um determinado tempo e lugar, como a educação e a criação. Assim, o sadismo de Johanna Altvater no gueto de Volodymyr-Volynsky é um traço inato *e* adquirido, um produto de fatores biológicos e situacionais.

Outros estudos, inclusive o de Theodor Adorno sobre personalidade autoritária, sugerem que a empatia resulta de uma educação com socialização moral. Se uma criança aprende os efeitos negativos de suas ações sobre outros, sua empatia aumenta. Se, por outro lado, ela é disciplinada, não por meio de explicações razoáveis, mas com "práticas rígidas, autoritárias, ou de assertividade do poder paterno baseadas na punição", o resultado pode ser o pensamento estereotipado, a submissão à autoridade e agressão a estranhos e diferentes. Nesses casos a socialização moral não é desenvolvida e, portanto, haverá pouca empatia. O medo é um entrave para a empatia. Os historiadores não podem colocar os sujeitos no divã nem no laboratório, é claro, mas penso que vale a pena observar que a maioria dos alemães da era nazista foi criada em lares autoritários, onde surras – que certamente não induziam à ponderação – eram empregadas comumente para disciplinar e motivar as crianças.

A noção de personalidade autoritária tem outra aplicação aqui. Para muitas mulheres da era nazista, o pai, o marido e o *Führer* eram figuras autoritárias que modelaram a vida delas em diferentes estágios. O pai de Erna Petri não aprovava Horst, seu marido nazista, mas Erna acabou decidindo se aliar a um parceiro brutal e não a um pai protetor. Os depoimentos pós-guerra de muitas rés manifestam medo da autoridade e a crença de que se deve obedecer ou cumprir o dever.

Durante os julgamentos de Nuremberg, algumas acusadas passaram por uma série de testes psicológicos em moda na época, como o teste de manchas de tinta, de Rorschach. Um psicólogo que estudou o *Gruppenführer* da SS Otto Ohlendorf, chefe do Einsatzgruppe D, que confessou ter matado mais de 90 mil homens, mulheres e crianças, concluiu que Ohlendorf devia ser um "sádico, pervertido ou insano", porque ele falou sobre suas crueldades de modo totalmente objetivo, inabalável. Quando o juiz perguntou se ele mataria sua própria irmã se lhe fosse ordenado, Ohlendorf respondeu que sim. Mas ele não era nenhum autômato descerebrado; era um homem de boa instrução, muito bem informado, seguidor de Hitler e Himmler. Outro psicólogo jurídico de Nuremberg submeteu líderes nazistas a vários testes e concluiu que aquelas pessoas não eram "nem doentes nem anormais; de fato, são iguais a qualquer pessoa que encontramos em outros países desse mundo".

Esses experimentos psicológicos foram amplamente realizados com as lideranças do Reich e homens da SS. Se foram realizados testes com mulheres, não foram publicados. No entanto, quem realmente sujou as mãos de sangue não foram as lideranças, nem a maioria dos homens da SS. Assim, as avaliações psicológicas não são historicamente representativas da diversificada combinação de perpetradores homens e mulheres, alemães e não alemães. Entrevistei o promotor Hermann Weissing, que foi chefe do Escritório Central de Investigação de Criminosos de Guerra Nazistas no Norte do Reno-Vestfália, e que interrogou milhares de suspeitos entre 1965 e 1985, inclusive Johanna Altvater Zelle. Ele falou que não encontrou ninguém que pudesse ser rotulado de psicopata. "Os indivíduos não eram insanos, o sistema nazista é que era louco", ele me disse. Weissing estava convencido de que muitos dos perpetradores que ele investigou, inclusive Altvater, tinham cometido os crimes, mas também concluiu que eles não eram mais uma ameaça à sociedade. Eram cidadãos "normais", cumpridores da lei na Alemanha democrática.

Estudos da motivação dos perpetradores explicam que aqueles que incitam atos de ódio estão procurando se livrar, e ao mundo ao redor deles, da perturbação e confusão de suas ambiguidades e complexidades. A mentalidade de um perpetrador é de "cisão", isto é, seu pensamento é de tudo ou nada, preto ou branco. Os perpetradores frequentemente se veem como iluminados, superiores aos adversários, acima de qualquer censura e isentos de prestação de contas, lutando para se livrar de um mundo de dicotomias. A geração entreguerras alemã viveu os mais flagrantes extremos da guerra e da paz, o capitalismo desenfreado e o comunismo regulado pelo Estado, o individual e o coletivo, o passado e o futuro. Os alemães tentaram transcender esses conflitos e ansiavam por uma existência superior, utópica, baseada em algo que parecia tangível e essencialista: o racismo biológico. A nosso ver, a maquinaria de destruição no Holocausto era uma selva burocrática de facções competitivas, agências emaranhadas e uma irracional, sangrenta loucura. Para os perpetradores, essa maquinaria era "linear", determinada, sistemática, necessária, sofisticada, exata – desagradável talvez, mas humana. Os inimigos – os judeus e outros supostos deficientes raciais – tinham que ser removidos com precisão cirúrgica, de uma vez por todas. As ameaças à existência germânica seriam derrotadas, a luta, vencida. Na mente de Hitler, de seus seguidores e de muitos patriotas, a Solução Final era um ato defensivo, de libertação do intrusivo poder de um judaísmo globalizante.

Os crimes cometidos por perpetradoras ocorreram numa rede de serviços e prioridades profissionais, compromissos pessoais e ansiedades. A perpetradora que aceitava o conceito geral da necessidade de matar podia matar crianças judias e, no mesmo dia, mimar seus filhos e filhas quando chegava em casa. Não havia contradição na mente dela. Havia, sim, um espantoso grau de clareza. Enfermeiras e médicos racionalizavam que suas injeções letais eram o fim do sofrimento: os "pacientes" eram doentes, incuráveis, num estado físico de limbo. Era preciso dar fim ao estado ambivalente do paciente, com uma morte "misericordiosa". É claro que, na realidade, a suposta ameaça judaica era inexistente. Entretanto, crianças judias seminuas procurando abrigo na propriedade dos Petri e bebês nos guetos de Volodymyr-Volynsky eram assassinados porque sua mera presença era uma vergonha para a fantasia germânica de uma utópica *Lebensraum*. Na mente dos perpetradores, os alemães e os judeus não podiam coexistir. As matadoras, assim como seus parceiros, desenvolveram essa convicção em anos de condicionamento no Reich, absorveram essa noção no clima geral de um antissemitismo popular e tolerado pelo Estado na Alemanha e em toda a Europa.

Entre os cientistas existe o consenso de que o ambiente é o fator mais importante para determinar se um sujeito será ou não perpetrador de genocídio. Na ausência de certos ambientes e experiências, os indivíduos com propensão a cometer crimes não os cometerão. No decorrer da vida, e até no decorrer de uma hora, perpetradores como Erna Petri podem mudar drasticamente seu comportamento, num momento alimentando crianças judias, assumindo aí o papel de mãe, e logo depois enfiando uma bala na nuca dessas mesmas crianças, como um algoz. Johanna Altvater, que esmagou a cabeça de um menininho no muro do gueto e foi descrita como "masculina" e "fria como gelo", "alguém que ninguém quer encontrar numa noite escura", foi trabalhar numa instituição de bem-estar infantil após a guerra. A insensibilidade manifesta com relação a judeus presos em vagões de gado e levados à periferia da cidade para serem mortos não é evidência de uma predisposição típica dos alemães para matar judeus. Homens e mulheres alemães, e seus colaboradores também, primeiro tiveram que aprender a se adaptar ao assassinato em massa, inclusive a todos os seus métodos e motivos lógicos. As variadas experiências de homens e mulheres alemães nos territórios ocupados do Leste, onde se tornaram testemunhas diretas, cúmplices e perpetradores do Holocausto, ampliaram e aprofundaram seu comportamento antissemita. Ali o antissemitismo tomou diversas formas, mais elaboradas e extremas do que no Reich, onde a violência visível e constante não era tolerada, e a ameaça "bolchevique" não era confrontada diretamente. Como vimos, o bolchevismo judaico foi uma forte ideologia na mobilização da guerra. Contudo, nem todas as mulheres que foram para o Leste eram furiosas antissemitas. Na verdade, muitas se identificavam com outras convicções e ambições. A experiência no Leste foi transformadora. Foi nos territórios do Leste que o antissemitismo encontrou sua mais alta expressão e seu mais profundo desenvolvimento, e, para alguns, as ideias antissemitas absorvidas lá não perderam força com a derrota da Alemanha de Hitler.

Podemos aplicar às mulheres a tipologia dos perpetradores homens no Holocausto? A pesquisa aqui, sobre mulheres que foram testemunhas, cúmplices e perpetradoras, mostra que as mulheres apresentavam os mesmos comportamentos e motivações que os homens. Embora não organizadas em unidades móveis de matança como os *Einsatzgruppen* ou os batalhões da Polícia de Ordem, algumas tiveram treinamento militar com o único objetivo de infligir terror ou, na visão delas, disciplinar os inimigos do Reich. O foco aqui concentra-se nas mulheres que se tornaram perpetradoras estando em outras situações, profissionais ou privadas, nos escritórios e hospitais de campo do Reich, ou em casa, com seus maridos. Naqueles diversos papéis e cenários, vemos que o comportamento imoral, violento se manifestava em formas variadas.

Havia mulheres na elite da medicina e da ciência, mulheres que conduziam "pesquisas" em guetos e hospícios onde ocorriam genocídios. A versão feminina do assassino de escritório é encontrada no trabalho rotineiro, porém letal, da secretária-chefe da Gestapo em Minsk, Sabine Dick, e da secretária do governador de Lida, Lisellote Meier. Em Josefine Block e Johanna Altvater vemos a versão do sádico. A versão feminina do franco-atirador é revelada em Liesel Willhaus e Gertrude Segel, e a do carrasco, em Erna Petri. Assim como suas contrapartes masculinas, as Mulheres do Nazismo vieram de vários estratos sociais: classe trabalhadora e classe rica, com instrução e sem instrução, católica e protestante, urbana e rural. Todas eram ambiciosas e patriotas. Em graus variados, todas tinham características de ganância, antissemitismo, racismo e arrogância imperialista. E todas eram jovens.

Na tipologia de matadoras resta um grupo a ser considerado. Obras anteriores retratando mulheres em caricaturas pornográficas, como a maníaca sexual no filme *Ilsa: She Wolf of the SS*, eram distorções agressivas. Mas há um elemento de realidade nessas representações exageradas. Temos que abordar a dinâmica dos relacionamentos homem/mulher como um fator causal, fosse uma relação conjugal ou uma atração puramente sexual. Mesmo no mais básico ritual de acasalamento, machos e fêmeas se exibem uns para os outros, e seu comportamento como casal, em ambientes públicos ou privados, continua moldado por seu relacionamento e atração sexual. Para muitos casais – os Petri, Landau, Willhaus, os amantes Hanweg

O comissário Hanweg (com um rifle) e uma mulher
não identificada obrigando um jovem judeu a sair do esconderijo

e Meier, e muitos outros – a violência do Holocausto era parte da dinâmica de seu relacionamento. Claro que esses relacionamentos não causaram o Holocausto, mas eles eram parte integral do terror cotidiano que os judeus e suas famílias encaravam nos guetos, campos e fuzilamentos em massa. No topo das privações diárias, a perda de membros da família e a tortura física que eles sofriam, os judeus no Leste tinham que lidar com o aturdimento que muitos sobreviventes descreveram como um mundo de cabeça para baixo, onde os governantes alemães que professavam uma civilização superior agiam com os mais extremos barbarismo e depravação. As mulheres estavam frequentemente no centro dessas cenas atordoantes.

Os divertimentos dos alemães, a "recreação" e devassidão nos guetos e perto dos locais de fuzilamento eram parte do mundo virado de cabeça para baixo, e mais uma vez as mulheres estavam presentes. Os hedonistas não agem sozinhos; o prazer é buscado aos pares e em grupos. A *Ostrausch*, a embriaguez do Leste, era um pileque imperial que aumentava a violência da guerra e do genocídio. Hedonismo e genocídio andavam de mãos dadas, e as mulheres e homens eram seus agentes, seus parceiros no crime.

Muitos tipos de personalidade e de profissionais ajudaram na operação e expansão da maquinaria de destruição. Foi uma invenção alemã, mas operada também por não alemães, e esses não alemães se mostraram tão oportunistas e antissemitas quanto os inventores. Por definição, genocídio é um crime em massa cometido coletivamente, por toda uma sociedade contra outro grupo, que geralmente é uma minoria vulnerável. Os sistemas políticos e instituições governamentais são seus mecanismos e estruturas organizacionais, mas sua força se origina na vontade do povo, como Hitler reconheceu. Os regimes genocidas empreendem revoluções violentas, que jogam um grupo contra outro naquilo que os dois grupos acreditam ser uma luta existencial por sua própria existência. Nessa forma de guerra total, todos os homens e mulheres participam, e os papéis tradicionais são pervertidos na militarização da sociedade. Os códigos de conduta moral são reformados, num fenômeno que dá força àqueles que estão no controle, mas que é angustiante, horripilante e mortal para aqueles que sofrem com essa força.

Como vimos, pelo menos meio milhão de mulheres testemunharam e contribuíram para as operações e o terror de uma guerra genocida nos territórios do Leste. O regime nazista mobilizou uma geração de jovens revolucionárias que foram condicionadas para aceitar, incitar e cometer violência em defesa ou afirmação da superioridade da Alemanha. Esse fato tem sido suprimido e negado pelas mesmas mulheres que foram arregimentadas pelo regime e, decerto, por aqueles que perpetraram a violência com impunidade. O genocídio é coisa de mulheres também. Tendo "oportunidade", as mulheres se aliam a ele, mesmo em seus aspectos mais sangrentos. Reduzir a culpa das mulheres a poucos milhares de guardas femininas desencaminhadas por lavagem cerebral não representa a realidade do Holocausto.

CAPÍTULO 7

O QUE ACONTECEU COM ELAS?

No PERÍODO PÓS-GUERRA, os promotores americanos e suas equipes estavam sob uma enorme pressão para reduzir a lista de aproximadamente dois milhões de criminosos alemães para poucas centenas de criminosos de guerra mais importantes. Homens e mulheres aguardavam libertação nos campos de internamento dos Aliados. A detenção deles interferia na reconstrução da Alemanha. Apesar de ter declarado que a SS era uma organização criminosa, o Tribunal Internacional de Nuremberg decidiu que atendentes, secretárias, estenógrafas, faxineiras e outras equipes de apoio de baixo status a serviço da Gestapo e escritórios da SS ficariam isentas de acusação. Segundo os cálculos de líderes dos Aliados, o número desses subordinados chegava a 30% ou 35% da equipe da SS, ou 13.500 pessoas. Inspetoras em todo o Reich e no Leste que revistavam mulheres e crianças judias em busca de seus pertences nas estações de trem ou na chegada aos campos, e secretárias que transmitiam ordens de matar, que selecionavam trabalhadores e roubavam bens dos judeus – as pessoas pertencentes a essas categorias não seriam automaticamente investigadas como criminosas de guerra. Apesar dos dados alarmantes compilados pelos Kempner, os investigadores de crimes e os tribunais de desnazificação chegaram à conclusão de que as mulheres na maquinaria estatal de colarinho-branco não eram ameaças à sociedade alemã pós-guerra. Advogados de defesa alemães argumentaram, convincentemente, que funcionárias de escritórios da Gestapo, inclusive estenógrafas, tinham pouco conhecimento das políticas criminosas e que lhes faltava autoridade para cometer crimes e conspirar com seus superiores.

O registro de processos contra perpetradores nazistas, homens e mulheres, é muito precário. A maioria das alemãs que participaram do Holocausto retomou tranquilamente sua vida normal. Vimos que as construções literárias e imaginárias enfatizam a figura da *Hausfrau* sobrecarregada, a "mulher-escombro" que foi a espinha dorsal da rápida recuperação da economia (*Wirtschaftswunder*) da Alemanha Ocidental, e que lutou muito para oferecer abrigo e um pouco de comida a famílias órfãs de pai. Essa ideia das alemãs como mártires não combinava com as provas das mulheres participando das más ações do Terceiro Reich. Aquelas que foram confrontadas após a guerra por sobreviventes e levadas a julgamento foram descritas ou como incríveis aberrações da natureza, ou como naturalmente inocentes e incapazes de tais atos monstruosos. Intencionalmente ou não, as rés puderam explorar o preconceito em proveito próprio. Interrogadores e investigadores julgavam as mulheres com base nas reações emocionais delas. Os oficiais de justiça observavam se as mulheres choravam durante os interrogatórios e outros procedimentos. Essa demonstração de emoção parecia indicar humanidade, sensibilidade e, presumivelmente, uma empatia coerente com a natureza e o instinto de inocência e ternura femininas. E, de fato, como muitas delas não eram sádicas assassinas, essa parcialidade não era infundada.

Depois da guerra, Annette Schücking, a enfermeira da Cruz Vermelha formada em direito que documentou o "matadouro" da Ucrânia em carta aos pais, foi capaz de dar bom uso a sua formação. Em 1948, ela foi membro fundadora da reconstituída liga de advogadas da Alemanha; os nazistas tinham dissolvido a liga anterior em 1933. Feminista assumida, ela defendeu, com sucesso, reformas legais para coibir a violência doméstica. Durante décadas foi juíza de direito civil em Detmold. Chegou às suas mãos um caso envolvendo um homem em cujo currículo constava que tinha sido policial em Novgorod Volynsk durante a guerra. Schücking se apresentou aos investigadores de crimes de guerra e deu informações detalhadas sobre os perpetradores que ela havia conhecido na Ucrânia. Insistiu com os investigadores para localizarem o sargento Franck, que tinha lhe falado do fuzilamento de judeus em Khmilnyk, mas ele não foi encontrado. Na opinião de Schücking, sua tentativa de ajudar foi rechaçada: "No sistema judiciário, era impossível falar abertamente com qualquer colega que tinha estado no Leste. Havia ex-nazistas por toda parte." Sua tentativa de ajudar os investigadores de crimes de guerra não deu em nada. Em 2010, ainda atormentada com a imagem das crianças judias que ela viu sendo "levadas embora" para a morte, perguntou novamente: "Mas o que eu poderia ter feito?"

Comparando investigações e julgamentos na Áustria e nas duas Alemanhas no pós-guerra, historiadores observaram que havia rés de várias categorias, embora fossem minoria. No auge das investigações na Alemanha e na Áustria, isto é, na primeira década após a guerra, 26 mulheres foram condenadas à morte por crimes cometidos nas instalações médicas de campos de concentração. Com uma única exceção, que teve grande publicidade (a policial que colocou Anne Frank e sua família na lista de deportação para Auschwitz), as mulheres alemãs não foram condenadas após a guerra por seu papel de administradoras do Holocausto nos escritórios da Gestapo e em postos avançados nos territórios ocupados do Leste. Quanto à violência que ocorria fora dos ambientes institucionais, houve apenas um punhado de ações contra mulheres que brutalizaram trabalhadores forçados em suas casas, fazendas e empreendimentos, e menos de dez condenações de alemãs que cometeram crimes ou assessoraram assassinatos em massa e liquidações de guetos. Uma nazista que tentasse fugir à acusação na Europa teria mais segurança na Áustria do que na Alemanha. O maior número de alemãs nazistas julgadas por assassinato ou assistência a assassinato foi na Alemanha Oriental, com 220 rés entre 1945 e 1990. Os austríacos não julgaram e condenaram nenhum criminoso de guerra nazista, nem homens nem mulheres, desde os anos 1970, uma triste ironia, dada a importância de Simon Wiesenthal, caçador de nazistas baseado em Viena.

O que o destino no pós-guerra das mulheres apresentadas neste livro revela sobre a acusação de crimes de genocídio? Como veremos neste capítulo, as cúmplices e perpetradoras apresentadas aqui enfrentaram investigações após a guerra, mas apenas uma foi julgada culpada. A maioria das que trabalharam em lugares como a Bielorrússia, onde a matança era um segredo aberto, onde milhares de valas comuns marcavam a paisagem, alegou que não viram nem sabiam de nada. A maioria dos investigadores e promotores não foi muito agressiva nos casos de mulheres nazistas. As testemunhas alemãs não estavam ansiosas para dar mais informações que o necessário, especialmente as que as incriminavam, e o Judiciário na Alemanha Ocidental e na Áustria não era totalmente desnazificado.

A participação compartilhada no trabalho sujo do assassinato em massa cimentou relações que se estenderam muito além dos anos de guerra. Esposas permaneceram leais aos maridos, frequentemente gratas só por *ter* um marido, dada a luta de tantas viúvas de guerra para alimentar os filhos. Vera Eichmann registrou uma certidão de óbito falsa para acobertar seu marido, o tenente-coronel da SS Adolf Eichmann. Isso foi mais que um ato de amor conjugal, foi um encobrimento armado por colegas que tinham algo a esconder e algo em comum. Na véspera de sua execução em Israel, Eichmann não manifestou culpa nem vergonha de seu papel na Solução Final, e exprimiu seu reconhecimento à esposa por sustentar sua autopercepção de inocência. Como espelhos, as mulheres ampliavam os sentimentos de poder e superioridade dos homens ao mesmo tempo que defletiam a face do mal. Cegas à imoralidade da violência, ou talvez não querendo vê-la, muitas esposas se concentravam em seu dever cristão de manter os votos de casamento e continuavam a servir de cúmplices. Como tinham incentivado os maridos a cometer crimes, sustentavam a inocência deles até o fim.

Na Baviera, capelães de prisão aconselhavam as esposas dos presos a apoiar os maridos incondicionalmente. Se os homens tinham pecado, mesmo assim podiam obter o perdão, com a graça de Deus. A esposa leal e amorosa deveria levar seu homem à redenção, ou pelo menos era o que o capelão esperava. A questão da justiça nos tribunais era quase um adendo. Nem os promotores, nem os capelães eram capazes de convencer os perpetradores a confessar publicamente seus crimes. Ninguém sabe o que os maridos confidenciavam às esposas, mas muitas não viam outras opções além de permanecerem casadas, ainda que se sentissem traídas ou odiadas por maridos violentos. Os pastores e líderes religiosos bávaros desencorajavam o divórcio por motivo de crimes de guerra. A pessoa considerada um fracasso moral era a esposa, que tinha dado início à separação, e não o marido criminoso. Nas palavras de um capelão que se recusou a atender ao pedido de divórcio partindo de uma mulher, os culpados de crimes de guerra tinham cometido "um ato do destino que afeta igualmente os parceiros conjugais... Esse ato do destino deve ser assumido pelos dois parceiros conjugais juntos". Esposas refutavam acusações aos maridos perpetradores, insistindo no caráter honesto e bondoso desses homens, pais de seus filhos.

Perpetradores que encontraram novas parceiras depois da guerra esconderam seus crimes até que investigadores os descobrissem. Quando telefonei para um membro de uma unidade especial de execução que assolou a Ucrânia e a Rússia, a esposa dele atendeu e se recusou a me deixar falar com o marido. Ela falou de seu próprio sofrimento durante a guerra, quando tinha sido enfermeira. E começou a chorar. Ela conhecera o marido, fabricante de cerveja, logo depois da guerra, e somente décadas depois soube que ele estivera num *Einsatzgruppe*, mas não podia deixá-lo porque já tinham formado uma família.

Os pactos de lealdade se estendiam da casa para o local de trabalho. O Terceiro Reich foi derrotado e desacreditado como um regime criminoso. Mas os perpetradores continuavam a honrar os juramentos de sigilo e lealdade, não ao *Führer* morto, mas uns aos outros. Na era pós-guerra, a lealdade significou um pacto de proteção contra promotores e caçadores de nazistas. Esses vínculos nasceram em unidades de execução, como o 101º Batalhão da Polícia de Ordem, entre secretárias e chefes, e nos laços com amigas e colegas mulheres. Quando pediram à ex-secretária do comissário distrital em Slonim que desse testemunho dos crimes de guerra de seu chefe, a esposa dele lhe escreveu uma carta implorando que recusasse e não influenciasse nos procedimentos. É claro que nem todo mundo sucumbia à pressão do outro ou se mantinha fiel a esse pacto, que tinha raízes na experiência dos tempos de guerra. Interrogatórios ásperos e chantagens, principalmente da polícia na Alemanha Oriental, trouxeram confissões e relatos detalhados.

Os laços de sigilo podiam ser quebrados sob pressão ou expandindo a busca de testemunhas.

Secretárias que davam cobertura aos chefes queriam se distanciar dos crimes e evitar serem tachadas de "denunciantes". Uma das secretárias do escritório de Adolf Eichmann em Berlim (Departamento IVB4) foi contatada nos anos 1960, quando promotores alemães lançaram uma ampla investigação do Escritório Central de Segurança do Reich. Essa secretária não disse uma palavra sobre os ex-colegas, suas rotas de fuga de Berlim e Praga, e a destruição sistemática de documentos altamente secretos. Em 1967, seu chefe imediato, Fritz Woehrn, foi acusado por um tribunal da Alemanha Ocidental, e mais tarde condenado por assessoria no assassinato por encarceramento e posterior morte de "meio judeus" (filhos de casamentos mistos), pacientes judeus em hospitais e judeus presos por violar decretos antissemitas, como possuir uma bicicleta, ir ao cinema ou a um cabeleireiro ariano. Numa rara condenação de um "assassino de escritório", o tribunal de Berlim resolveu que o motivo de Woehrn era ódio antissemita e que ele fora um dos mais "radicais e notórios" funcionários do escritório de Eichmann.

Contatei a secretária de Woehrn, perguntando sobre seu trabalho e seus ex-chefes no Departamento IVB4. Ela se mostrou determinada a manter seu voto de silêncio. Insistiu em dizer que era apolítica, que se candidatara ao emprego no escritório de Eichmann simplesmente porque sonhava com coisas, como sapatos novos, e precisava de um emprego. Pressionada sobre seu verdadeiro trabalho no escritório, ela repetiu várias vezes, abruptamente, uma só palavra: *Erledigt!* (Acabou!), como se estivesse carimbando um documento.

Para ela, aos 48 anos de idade, aquela história tinha terminado e não queria ter mais nada a ver com aquilo. Talvez, inadvertidamente, ela tenha articulado uma lembrança mais profunda de sua experiência no Terceiro Reich, uma era em que judeus deportados e mortos, sendo pelo menos a metade mulheres, eram eufemisticamente descritos como *erledigt*, ou finalizados. Ouvindo-a, imaginei uma jovem funcionária num poderoso escritório em Berlim, satisfeita por não estar trabalhando numa fábrica ou numa fazenda, datilografando e carimbando rotineiramente listas de deportação e arquivos de casos concernentes a judeus, "associais" e outros inimigos do Reich, sonhando acordada com seus programas sociais depois do expediente e com aqueles sapatinhos novos que tinha visto de manhã numa vitrine. Ela só queria "fazer seu trabalho", de olho na recompensa material.

Sabine Dick, a secretária carreirista da Gestapo, foi mais direta. Aos investigadores alemães, ela deu informações detalhadas sobre procedimentos administrativos corriqueiros, muitas vezes revelando peças-chave de informação sobre a rotina burocrática do genocídio. Mas se absteve de dar opiniões negativas sobre seus chefes, elogiando-os como figuras paternais, decentes e calorosas, ou como oficiais sobrecarregados de trabalho. Suspeitas como Dick, tendo razões para temer promotores e caçadores de nazistas, eram hábeis em frustrar investigações. O tempo estava a favor delas. Havia o estatuto de limitação a crimes nazistas que não de assassinato, e até o assassinato era difícil de provar, já que as lembranças de testemunhas tinham se esvaído e muitas testemunhas, morrido.

Ainda assim, a despeito de seu esforço para proteger seu chefe, Georg Heuser, e a sua própria reputação, o depoimento de Dick teve o efeito oposto. Ela foi interrogada várias vezes entre abril e outubro de 1960. A princípio, tentou desviar a atenção das cenas de crimes em Minsk. Deu nomes de ex-colegas e detalhes do quartel-general de Berlim, mas disse não se lembrar muito da Bielorrússia. Quando lhe perguntaram quem estava no comando das unidades de execução em Minsk, sua memória falhou, mas depois declarou que não era denunciante. Afirmou também que tinha medo de retaliação. Especulou que a democracia alemã iria fracassar novamente, outro ditador iria aparecer e ela seria alvo de vingança. Isso parece muito improvável, mas, dada sua biografia, talvez não fosse inteiramente absurdo. Ela viveu uma "era de extremos", sofreu a ascensão e queda do nazismo, testemunhou o terror do stalinismo e foi interrogada no auge da Guerra Fria. Mas os promotores não ficaram convencidos, nem demonstraram simpatia. Ficaram simplesmente aborrecidos porque ela não ajudou em nada a encontrarem seu chefe, acusado do assassinato de mais de 10 mil pessoas. Viram que Dick era emocionalmente instável e paranoica, e que ela se desfez em lágrimas durante o interrogatório.

Havia outra questão. O marido de Dick havia sido um oficial não comissionado na Waffen-SS, e ele também tinha trabalhado no escritório em Minsk. Para não incriminar um ao outro, Dick e o marido juraram não admitir que tinham trabalhado no escritório da Gestapo com o réu, Heuser. Os promotores lembraram a ela que perjúrio é crime, e ela podia ser condenada a 15 anos de prisão. Dick tentou uma tática diferente. Numa ocasião, trouxe sua filha de 13 anos à delegacia de polícia onde estava sendo interrogada, talvez na esperança de mostrar aos investigadores seu lado maternal. Mas o tiro saiu pela culatra, quando a filha se queixou alto e bom som de ter sido "arrastada para essa merda". Dick era mais esperta que o marido, que se vangloriou de ter construído a delegacia de polícia em Minsk. Mas os investigadores pareciam não querer saber se ele ainda era nazista; ficaram satisfeitos só por ele ter respondido às perguntas. Sabine Dick, a esposa instável, os aborrecia. No fim, ela deu detalhes que incriminavam o suspeito principal, seu chefe, e não foi acusada.

Preconceitos de gênero de vários tipos permeavam todo o processo judicial, a começar pela perseguição aos criminosos, continuando com os interrogatórios e finalizando com as condenações. Enquanto os réus eram julgados por seu lugar na hierarquia e na administração, por sua ideologia política e seus motivos pessoais – como "cúmplices diretos" de Hitler, assassinos de escritório e sádicos –, as rés eram julgadas levando em conta outras considerações. A influência do marido e de outras figuras masculinas era considerada similar à pressão que homens sofreram de seus colegas em unidades policiais e militares. O quanto sua esposa ou amante influenciou seu ódio aos judeus, ou o pressionou para cometer atos violentos? Nenhuma Lady Macbeth, incitando o marido ao assassinato numa exibição de masculinidade, apareceu no tribunal. Os advogados de defesa jogaram efetivamente com o suposto desenvolvimento apolítico e mentalidade das mulheres, cuja motivação, antissemitismo e racismo eram, assim como os dos homens, difíceis de documentar. Tipicamente, os motivos, fossem para matar crianças deficientes ou judias, fossem para denunciar vizinhos à Gestapo, eram atribuídos a desejos pessoais e sentimentos, como inveja, solidão, ganância, vingança, sexo, ou por estarem "cegas de amor". Uma mulher ter se comportado como homem, atirando com a pistola, estalando o chicote, cavalgando pelos campos de morte da Polônia e Ucrânia e usando calça comprida e cabelos curtinhos, era algo impensável para a maioria, passou em branco nos tribunais e não se falou dela nos depoimentos. Mulheres como essa eram lembretes odiosos de um regime fracassado e do declínio para o barbarismo fascista. Se a Alemanha e os alemães queriam encontrar o caminho para a normalização e deixar para trás o passado nazista, a figura feminina tradicional, com seus ideais morais e estéticos, precisava ser restaurada, e não redefinida.

Liselotte Meier, a secretária de Lida que foi vista com seu chefe, Hermann Hanweg, e outros oficiais alemães na charrete atirando em judeus, admitiu depois da guerra que tinha acompanhado Hanweg em caçadas de inverno. Atiravam em presas na neve, mas não se lembrava se os alvos eram animais ou judeus. Hanweg não pôde confirmar nem refutar seu depoimento porque já fora julgado e executado pelos soviéticos. Mas o adjunto de Hanweg ainda estava em Mainz, morando com a esposa em cima de uma loja de bicicletas. Foi preso e, numa rara demonstração de justiça, condenado à prisão perpétua em 1978. O promotor que interrogou Meier foi persistente, mais agressivo do que a maioria na Alemanha Ocidental. Talvez esse zelo fosse derivado de sua própria experiência na guerra, pois quando soldado, lutando perto de Leningrado, havia testemunhado o assassinato em massa de civis. Esse promotor viajou pela América do Norte e Israel, colhendo depoimentos de sobreviventes judeus. Prendeu pessoalmente o assessor de Hanweg, arrancando o homem de casa no fim da madrugada enquanto a esposa dele gritava obscenidades. O promotor interrogou a família de Hanweg, inclusive a esposa e os filhos, que fizeram o melhor que puderam para narrar os acontecimentos em detalhes, desenhando esboços de cenas de crimes e recordando nomes de trabalhadores judeus e eventos no gueto. Quando o promotor confrontou Liselotte Meier com depoimentos de sobreviventes que a identificaram como presente entre os atiradores alemães, Meier fingiu ter apenas uma vaga lembrança do acontecido. Numa tentativa óbvia para fugir à pergunta, ela fez uma misturada confusa de "não me lembro", "não consigo me recordar dos detalhes" e "não sei nem dizer se as pessoas baleadas eram judeus". Também não sabia "se as pessoas foram alvejadas ou se alguém estava atirando na neve". Depois da guerra, Meier admitiu que ia com Hanweg a lojas de judeus três ou quatro vezes por semana e que andava constantemente pelo bairro judeu. É revelador que ela tenha tentado esconder o caso de amor com Hanweg, que parecia perturbá-la mais do que o papel dela no Holocausto. No interrogatório, quando pressionada sobre a questão de ter sido amante, ela chorou. Observadores de suas lágrimas teriam razão em suspeitar que a tristeza não era pelos judeus que perderam a vida em Lida, mas por sua própria perda, pela morte de Hermann Hanweg.

Na história da perseguição aos criminosos de guerra nazistas na Alemanha Ocidental, teve grande repercussão o julgamento de uma secretária alemã no Leste acusada de assassinato. A ré era Johanna Altvater. Nos anos 1960, dezenas de sobreviventes do Holocausto morando em Israel, nos Estados Unidos e no Canadá prestaram depoimento sobre uma alemã a que chamavam de Hanna. Testemunhas não judias se apresentaram vindo da Alemanha Oriental, da Polônia e da Ucrânia. Em busca de alguma forma de justiça pelo assassinato em massa de aproximadamente 20 mil judeus na cidade de Volodymyr-Volynsky, sobreviventes identificaram quatro perpetradores pelo nome, embora tenha havido dezenas de outros com participação direta na destruição da população. "*Fraülein* Hanna" estava entre esses quatro. Vinte anos após os eventos, sobreviventes relataram suas ações horrendas.

O que aconteceu com Johanna Altvater depois que saiu da Ucrânia no Natal de 1943? Ela voltou a seu emprego enfadonho na administração civil de Minden. Não foi seriamente interrogada depois da guerra sobre suas atividades no Leste. Em seus documentos de desnazificação estava escrito "Ela pode ser bem aproveitada". Na administração de Minden, ela foi promovida a assistente social do bem-estar para a juventude. Depois de 1945, antigos membros da Juventude Nazista em Minden tinham reuniões e cantavam velhas canções. Muitos ali tinham chegado à maioridade nos anos 1920 e 1930. Não aceitavam que o regime nazista fosse criminoso

Johanna Altvater Zelle *(em cima à esquerda)*
num álbum usado por investigadores israelenses

e evitavam qualquer crítica ao seu passado. Altvater estava nesse grupo. Casou-se em 1953, adotando o sobrenome Zelle (que, ironicamente, significa "cela de prisão"). Seu marido era um residente no escritório distrital da juventude na cidade vizinha de Detmold. Quando ele subiu de cargo na administração civil de Detmold, Frau Zelle tomou a seus cuidados um menino de 6 anos e pagava seus estudos num colégio interno. Adotou o menino e, quando ele já era rapaz, estava sempre presente às sessões de julgamento dela.

Durante os procedimentos do julgamento público, de 18 de setembro a 31 de outubro de 1978, Johanna Zelle e seu antigo chefe, o comissário distrital Westerheide, sorriam para as câmeras, dizendo sempre que eram inocentes. Westerheide começou a se vangloriar de sua autoridade na Ucrânia, como se aqueles tempos tivessem sido o ápice de sua carreira. Falava de Volodymyr-Volynsky somente como "sua cidade" e se referia a "seus judeus", que ele precisou pôr num gueto porque, como explicou, havia um arsenal militar na cidade que precisava ficar a salvo daqueles "suspeitos". O advogado de defesa o advertiu: "Herr Westerheide, por favor, lembre-se de que não estamos mais no período nazista. O senhor não era tão importante quanto se apresenta aqui. Não havia outros com mais poder que levaram a cabo as tarefas?" O juiz também tentou refreá-lo, avisando para se ater aos fatos e não se estender na ideologia nazista.

Tanto Zelle como Westerheide foram acusados de assassinato e cumplicidade na morte de 9 mil judeus durante a liquidação do gueto e os assassinatos em massa em setembro e novembro de 1942. Os dois réus foram considerados responsáveis, em suas funções oficiais, por implementar políticas que acarretaram privações, perda de propriedades e de vidas. Na ocasião do julgamento, no tribunal estatal de Bielefeld, na Alemanha Ocidental, o estatuto de limitação abrangia todos os crimes, exceto assassinato, bem como apoio e incentivo. Segundo a lei alemã, a fim de obter uma condenação por assassinato, a promotoria tinha que apresentar provas convincentes de que o acusado havia demonstrado crueldade excessiva, comportamento falacioso e motivo vil (como ódio racial). Na apreciação da culpa dos acusados, o tribunal privilegiou a evidência documental em detrimento dos depoimentos dos sobreviventes. No entanto, provavelmente o fator mais decisivo foi a relutância dos juízes daquela geração imediata ao pós-guerra em condenar, quanto mais punir seriamente, réus acusados de crimes nazistas. Os testemunhos contra Westerheide e Zelle foram extensos e a documentação os colocava nas cenas dos crimes. Apesar disso, os dois foram absolvidos.

Acusada, Johanna Altvater Zelle se declarou uma mulher sensível, que abominava a violência. Admitiu ter visto deportações, mas disse que só tinha ouvido falar em fuzilamentos. Tentando angariar a simpatia do tribunal, alegou que durante a guerra era apenas uma jovem, apenas uma secretária que tinha sido mandada para o Leste. Essa imagem conflitava com os artigos de jornais que mostrava o riso em seu rosto ao ouvir os depoimentos sobre a "loura assassina" com um chicote na mão que obrigava os judeus a caminhar para a morte. Excertos de depoimentos de que ela atraía crianças com doces e as matava a tiros, as jogava da sacada e contra o muro do gueto, também tiveram lugar na cobertura da imprensa.

O promotor pediu sentença de prisão perpétua múltipla para ambos e prisão imediata, pois não estavam presos durante o julgamento. Os dois pedidos foram negados. O juiz, dr. Paul Pieper, os absolveu por "insuficiência de provas". O veredicto foi anunciado em Bielefeld em novembro de 1979, e seguiu-se um protesto público, organizado principalmente pela Associação de Vítimas do Nazismo (VVN), levando 800 pessoas a uma manifestação no centro da cidade. Um professor da Universidade de Bielefeld fez um discurso contundente, condenando a justiça alemã por evitar a perseguição de criminosos de guerra nazistas, por discriminação de testemunhas e por tolerar o neonazismo. Referindo-se ao *Livro marrom*, uma publicação alemã oriental que tinha por objetivo expor ex-nazistas no governo da Alemanha Ocidental, o professor asseverou que o sistema de justiça em Bielefeld era controlado por ex-nazistas.

Em julho de 1980, o Supremo Tribunal Federal (Câmara de Apelação Criminal) decidiu que o caso seria reaberto. Argumentava-se que o juiz Pieper não tinha dado o devido peso às evidências, não levando em conta os depoimentos. Tampouco havia pressionado os réus, principalmente Johanna Altvater Zelle, sobre seus álibis. Questionando a lógica da decisão, o Supremo Tribunal observou que, se Zelle foi vista na liquidação do gueto, se ela admitiu ter estado lá, e se o tribunal aceitou que tivesse estado lá, então precisava aceitar que ela estava no local de um crime. No entanto, ela não fora suficientemente interrogada sobre por que estava e o que fazia lá.

O processo foi transferido de Bielefeld para Dortmund, local de um escritório central de investigação de crimes de guerra nazistas. O promotor-chefe desse escritório, Hermann Weissing, que não conseguiu a sentença de prisão perpétua no tribunal de Bielefeld, estava sendo pressionado para reunir mais evidências e testemunhas no novo julgamento. Weissing pediu ajuda à polícia israelense, a Simon Wiesenthal em Viena, e ao Congresso Mundial de Judeus em Nova York. Em março de 1982, quando começou o segundo julgamento, Weissing tinha mais vinte testemunhas, mas algumas declarações delas contradiziam outras do primeiro julgamento, ou de décadas antes. A essa altura, o processo de coleta de depoimentos contra Westerheide e Zelle já corria por quase vinte anos.

O processo chegou ao fim em novembro, quando, para surpresa geral, o próprio promotor pediu ao tribunal que desse absolvição. "Apesar de fortes suspeitas de atos criminosos", Weissing argumentou, "a credibilidade das vítimas sobreviventes está em dúvida". Em reflexões posteriores, Weissing comentou que os casos contra perpetradores nazistas não eram diferentes de quaisquer outros. Acreditava que as histórias dos sobreviventes eram verdadeiras, mas "seus depoimentos não constituíam provas objetivas", apesar de sua grande quantidade. Que Zelle e seus colegas eram antissemitas era indiscutível, Wiessing concluiu, mas ainda assim não havia provas suficientes para condená-los por assassinato.

Em dezembro de 1982, Zelle e Westerheide foram absolvidos pela segunda vez. Houve outro protesto, seguido por uma enxurrada de críticas da imprensa na Alemanha e em outros países. Zelle morreu em Detmuld em 2003, uma semana antes de seu aniversário de 85 anos.

No caso de Johanna Altvater Zelle, a falta de evidências escritas nos tempos da guerra levou à sua absolvição, apesar de o promotor acreditar que ela matou brutalmente crianças judias num gueto na Ucrânia, e ela tenha admitido que estava na liquidação do gueto por sua própria iniciativa. Depoimentos de dezenas de testemunhas oculares foram considerados provas insuficientes. Por esse raciocínio, poucos poderiam ser responsabilizados. Um regime genocida todo-poderoso, de homens e mulheres perpetradores que agiam como senhores da vida e da morte, foi sustentado pela totalidade do sistema ou, como disse Hannah Arendt, pela "lei de Ninguém" (que se tornou a "responsabilidade de ninguém" no tribunal pós-guerra). As vítimas de Zelle, crianças em que Zelle atirou na boca e esmagou contra o muro do gueto, não tiveram uma morte "normal". Portanto, em termos lógicos, Zelle não era uma mulher "normal". Segundo a lei alemã, porém, ela era, e normais foram seus supostos crimes.

Há outra ironia nessa história judicial. Os homens no sistema podiam usar seus postos formais na hierarquia como defesa, alegando que estavam seguindo ordens ou supostas coações (embora sem sucesso, na maioria das vezes). As mulheres não podiam usar essa defesa. Num sistema genocida de perpetração compartilhada, é difícil documentar e provar um motivo vil individual. Mas mulheres como "*Fraülein* Hanna" exibiram exatamente isto: quando matavam, extrapolavam sua autoridade, mostrando iniciativa individual, numa demonstração de conduta excessiva que, pela lei alemã, constituía assassinato em primeiro grau. Mas não foi assim que os promotores da Alemanha Ocidental conduziram o caso contra essas mulheres e, em última análise, não foi assim que os juízes elaboraram seus veredictos.

Os promotores conseguiam visualizar secretárias em cenas de crimes em seus postos oficiais na administração nazista. Era mais difícil encontrar provas consistentes contra as esposas dos homens da SS, mulheres que chegaram ao Leste por fora dos canais oficiais. Em geral, as esposas só eram alvo de atenção dos promotores porque seus maridos haviam cometido crimes e as vítimas sobreviventes davam depoimentos incriminando as esposas. O que aconteceu com as esposas de oficiais da SS que acompanhamos aqui – Gertrude Segel, Liesel Willhaus, Josefine Block, Vera Wohlauf e Erna Petri?

Na Áustria, os investigadores prenderam primeiro o marido de Gertrude, Felix Landau, e abriram um caso separado contra ela. Gertrude Segel Landau foi detida em 1947 e 1948. Interrogada, ela se esquivou, mentiu e negou. Pressionada sobre os eventos ocorridos cinco anos antes, ela declarou que tanta coisa havia acontecido desde então que era difícil se lembrar de qualquer coisa. Ela se apresentou como a namorada ingênua de um oficial da SS – na época, ela era amante de Felix, ainda não casada com ele – e uma simples secretária, uma peça insignificante na máquina.

No entanto, admitiu que ela e Felix estavam no terraço num domingo de verão em 1942, mas apenas para atirar em pássaros. Estavam fazendo uma brincadeira inocente, implicando com o vizinho do outro lado da rua, que era veterinário e tinha pombos no telhado. Gertrude ainda parecia achar a brincadeira engraçada. Afirmou ter repreendido Felix quando ele apontou a espingarda para os trabalhadores judeus no jardim, porque, disse ela, virando de frente para os examinadores, "não é certo atirar em seres humanos". Então, segundo Gertrude, Felix disse a ela: "Ora, é só uma espingarda Flobert, não vai acontecer nada." Quando questionada sobre a Flobert que fora vista em suas mãos, falou que Felix a tinha comprado para seu filho de 4 anos. Tentando se retirar da cena do crime, começou dizendo que tinha entrado em casa antes que Felix atirasse nos judeus no jardim. Depois admitiu que estava no terraço, ao lado dele. Desenhou para os promotores um esboço da cena e da bala. Todo o acontecido, disse ela, foi culpa de Felix.

Quando as autoridades da ocupação dos Aliados em Viena começaram a se retirar das investigações, acusações e detenções, o Judiciário austríaco teve pouca pressão para punir os "seus", inclusive rés como Gertrude Segel Landau. Em 1948, sob investigação, Gertrude se sentiu num clima favorável. Ela e Felix tinham se divorciado em 1946, e ela estava livre; tinha fugido de uma prisão austríaca em 1947. Gertrude bancava a submissa com as autoridades do pós-guerra como uma demonstração de sua inocência nos tempos de guerra. Ela não era criminosa; era uma boa cidadã austríaca. Enfatizou que fora ela quem tinha comparecido obedientemente quando intimada, fora ela quem respondera às perguntas. E disse aos promotores: Se vocês estão procurando provas de culpa, vão procurar meu ex-marido, que está foragido, e não a mim. Foi uma estratégia eficaz da parte de Gertrude, e ela não foi acusada.

As investigações austríacas revelaram uma rede vienense de perpetradores e cúmplices nos escritórios da SS e da polícia na Galícia, o antigo território dos Habsburgo na Ucrânia. Dessa rede faziam parte secretárias e esposas de chefes da SS. Em outubro de 1946, a polícia austríaca prendeu a vizinha de Gertrude, Josefine Block, em seu apartamento na Apollogasse.

Essas duas perpetradoras de Drohobych moravam mais uma vez na mesma rua em Viena. Josefine Block foi acusada de crimes contra a humanidade, crimes de guerra e assassinato. Durante uma busca em seu apartamento, a polícia encontrou fotos dos tempos de guerra. Encontraram também velhos jornais nazistas, uma diatribe antissemita de Joseph Goebbels (*Das Buch Isidor*, 1928), uma baioneta e uma espada.

Interrogada, Block admitiu ter estado presente nas cenas dos crimes. Disse que o marido lhe dera carta branca para tomar decisões e administrar o mercado de hortaliças onde ela empregava judeus, e que ela montou sua própria oficina com trabalhadores judeus. Josefine afirmou que nunca machucou, nunca bateu, nem matou ninguém. Declarou que as testemunhas judias que a acusavam estavam numa missão de vingança.

O medo da vingança era um dos motivos lógicos dos tempos de guerra para matar todos os judeus, inclusive crianças, e era típico dos perpetradores citar esse medo quando eram interrogados ou acusados. Himmler havia advertido seus homens de que as crianças judias e as mães que as geraram iriam se insurgir para vingar a morte de seus homens. Para Josefine Block, a guerra estava perdida e agora ela estava sujeita à justiça da vitória dos judeus. Argumentou que os judeus a estavam perseguindo porque seu marido, o homem da Gestapo que era realmente responsável, tinha sido morto em batalha em 1944.

Desesperada, Block tentou por todos os meios. Como viúva de guerra, tentou pôr a culpa dos crimes no marido morto. Tentou se apresentar como salvadora, levando o crédito por salvar a vida dos sobreviventes que agora a denunciavam. Assim como Vera Wohlauf, citou sua condição de grávida como atenuante. Como ela poderia sair dando chicotadas numa menina judia, em estado avançado de gravidez? Nenhuma das testemunhas, nem ex-colegas alemães, nem vítimas judias, mencionou que ela estava grávida. Todas se lembravam somente de vê-la com seu bebê no carrinho, passando pela rua principal, atropelando judeus.

Numa jogada final de moralidade e maternidade, Block – autoproclamada "amiga dos judeus" – afirmou que sua acusadora, sua ex-costureira judia, era a verdadeira assassina, que tinha abandonado a filha de 1 ano no gueto para salvar a própria vida. Por incrível que pareça, essa desavergonhada defesa de "pôr a culpa na vítima" foi levada a sério no tribunal de Viena em 1949, e Block foi absolvida. Demonstrando pouca compreensão com as vítimas sobreviventes, apresentando falta de um distanciamento crítico do antissemitismo dos réus, e predispostos a favorecer seus conterrâneos, os homens do Judiciário austríaco permaneceram céticos diante dos depoimentos dos judeus, principalmente quanto às afirmações de comportamentos atrozes das mulheres.

Mais de uma década depois, nos anos 1960, Vera Wohlauf foi intimada para interrogatório sobre as atividades de seu marido durante a guerra. Antes de começar o interrogatório, ela foi informada de que, como esposa do acusado, Julius Wohlauf, não era obrigada a testemunhar, e tinha o direito de se recusar a responder perguntas, sem dar explicações. Ela conhecia a lei e afirmou que, apesar disso, queria testemunhar.

Ela se encontrou com os investigadores na manhã de 19 de novembro de 1964. Quando perguntada sobre sua estada na Polônia, Wohlauf respondeu que chegou a Radzyn no final de julho de 1942. Foi de carro com a esposa de outro membro da Polícia de Ordem, o tenente Boysen. Pulando o período dos massacres no gueto em agosto de 1942, Vera disse que retornou a Hamburgo em setembro. Apesar de sua afirmação de ter ficado apenas em Radzyn enquanto esteve na Polônia, o interrogador a localizou em Miedzyrzec, onde ocorreram os massacres. Vera admitiu que uma família conhecida dela administrava uma propriedade agrícola na periferia dessa cidade. De vez em quando ela e o marido visitavam essa família, os Doberauer, e passavam a noite lá. Vera não queria revelar que ela e Julius tinham ido a Miedzyrzec por outra razão.

> PERGUNTA: A senhora se lembra de que, durante sua estada com seu marido na Polônia, foi levada de carro a uma *Einsatz* [operação]?
>
> RESPOSTA: Essa pergunta não pode ser respondida numa única frase; de qualquer forma, não se pode responder com um simples sim ou não a essa pergunta.

PERGUNTA: Frau Wohlauf, então vou lhe apresentar mais concretamente o caso que tenho em mente, e pedir que, por favor, me responda da maneira mais exata possível. Várias testemunhas, ex-subordinados de seu marido, declararam que num dia de outono em 1942 a senhora acompanhou seu marido a Miedzyrzec, a uma expulsão de judeus. Segundo as declarações dessas testemunhas, a senhora e seu marido embarcaram num caminhão em seu alojamento em Radzyn. Supostamente, a senhora vestia um casaco militar. Em M[iedzyrzec], a senhora supostamente assistiu a uma *Aktion*, e quando a *Aktion* terminou, naquela noite, a senhora foi levada de volta a Radzyn.

RESPOSTA: No primeiro caso, parece-me que a afirmação de que eu vestia um casaco militar é impossível. De qualquer forma, não tenho lembrança disso. Prefiro não apresentar minhas declarações aqui de modo muito definitivo, porque imagino que podem ser tiradas conclusões que não correspondem à verdade dos fatos do caso. Por outro lado, eu gostaria de evitar a impressão de que não estou sendo verdadeira se, por exemplo, através de declarações de várias testemunhas o oposto pode ser estabelecido. De qualquer forma, não me lembro se usei um casaco militar. É válido considerar que, por qualquer razão, possa ter acontecido de maneira diferente. Eu estava grávida na época e minhas roupas não me serviam muito bem. Por exemplo, é possível que meu marido tenha posto esse casaco em mim por qualquer razão.

No dia da execução em questão, viajamos para a casa dos Doberauer [perto dos crimes em Miedzyrzec]. Eu queria visitar a família Doberauer, não porque no dia seguinte haveria uma *Aktion*, o que não era do meu conhecimento e suponho que não era do conhecimento do meu marido. Não posso dar boas razões para essa suposição. De qualquer forma, o comportamento do meu marido não me indicava que ele sabia dos eventos que ocorreram no dia seguinte. Não me lembro se passamos a noite depois da questionável *Aktion* na casa dos Doberauer, ou se retornamos a Ratzyn. É mais provável que tenhamos retornado.

Depois de passarmos a noite na casa dos Doberauer, meu marido saiu cedo na manhã seguinte. Eu não sabia o que ele ia fazer. Por volta de meio-dia, Frau Doberauer e eu fomos à cidade fazer compras. Observando que, por favor anote, eu, pessoalmente, fui porque Frau Doberauer me pediu para ir. Ficamos totalmente surpresas quando vimos uma multidão de pessoas na cidade. Havia muitas pessoas por lá, presumivelmente polonesas. Ao chegarmos mais perto, vimos que pessoas de uniforme marrom e membros da SD tiravam pessoas de casa e as organizavam em filas na rua. Frau Doberauer e eu não sabíamos o que estava acontecendo. Eu nem sabia que as pessoas em questão eram judias. A partir das conversas ali mesmo no local, logo concluí que eram judeus. Fiquei muito abalada com esses eventos, embora não soubesse absolutamente o verdadeiro destino deles. Presumi, e estava convencida de que era uma evacuação de judeus que iam se mudar para outros apartamentos ou alojamentos em algum outro lugar. Não sei o que aconteceu depois. De qualquer forma, meu marido de repente apareceu lá. Ouvi um tiro e vi uma mulher velha caindo. O tiro foi dado por um homem de uniforme marrom. Então meu marido disse: "Ficaram loucos, vou desarmá-los imediatamente." Então fui embora com Frau Doberauer. Não me lembro se meu marido nos acompanhou ou não.

PERGUNTA: Frau Wohlauf, devo afirmar novamente que testemunhas declararam que a senhora foi [com os homens] de manhã para a *Aktion* e voltou naquela noite, e que membros da companhia [Polícia de Ordem] ficaram indignados que a senhora estivesse inspecionando a *Aktion*.

RESPOSTA: Mantenho meu relato. Os depoimentos em contrário de testemunhas não são corretos. Eu nunca soube nada dessas coisas. Soube delas pela primeira vez quando meu marido foi preso e o advogado relatou essas sérias alegações levantadas contra meu marido. É inteiramente ilógico que meu marido tenha me trazido de Radzyn para essa *Aktion*, já que eu não tinha a menor ideia sobre essas coisas, e além disso estava grávida.

Pelo depoimento de Wohlauf, está claro que sua condição de grávida lhe foi útil após a guerra como evidência de não envolvimento no massacre. Observem que, mesmo anos depois, tanto Wohlauf como o interrogador preferiram usar o eufemismo *Aktion* e a palavra "expulsão" (*Aussiedlung*) em vez de termos mais explícitos. Wohlauf tentou minimizar o assassinato em massa referindo-se a uma "execução em questão", e amenizou a atuação do marido também. Sabemos, por meio da extensa pesquisa do historiador Christopher Browning sobre Julius, que ele era um matador experiente e gostava de ostentar sua função de comandante da unidade. Um policial da unidade fazia chacota, chamando-o de "pequeno Rommel".[3] Envolvendo 11 mil judeus, a deportação de Miedzyrzec foi a maior operação levada a cabo por essa unidade do 101º Batalhão da Polícia de Ordem. Wohlauf esperava que centenas de judeus fossem mortos ali mesmo e, de fato, 960 deles foram enterrados pelos sobreviventes. Essa *Aktion* em particular foi única, não somente em escala, mas também pela carnificina a céu aberto, nas ruas e no mercado. Julius e Vera sabiam no que estavam se metendo.

Como no caso de muitas testemunhas e réus alemães que foram interrogados depois da guerra sobre os massacres, as evasivas declarações de Vera Wohlauf contêm contradições e pistas. Ela admitiu ter visto o esvaziamento do gueto e o assassinato de uma judia idosa. Ela identificou o atirador como um homem de uniforme marrom, a cor usada pelos chefes nazistas, tentando isentar seu marido, que usava o uniforme verde dos policiais. Quando perguntada diretamente se tinha acompanhado o marido numa *Aktion*, ela disse que não podia responder com um simples sim ou não. Em vez disso, concentrou-se no casaco, talvez sem perceber que era um detalhe potencialmente incriminador, que o casaco a ligava ao uniforme de policial e à sua proximidade dos algozes. No final ela admitiu ter usado o casaco, explicando que o marido lhe dera porque ela estava grávida, porque teria precisado se cobrir. Roupas que não caíam bem justificariam usar um casaco militar pesado num dia quente de verão? Talvez Vera e Julius

---

3 Marechal de campo conhecido como "A Raposa do Deserto" pelo comando da operação no Norte da África. (N. da P. O.)

tivessem algum tipo de brincadeira de troca de papéis e o casaco fosse um modo de incluí-la na unidade dele, como "um dos caras".

Fosse como fosse, Vera Wohlauf não foi investigada. Não havia evidências claras de que ela tivesse matado ou assistido à matança. Julius Wohlauf, que retomou sua carreira de policial em Hamburgo depois da guerra, foi preso em 1964 e mais tarde condenado a oito anos de prisão por apoio e incitação ao assassinato de mais de oito mil judeus na Polônia. Contudo, Vera afirmou que "não tinha a menor ideia sobre essas coisas" durante a guerra, até que seu marido fosse preso.

Os crimes de Elisabeth "Liesel" Willhaus não passaram despercebidos depois da guerra. Ela foi uma das 16 pessoas indiciadas pelo assassinato em massa de mais de quatro mil judeus na região de Lviv (Lemberg). Ela e "*Fraülein* Hanna" estavam entre as pouquíssimas perpetradoras indiciadas na Alemanha Ocidental por assassinato.

Em julho de 1943, o marido de Liesel, Gustav, foi enviado para combate com a unidade Waffen-SS. Liesel permaneceu em Lemberg o maior tempo possível, pois sua cidade natal industrial em Saar estava sofrendo fortes bombardeios. Mas o Exército Vermelho avançou pela Galícia, retomou Lemberg em julho de 1944, e Liesel voltou para casa. Gustav morreu em ação perto de Frankfurt no fim de março de 1945. Viúva de guerra com um filho pequeno, sem pensão do marido, Liesel ficou morando com a família por algum tempo. Em 1948, casou-se novamente, dessa vez com um advogado. Ela e o marido abriram uma empresa de Automat. Quando os investigadores de crimes de guerra a encontraram, em 1964, descobriram também que Liesel e o novo marido tinham uma ficha de pequenas contravenções ligadas à empresa.

Apesar de sua história nos tempos de guerra e pós-guerra, os investigadores não puderam acusar Elisabeth Riedel Willhaus. Como seu lugar na máquina de morte nazista não era formalizado numa posição oficial, não havia documentação da época da guerra para comprovar os depoimentos das testemunhas. Ela esteve na cena do crime e cometeu assassinato em massa publicamente, mas não podia ser legalmente responsabilizada.

Os promotores alemães observaram que um número notável de pessoas testemunhou contra Willhaus. Nem todos eram sobreviventes judeus, cujas lembranças e depoimentos eram considerados menos confiáveis por muitos tribunais alemães. Na verdade, alguns dos que depuseram contra ela eram ex-colegas de seu marido na SS. Todos os que depuseram, bem como os promotores que levantaram os casos, se mostraram chocados com o comportamento da esposa do comandante, que "ia contra todas as noções preconcebidas do caráter feminino". Contudo, por motivos que permanecem obscuros, ela foi libertada.

No fim do "Julgamento de Lemberg", na Alemanha Ocidental, o juiz que presidia as sessões declarou que não cabia ao tribunal superar o passado da Alemanha; era tarefa de toda a nação, "cuja consciência não pode ser aliviada e todas as suas manchas removidas aqui no tribunal". Vários membros dessa nação, réus com sangue nas mãos, tiveram permissão para ir para casa com a consciência limpa por seus pares.

O destino dos perpetradores julgados na Alemanha Oriental foi radicalmente diferente. Erna Petri estava entre as poucas mulheres – talvez tenha sido a única – condenadas por matar judeus. Ela foi uma das 12.890 pessoas julgadas por crimes de guerra e crimes contra a humanidade na Alemanha Oriental entre 1945 e 1989. Cerca de 90% desses casos foram processados até 1955, a maioria antes de 1951. O julgamento dela foi um dos poucos restantes, realizados nos anos 1960.

Quando Erna Petri foi presa, em agosto de 1961, ela não era estranha à polícia da Alemanha Oriental. No verão anterior, seu marido, Horst, tinha sido preso por supostas atividades contra o Estado. A Stasi vinha lendo a correspondência dos Petri, principalmente a correspondência deles com o filho na Alemanha Ocidental. Suspeitavam que Horst, membro da comuna agrícola local, estava sabotando o mais recente programa de coletivização. Ele tinha feito críticas ao governo numa carta ao filho. Achavam também que Horst tinha denunciado um agente da Alemanha Oriental aos alemães ocidentais. Mas quando a polícia revistou a casa dos Petri, não encontrou muitas evidências de atividades contra o Estado, apenas algu-

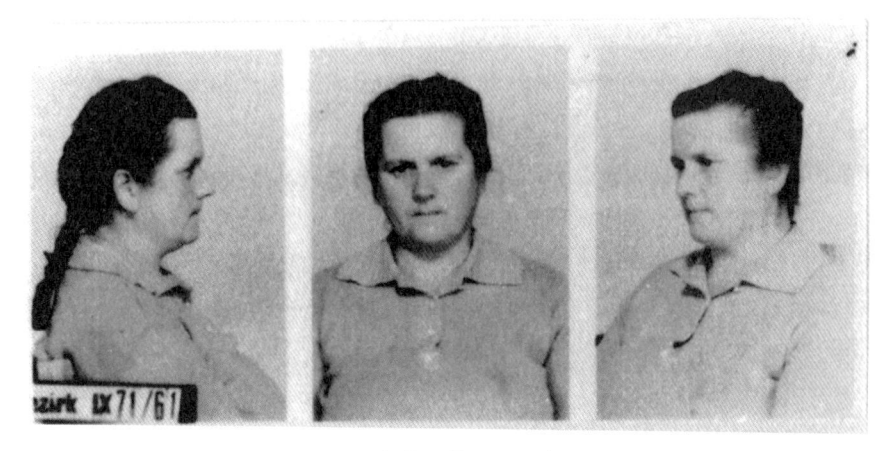

Fotos de Erna Petri na prisão

ma "literatura agitadora", inclusive um panfleto político da Alemanha Ocidental. Os achados mais significativos foram um livro de convidados e fotos de Horst Petri como *Untersturmführer* da SS dando ordens numa propriedade agrícola com a esposa em Grzenda. O livro de convidados continha nomes de oficiais graduados da SS, da polícia e da Wehrmacht, além da assinatura da esposa do mais notório assassino nazista da região, o chefe da SS e da polícia no distrito da Galícia, Friedrich Katzmann.

Não está claro se a revelação do passado nazista de Horst foi uma coincidência. Em todo caso, com base em depoimentos de 17 testemunhas, a maioria de trabalhadores poloneses e ucranianos na propriedade, o promotor estatal de Erfurt determinou que Horst e Erna tinham torturado, maltratado e matado trabalhadores forçados, bem como judeus que buscavam refúgio nas florestas, nos campos e nos muitos celeiros e estábulos da fazenda da SS em Grzenda.

As confissões arrancadas por coação de Horst e Erna Petri são ricas em detalhes e, de modo geral, coerentes entre si. Os promotores alemães determinaram que a atividade pós-guerra de Horst, que fora a causa da prisão, era relativamente insignificante, certamente não tão reprovável quanto o claro registro dos "mais graves crimes de guerra e crimes contra a humanidade" cometidos por ele e a esposa. Os dois foram interrogados juntos durante três horas em 31 de agosto de 1962, devendo cada um confirmar ou negar os crimes do outro. Marido e mulher foram a julgamento juntos de 10 a 15 de setembro de 1962. Na gravação do julgamento, Erna é tão detalhista sobre suas ações criminosas que o promotor a interrompe, dizendo: "Obrigado, já ouvimos o suficiente." Horst foi menos específico. No final, porém, foi decidido que os crimes de Horst foram piores que os de Erna.

Nesse último julgamento, o juiz escreveu que seus atos hediondos "ocorreram 18 a 20 anos atrás, mas é no interesse do estabelecimento de uma justiça popular democrática e essencial que esses crimes sejam revelados a despeito da passagem do tempo". Além disso, afirmou, já que as potências imperialistas continuam a planejar crimes contra a paz e a humanidade, todos os povos amantes da paz têm que ser vigilantes para prevenir a sua recorrência. No interesse da justiça, prosseguiu, esses crimes devem ser punidos. O juiz argumentou que, nesse caso em particular, o sistema de terror do fascismo de Hitler se expressa claramente, pois sua ditadura dominava não só a Alemanha, mas também os territórios ocupados. Na prática, "esse terror foi construído com elementos inescrupulosos, aos quais o acusado pertence". Na típica retórica da Guerra Fria, o tribunal alemão oriental afirmou que Horst Petri era não só fascista, mas também um inimigo manifesto da construção socialista do "Estado dos nossos trabalhadores e fazendeiros".

O caso Petri oferece um raro exemplo de como o fator gênero contribuía para o tratamento de criminosos de guerra na Alemanha Oriental, bem como um vislumbre da psicologia de uma perpetradora do Holocausto. Apesar de Erna ter tentado eximir o marido dos crimes dela, o juiz achou que Horst Petri fora responsável em parte pelo comportamento da esposa. O tribunal justificou a sentença declarando que "há diferenças entre os dois réus" e que, no caso de Erna, era preciso considerar que ela se tornou assassina por causa da profunda influência do marido. Além disso, "a constante interação com os sanguinários da SS em Grsenda [*sic*] era um fator considerável para levá-la a cometer crimes". Acima de tudo, o tribunal manteve que os crimes dela não eram tão extensos quanto os cometidos por Horst

Petri, que maltratava e matava rotineiramente por sua própria iniciativa, sem ordens diretas. Isso justificava a pena de morte, disse o juiz.

Erna ganhou a simpatia de integrantes do tribunal, que observaram que "às vezes ela mostrava emoções humanas", mas foi julgada severamente pela maioria. Ela confessou ter matado seis crianças judias entre 6 e 12 anos de idade. Ficou claro nos interrogatórios e no julgamento que o que os advogados, interrogadores, enfim, todos no tribunal, acharam mais repreensível, quase inimaginável, foi sua capacidade de matar crianças. Em resposta à confissão dela, um interrogador disse: "Como você pôde fazer isso, tendo dois filhos pequenos em casa?"

Quando Erna Petri foi presa, negou ter cometido qualquer crime. Admitiu apenas ter ouvido falar de judeus baleados na floresta de sua propriedade. Passado um mês de encarceramento e interrogatórios, porém, ela começou a ceder à pressão. Em 15 de setembro de 1961, foi submetida a um interrogatório que começou às oito horas da manhã e terminou à uma da madrugada, com intervalos de uma hora para almoço e uma hora para jantar. O interrogador-chefe, chamado Franke, começou: "Quais crimes você cometeu durante sua estada em Grzenda?" Erna respondeu que realmente estava em sua propriedade de junho de 1942 ao início de 1944, e que tinha batido em trabalhadores, inclusive no ferreiro que agora era testemunha contra ela. À medida que a bateria de perguntas continuava, ela foi admitindo que se lembrava do fuzilamento de judeus apanhados na fazenda depois de terem fugido de um trem que ia de Lviv para Lublin.

Nesse interrogatório, Franke se referiu a testemunhas oculares polonesas que declararam ter visto Erna com sua pistola, atirando sozinha em judeus. Franke conseguiu detalhes de Erna. Antes de encerrar a sessão, ele perguntou: "Por que você negou até agora ter atirado em judeus?" Erna replicou que temia a punição, e pensou que seu marido iria assumir aqueles assassinatos.

No julgamento, Erna e Horst disseram ao juiz que, durante a guerra, eles tinham decidido manter silêncio sobre Erna ter atirado nas crianças. Horst tinha dito a Erna que ela fizera a coisa certa, mas ele não queria que ninguém soubesse. Como Erna não era autorizada oficialmente a matar judeus, havia uma chance de ser interrogada por um investigador da SS. Ademais, disse Horst, ele não queria que a esposa fosse objeto de falatórios. Um homem sádico era aceitável, e até eficiente, para "subjugar os nativos". Mas uma mulher sádica era um problema em potencial, um alvo de vingança, até de constrangimento. A própria Erna parecia insegura a respeito de como suas ações seriam recebidas. Explicou longamente que havia alimentado as crianças antes de matá-las, aparentemente na esperança de comover o tribunal por sua bondade e franca admissão. No entanto, ela foi apanhada nas próprias mentiras e "lapsos de memória". O juiz a repreendeu, tachando-a de mentirosa. Erna deu uma risada nervosa. O veredicto foi um choque. Seu marido iria morrer na guilhotina e ela passaria o resto da vida na prisão.

Mas Erna Petri não se resignou a esse destino. Já na prisão, ela retirou as declarações anteriores. Os apelos dela e de seus filhos por liberdade foram redondamente rejeitados. Escreveu cartas ao escritório da promotoria, com reflexões e explicações longas e detalhadas. Sua família e colegas a tranquilizavam, dizendo que ex-nazistas tinham tido anistia, e certamente ela também seria libertada. Ela não manifestou remorso de seus atos na guerra, mas em vez disso passou a tecer uma rede de histórias e justificativas. Em numerosas cartas aos advogados, ela se queixava de que o intérprete no tribunal traduziu erradamente seus depoimentos, comprometendo-a. Num apelo de 18 de setembro de 1963, Erna insistiu que não tinha matado ninguém e jamais tinha segurado uma arma. Por amor e medo – *aus Liebe und Angst* – tinha admitido falsamente ter matado as crianças, na esperança de proteger o futuro do marido.

Depois tentou outra tática. Disse que tinha ouvido falar em judeus sendo transportados para Lublin para morrer com gás, e isso a deixara chocada. Ela protestou contra as deportações, dizendo a Horst que "essa gente [os judeus] é humana, afinal", mas o brutamontes de seu marido mandou-a se calar e avisou que, se ela não ficasse em silêncio, iria ter problemas. Agora Erna estava desesperada para parecer antinazista aos olhos da lei. Disse que em 1938 – aludindo à *Kristallnacht* – ela fizera críticas ao tratamento injusto dado aos judeus. Só não foi presa na mesma hora porque estava grávida.

Num apelo politicamente mais arriscado, Erna relatou o tratamento injusto dado a ela pelos interrogadores da Alemanha Oriental. Disse ter sido enganada durante uma sessão. O estratagema usado era típico dos métodos da Stasi. Apresentaram a ela uma confissão assinada pelo marido, que mais tarde ela descobriu ter sido forjada. Segundo sua lembrança de 1963, a confissão começava dizendo: "Eu admito que minha esposa matou pessoas e crianças judias." Ao ver essa confissão, Erna ficou "cheia de indignação", pois "nunca fiz as coisas de que ele me acusava". Mas depois, pensando sobre o assunto, ela entendeu que o marido não tivera a intenção de prejudicá-la – "ele está em perigo e precisa de minha ajuda". Erna decidiu aceitar a culpa e mentiu para protegê-lo. Pelo menos foi o que ela disse. Mas teria ela realmente inventado os detalhes da morte das seis crianças judias, a descrição vívida de onde e como ela atirou e como as crianças reagiram, tudo isso por amor ao marido?

Em novembro de 1989, o Muro de Berlim, conhecido oficialmente na Alemanha Oriental como a "barreira de proteção antifascista", veio abaixo. Erna Petri, então com 69 anos de idade, estava em sua cela na famosa prisão de Hoheneck, na Saxônia. Durante décadas, Erna vinha repetindo sua história, com variações e contradições. Será que os advogados da Alemanha Ocidental que estavam revisando seu caso em vista do colapso da República Democrática Alemã o veriam sob uma luz mais complacente do que os juristas da Alemanha Oriental que a tinham condenado? O início de sua prisão havia coincidido com a construção do muro, em agosto de 1961, e agora, com a queda, Erna viu uma chance de ser libertada.

Numa carta de dezembro de 1989, pedindo a revisão de seu caso, Erna falou a advogados da Alemanha Ocidental dos interrogatórios ilegais da Stasi, apresentando mais uma versão do que tinha acontecido em Grzenda. Não, ela não tinha matado judeus, mas ia constantemente a Lviv para buscar suprimentos. Como parte de suas incumbências, ela foi ao campo de Janowska selecionar trabalhadores judeus, e os trouxe para Grzenda. Ela se lembrava de ter tido criadas domésticas judias, mas não sabia o que tinha acontecido com elas. (Em suas declarações em 1961, ela descreveu essas judias como criadoras de problemas.) Insistindo que era inocente, Erna escreveu: "Eu me sacrifiquei por meu marido, o homem contra quem meus pais me advertiram." Horst tinha sido punido justificadamente, ela disse. Sua execução foi justa porque ele tinha matado judeus.

Nos meses e anos seguintes, juristas alemães, em sua maioria do antigo sistema da Alemanha Ocidental, começaram a rever o caso de Erna e outros, a fim de determinar sua integridade judicial. Alguns prisioneiros políticos na Alemanha Oriental foram libertados e outros tiveram redução da pena. Famílias de presos falecidos pediram indenização e reabilitação do nome da família. Os filhos de Erna fizeram *lobby* pela libertação da mãe, que estava entre as poucas prisioneiras cumprindo pena perpétua por crimes de guerra. Enviaram apelos ao chanceler alemão oriental, Helmut Khol, ao presidente dos Estados Unidos, George Bush, e ao *premier* russo, Mikhail Gorbachev. Fizeram petições aos membros do parlamento alemão. Argumentavam que a mãe era uma vítima inocente dos métodos de interrogatório e tortura da Stasi. Suas confissões tinham sido obtidas por coação. Já não tinha sofrido o suficiente por 25 anos nas câmaras de tortura da fortaleza medieval de Hoheneck, separada da família e chorando a perda do marido guilhotinado pela Alemanha Oriental em 1962? Os apelos dos filhos não mencionavam nada do passado da mãe na Polônia ocupada nos tempos de guerra. Mesmo assim, os juristas mantiveram a sentença de prisão perpétua dada pelos tribunais da Alemanha Oriental.

Erna Petri, apesar de não ter obtido perdão nem reabilitação, acabou sendo libertada. Voltou para casa em 1992, por motivo de saúde. Segundo um relato, uma organização clandestina da SS, a Stille Hilfe (Ajuda Silenciosa), ganhou um caso no tribunal do distrito de Stollberg, onde se situa a prisão, para libertar Petri. É possível que a Ajuda Silenciosa tenha pago o apartamento de Petri quando ela foi libertada, e talvez também tenha sido responsável pelo convite para a Baviera, onde usufruiu dos prazeres das montanhas e lagos alpinos com Gudrun Burwitz, filha de Heinrich Himmler e membro importante da Ajuda Silenciosa. Erna morreu em julho de 2000. Havia comemorado seu aniversário de 80 anos poucos meses antes.

Duzentas pessoas – todos os habitantes do vilarejo e muitos outros que a família não conhecia – compareceram ao funeral. Muitos enviaram flores e cartões de condolências anônimos.

Se Erna residisse na Alemanha Ocidental, onde as taxas de condenação de criminosos de guerra nazistas eram comparativamente baixas, provavelmente não teria sido julgada. E se tivesse sido julgada, provavelmente não teria tido pena de prisão perpétua. Provavelmente teria se inserido de volta na sociedade e passado despercebida, uma *Hausfrau* comum. Uma confissão detalhada de seus crimes na Polônia não teria sido documentada. Não haveria vestígios de seus atos cruéis, nem de suas vítimas. Em suas apelações, Erna culpou o marido pelas crueldades dela durante a guerra. É verdade que o casamento de Erna a transformou, de menina de fazenda alemã a patroa da fazenda de Grzenda, mas Horst não foi a única razão para Erna se tornar uma assassina.

Explicar as causas do comportamento genocida de mulheres é tão difícil quanto tentar isolar as motivações de sua contraparte masculina, e, dadas as ideias preconcebidas de gênero na época e hoje, é indiscutivelmente mais complicado. As imagens da propaganda nazista continuam a repercutir e a distorcer. Filmes de Goebbels apresentavam as alemãs como adeptas histéricas do regime, guiadas por emoções irracionais e não por ambições pessoais. Esses retratos de um fanatismo selvagem distorcem as convicções políticas e a postura "correta" da maioria das mulheres alemãs. Goebbels fez a famosa observação de que "os homens organizam a vida; as mulheres são seu apoio e implementam suas decisões". A Alemanha nazista foi uma ditadura participativa em que as mulheres contribuíram integralmente, e nossos padrões para medir essa contribuição não devem ser definidos exclusivamente pelo poder tal como o conhecemos num "mundo masculino" de representação política e social. Para entender os papéis e comportamentos de mulheres enquanto agentes de um regime criminoso, devemos começar identificando quem elas eram, o que fizeram e se foram responsáveis por suas ações.

Embora os assassinos em massa tenham criado falsos relatos sobre suas experiências, esses relatos nos dizem alguma coisa. O marido de Erna Petri escreveu, em sua última carta para a família, na véspera de sua execução, que ele era vítima do sistema da Alemanha Oriental, que o havia traído, a ele, fazendeiro socialista honesto e trabalhador. Erna Petri, por outro lado, afirmou que foi uma vítima da propaganda nazista e agiu sob pressão dos homens à sua volta, inclusive seu marido. Enfermeiras da "eutanásia" se apresentaram como honradas profissionais da área médica, que acatavam a autoridade dos médicos, cumpriam seus deveres e, em última análise, sofreram por ter cumprido o dever. Essas explicações se assemelham às apresentadas nos incontáveis apelos à justiça por esposas de perpetradores nazistas, em que enfatizavam sua própria luta como mães sozinhas submetidas à justiça dos vitoriosos ou à vingança dos judeus. A persistência do antissemitismo também não deve ser subestimada. Segundo a pesquisa da historiadora Katrin Himmler, algumas perpetradoras e seus descendentes que se indignaram com a intromissão da justiça dos vitoriosos viam "o novo inimigo como o velho inimigo: o judaísmo mundial". As narrativas da vitimização alemã com a Primeira Guerra Mundial, que incitou o movimento nazista e o antissemitismo do Holocausto, continuaram após a guerra, na defesa de homens e mulheres perpetradores.

As biografias das mulheres estudadas aqui se baseiam amplamente em investigações e julgamentos realizados no pós-guerra. Mas muito poucas mulheres foram acusadas depois da guerra, e menos ainda foram julgadas e condenadas. Depoimentos de sobreviventes, muitas vezes as únicas evidências disponíveis, não eram considerados suficientemente fortes, e muitas das rés, especialmente as com aparência maternal e dócil, não pareciam capazes de cometer aquelas atrocidades. A aparência física das mulheres e a estereotipia de gênero mantida pela maioria dos investigadores e juízes homens geralmente pesavam a favor das perpetradoras, cujos atos eram, em alguns casos, tão criminosos quanto os de sua contraparte masculina. O fato de que milhares de mulheres trabalharam em agências como a SS, que foi declarada uma organização criminosa, também não foi levado a sério. A enorme quantidade de bens materiais de que as mulheres alemãs no Leste se apropriaram ou ganharam de seus maridos enquanto estavam lá, como o colar de ouro de Gertrude Segel, isso também não foi objeto de investigações contra as mulheres, apesar do fato de que muitos bens pessoais de judeus, poloneses e ucranianos perseguidos e assassinados foram parar em casas alemãs, o domínio por excelência das mulheres.

Ademais, as relativamente poucas mulheres que foram julgadas após a guerra tiveram coberturas sensacionalistas da imprensa, retratadas como sanguinárias, sádicas e sedutoras. Muito dessas coberturas perpetuou imagens pornográficas de mulheres nazistas, distorcendo seu comportamento violento para uma forma de desvio sexual. Como observou a historiadora Claudia Koonz, vivemos numa cultura que "sensacionalizou o nazismo, situando o mal na mulher erotizada". A quantidade de papéis, profissões e o alcance das perpetrações das mulheres alemãs não foram avaliados na época. As generalizações da inocência feminina prevaleceram.

A polícia criminal e os promotores tinham objetivos específicos: constatar a ocorrência do crime, identificar e deter o suspeito, colher depoimentos e evidências, indiciar e assegurar a condenação, colocar o meliante na cadeia. Toda a história pós-guerra de mulheres perpetradoras foi tão política quanto judicial. Os contextos das investigações – o pós-guerra imediato na Áustria, os anos 1960 na Alemanha Oriental, os anos 1970 na Alemanha Ocidental – tiveram grande importância e podiam determinar quem era investigado, quais depoimentos e evidências seriam colhidos e quais seriam considerados acreditáveis, quais crimes seriam julgados e se os juízes dariam sentenças rígidas ou moderadas. As mulheres alemãs foram apanhadas nessa rede emaranhada da justiça nacional e internacional. O que aconteceu com elas? A resposta mais curta é que a maioria se deu bem.

EPÍLOGO

Depois de ler milhares de páginas de documentos dos tempos da guerra, arquivos de julgamentos e depoimentos, resolvi ir pessoalmente a uma cena de crime. Os arquivos do caso de Erna Petri continham esboços e fotos da propriedade em Grzenda, no Oeste da Ucrânia. Havia listas de nomes e endereços de camponeses ucranianos e poloneses que deram depoimentos sobre Petri. Copiei o material, pensando que poderia ser útil. Não era minha primeira visita à Ucrânia. Anos antes eu tinha viajado pela região do país onde se situava a casa dos Petri e passei algum tempo em Lviv, mas não vi a paisagem, tendo em mente a história do Holocausto. Na época, a cidade e as aldeias vizinhas ainda pareciam conglomerados arquitetônicos de eras passadas, com feios edifícios do realismo socialista, sinagogas e cemitérios judeus em ruínas, brilhantes ornamentos *fin-de-siècle* austro-húngaros, pesadas estruturas do *ancien régime* polonês. Mas quando voltei para pesquisar o Holocausto, havia anúncios luminosos em azul e amarelo proclamando uma vibrante nação ucraniana. Sentadas na beira da estrada, *babushkas* de lenço no pescoço, rostos bronzeados marcados por rugas profundas vendiam maçãs de plástico, e algumas dessas camponesas estavam falando no telefone celular.

Eu não tinha certeza do que iria encontrar em Grzenda. Não sabia se o lugar ainda existia, nem o que iria fazer quando chegasse lá. Convenci dois colegas a irem comigo. Um deles falava ucraniano fluente, e o outro, polonês. Encontramos o local num mapa, a uma curta corrida de táxi para o norte de Lviv. A estrada corria paralelamente à mesma linha de trem que levou centenas de milhares de judeus ucranianos e poloneses às câmaras de gás de Belzec e Sobibor. Pegamos a mesma estrada percorrida por Erna Petri no dia fatídico em que viu as crianças judias fugidas do trem. Entramos na longa estrada privativa levando ao solar, que tinha se transformado de casa imponente em uma estrutura decrépita coberta de mato. A varanda da frente eram dois pilares com um teto caído no meio, sustentado precariamente por blocos de concreto. Sabendo eu o que sabia, o lugar era assombrado, mas para os ucranianos velhos, pobres, que se esfalfavam para sobreviver, era o lar. A balaustrada de ferro ornamental do terraço onde Erna servia bolos com café estava enferrujada e esfolada como ossos quebradiços esfarelando nas juntas. Havia roupa lavada pendurada para secar. As mulheres que moravam em Grzenda apareceram imediatamente quando nos viram, estrangeiros com roupas de cidade e câmeras, saindo de um táxi.

Stalin completou a engenharia demográfica que Hitler começou na Ucrânia, e aquelas mulheres eram o resultado. A minoria polonesa tinha sido removida da região e ucranianos da Polônia foram reassentados ali. A escassez crônica de moradia na União Soviética transformou casarões históricos como aquele em habitação pública para várias famílias. Os camponeses com quem falamos nada sabiam dos eventos da guerra naquela casa. Ironicamente, as trocas de população soviética no pós-guerra resultaram no que os escudeiros de Hitler tinham desejado: a remoção da memória local.

Andamos algumas centenas de metros na direção do lugar descrito no tribunal como o local em que Erna Petri executou os seis meninos. Era uma faixa de floresta ao longo de uma ravina que dividia dois campos. Fiquei momentaneamente distraída pelo cenário à minha volta, pitoresco e tranquilo. Fazendeiros trabalhavam nos campos com arados puxados a cavalo e à mão. Um pôr do sol de setembro, nítido e muito colorido, iluminava os morros ondulados, ressaltando as torres das muitas igrejas recém-restauradas da Ucrânia. Cada hectare era cultivado, exceto duas faixas do terreno: um cemitério cheio de mato – um matagal impenetrável de moitas espinhentas – e a ravina da floresta que tínhamos ido ver.

Era possível descer ao fundo da ravina, mas a ideia não era convidativa. Passantes jogavam lixo ali, sacos plásticos, trapos, garrafas de bebida. Ou talvez as chuvas carregassem o lixo lá para dentro. Eu sabia que não era o único local na Ucrânia em que valas comuns do Holocausto, com os ossos e alguns pertences de vítimas judias, jaziam a poucos metros abaixo da superfície coberta de mato, garrafas e outros refugos. Fiquei parada ali. Meditei, rezei e pensei no que tinha acontecido ali, e no que teriam realizado aquelas crianças judias aterrorizadas, que soluçaram enquanto Erna Petri pegava a pistola, se estivessem vivas. Pelo visto, fiquei lá tempo demais. Um camponês ucraniano, com boné de lã, camisa de flanela, paletó puído e calça remendada, me abordou. Era hora de ir embora.

Em muitos aspectos, este livro fala de nosso fracasso em pensar no passado, não tanto como uma reconstrução histórica ou um conto moralista, mas como evidência de um problema recorrente, do qual todos nós partilhamos a responsabilidade. Quais são os pontos cegos e os tabus que persistem quando recontamos os eventos, nos relatos individuais, nas memórias e histórias nacionais? Por que a história continua a nos assombrar, afastados por várias gerações e muitos quilômetros, em lugares como Grzenda?

A professora Ingelene Ivens tentou seu próprio acerto com o passado. No início dos anos 1970 ela voltou à sua escola perto de Poznan, na Polônia. Curiosa, envolvida, nostálgica, ela queria saber o que tinha acontecido lá depois que ela partiu às pressas em 1943. Ela pensava frequentemente nos alunos olhando as fotos deles, uma foto era das crianças subindo numa macieira no playground. Eram crianças de etnia alemã da Romênia e da Ucrânia que ela deveria transformar em arianos civilizados. Nessa viagem de retorno, Ingelene soube que em janeiro de 1945 os homens do Exército Vermelho conquistador, talvez com auxílio dos poloneses locais, reuniram as crianças e outros alemães deixados para trás e, num ato brutal de vingança, mataram todos eles no pátio da escola. Ingelene chorou a morte das crianças e teve que lidar com sua própria atuação que levou ao trágico evento. Ela escreveu e publicou suas memórias dos tempos no Leste, mas omitiu partes de sua história, como a ida a um campo de trabalho judeu na Polônia. Quantas outras histórias foram deixadas de fora?

As secretárias e esposas que se tornaram matadoras, como Johanna Altvater em Volodymyr-Volynsky e Josefine Block em Drohobych, não podem ter sido tão raras quanto gostaríamos de pensar. Muitas vezes, dados específicos sobre quem perpetrou a violência nos guetos e locais de assassinato em massa no Leste ocupado pelos nazistas simplesmente não existem. Os alemães esconderam ou destruíram essas informações, e as testemunhas e sobreviventes dificilmente podiam identificar seus perseguidores pelo nome. O caçador de nazistas Simon Wiesenthal passou décadas perseguindo centenas de líderes, um esforço que está detalhado em sua correspondência particular no Simon Wiesenthal Archive. Nos anos 1960, um informante implorou a ele que investigasse um casal na Polônia, um guarda civil chamado Franz Bauer e sua esposa. Os dois e seu cão pastor alemão aterrorizavam os habitantes de Miedzyrzec-Podlaski, perto de Lublin. A testemunha declarou que a esposa de Bauer tomou parte pessoalmente no assassinato em massa de soviéticos prisioneiros de guerra. O comportamento dessa mulher foi alvo de muitas conversas entre os habitantes. Wiesenthal conseguiu descobrir que Franz Bauer tinha morrido em 1958, mas a esposa dele não foi encontrada. Talvez tenha se casado de novo e mudado de sobrenome. A esposa do comandante do campo de Jaktorow, perto de Lviv, também era famosa por seu pastor alemão. Ela mandava o cachorro atacar as crianças judias que trabalhavam no jardim do campo. O cachorro retalhava as crianças. Entrevistei uma sobrevivente desse campo que, quando menina, tinha a horrenda tarefa de recolher os membros das vítimas da esposa do comandante e seu cão.

Mesmo quando havia testemunhas oculares, muitas vezes não se conseguia rastrear os suspeitos após a guerra, e os depoimentos das vítimas apenas não eram evidências suficientemente fortes para montar um caso, especialmente em se tratando de mulheres suspeitas que não tinham um posto oficial no sistema. Tendo em vista o fato de que em lugares como a Ucrânia menos de 2% da população judaica sobreviveu à guerra, a existência de *qualquer* testemunha que nomeasse perpetradores alemães é, por si só, impressionante.

Mais uma vez, nenhuma mulher apresentada neste livro precisava matar. Recusar-se a matar judeus não resultava em punição. Porém, se alguém resolvesse *ajudar* as vítimas, o regime era inclemente. Mulheres de todas as idades e profissões não eram poupadas do terror dos tribunais especiais nazistas. A mulher alemã de um guarda florestal perto de Lviv ajudou refugiados judeus que tinham escapado das últimas deportações para os campos de extermínio e das liquidações de campos no outono de 1943. Por sua bravura, foi condenada à morte. O juiz argumentou que a ré tinha recebido uma educação antissemita apropriada em casa e que, sendo membro da comunidade alemã na Polônia ocupada, onde a política com relação aos judeus era "voz corrente nas ruas", ela sabia muito bem que não podia sabotá-la. Nos últimos meses da guerra, líderes alemães no Ministério da Justiça, as Forças Armadas, a SS e a polícia ordenaram que quem sabotasse o esforço de guerra poderia ser fuzilado no local. No próprio Reich, 10 mil alemães foram executados. Pelo menos 15 mil soldados alemães foram considerados desertores e fuzilados. Um empresário alemão mandado para a defesa civil de Danzig no começo de 1945 falou sobre as terríveis consequências dessa arbitrariedade da corte marcial: "As ruas de Danzig pareciam um deserto. Embora as autoridades emitissem um decreto após o outro de que ninguém podia abandonar o local de trabalho, quem conseguia, fugia. Ali onde a avenida se abre no Oliva Gate, soldados alemães foram enforcados como desertores, seis deles, entre eles uma jovem enfermeira."

Não sabemos o nome, e muito menos a biografia, dessa jovem enfermeira. As histórias de mulheres alemãs moralmente corajosas e desafiadoras são difíceis de descobrir. Os casos dessas mulheres, tachadas de criminosas pelos nazistas e consideradas traidoras por muitos alemães, não foram reabertos após a guerra.

Quando voltei para Munique, depois da viagem de pesquisa à antiga fazenda dos Petri na Ucrânia, entendi que esse percurso não era o fim da história. Soube que um dos meus entrevistados na Alemanha, Maria Seidenberger, tinha morrido e que não fora cúmplice nem perpetradora na máquina de destruição nazista. Durante a era nazista, a srta. Seidenberger e sua família moravam numa casa ao lado do perímetro do campo de concentração de Dachau. Quando ela e a mãe estavam na janela da cozinha, viram prisioneiros sendo levados para dentro do campo e ouviram tiros. Uns 4.500

prisioneiros de guerra soviéticos foram executados do lado de fora do muro do campo, perto do quintal dos Seidenberger. Maria ajudava os prisioneiros servindo de correio para o mundo exterior, enviando cartas para seus entes queridos, guardando seus pertences em esconderijos na casa e lhes dando comida. Em 2005, sessenta anos depois do fim da guerra, a cidade de Dachau deu a Maria Seidenberger um prêmio por sua coragem. Esse evento público foi um ponto alto em sua vida, mas não o suficiente para compensar os muitos anos de isolamento que ela viveu. Os vizinhos, e até os parentes, que não se comportaram tão admiravelmente durante a guerra viam Maria com suspeita.

Assim como as histórias de mulheres que foram testemunhas, cúmplices e perpetradoras apresentadas neste livro, a história de Maria Seidenberger *veio* à luz, mas só recentemente. Jamais saberemos tudo o que há por saber sobre o nazismo, a Segunda Guerra Mundial e o Holocausto. Nenhuma história particular pode contar tudo, e as peças que descobrimos talvez não se encaixem a contento. Mas a colagem de histórias e lembranças, de crueldade e coragem, ao mesmo tempo que continuam a testar nossa compreensão de história e de humanidade, nos ajudam a ver o que os seres humanos – não só os homens, mas as mulheres também – são capazes de aceitar e de fazer.

AGRADECIMENTOS

Não teria sido possível completar este estudo sem o generoso apoio de várias instituições, financiadores e colegas. A Sociedade Alemã de Amparo à Pesquisa (DFG) me contemplou com uma bolsa para escrever um livro de biografias na era dos extremos. Sou grata a essa sociedade e aos avaliadores que aprovaram minha solicitação. Durante minha estada como pesquisadora na Alemanha, tive o apoio do Departamento de História Moderna da Universidade Ludwig Maximilian, especialmente de Petra Thoma e dos professores Michael Brenner, Michael Geyer, Martin Schulze-Wessel, Margit Szollosi-Janze e Andreas Wirsching. Minha estada em Munique foi apoiada também pelo Museu Memorial do Holocausto dos Estados Unidos e por colegas que aceitaram minha proposta de coletar relatos orais de testemunhas alemãs. Enquanto terminava este livro, me filiei ao Departamento de História do Claremont McKenna College, e durante essa transição meus novos colegas me propiciaram o tempo e o apoio necessários para finalizar a edição e pesquisar fotos.

Pesquisar o Holocausto exige trabalhar em diversos arquivos da Europa, América do Norte e Israel. Embora a era digital tenha tornado mais fácil acessar o material, nós, acadêmicos, ainda confiamos em arquivistas e colegas da área para nos ajudar a encontrar o material, obter cópias e analisá-las.

Sou grata à equipe do Bundesarchiv em Ludwigsburg, Kirsten Goetze, Tobias Hermann e Abdullah Toptanci. No Museu Memorial do Holocausto, nos Estados Unidos, tive a assistência de Vadim Altskan, Michlean Amir, Susan Bachrach, Judy Cohen, Bill Connolly, Michael Gelb, Neal

Guthrie, Dieter Kuntz, Jan Lambertz, Steve Luckert, Jacek Nowakowski, Paul Shapiro, Caroline Waddell e Leah Wolfson. Minha descoberta do caso Petri ocorreu no verão de 2005, quando eu participava do workshop da pesquisa do Centro de Estudos Avançados do Holocausto sobre punição de perpetradores em julgamentos de crimes de guerra. No verão de 2010, tive outra grata surpresa, essa no Yad Vashem, onde eu participava de um workshop de verão sobre violência contra populações. Colegas do workshop, inclusive Rebecca Carter-Chand, David Cesarani, Wolf Gruner e Alexander Prusin, e estudiosos dos arquivos e do instituto de pesquisa, inclusive Hari Drefus, Bella Guterman, Dan Michman, Elliot Orvieto, Naama Shik, David Silberklang e Dan Uziel, cederam material e fizeram valiosos comentários. Além disso, o Yad Vashem providenciou meu encontro com a correspondente do *New York Times* Isabel Kershner, que publicou um artigo sobre minha pesquisa. Nancy Toff, da Oxford University Press, participou dos primeiros desenvolvimentos do meu manuscrito, e Lisbeth Cohen, da Universidade de Harvard, estimulou-me a escrever um estudo que atingisse um público maior, e me pôs em contato com Geri Thoma. Em Paris, tive apoio do Yahad in Unum; agradeço ao padre Patrick Desbois e à sua equipe por me darem acesso aos seus achados. No Arquivo Visual de História da Fundação Shoah da USC, Crispin Brooks e Ita Gordon identificaram materiais relevantes. No Museu do Holocausto de Los Angeles, Vladimir Melamed me ajudou a pesquisar a coleção, um tesouro pouco conhecido, muito valioso para os estudiosos. Mike Constady, do Grupo de Pesquisa Westmoreland, atendeu prontamente aos meus numerosos pedidos de material no Arquivo Nacional dos Estados Unidos. Dr. Walter Rummel, do Arquivo Speyer, ajudou-me a obter fotografias raras.

Vários colegas me deram acesso a suas pesquisas, dispondo-se a me enviar materiais e a fazer sugestões sobre onde procurar. Dentre eles estão Andrej Angrick, Omer Bartov, Waitman Beorn, Ray Brandon, Martin Dean, Robert Ehrenreich, Christian Gerlach, Stephen Lehnstaedt, Jürgen Matthäus, Jared McBride, Marie Moutier, Dieter Pohl e Eric Steinhart. Foram muito proveitosas as conversas com Kimberly Allar, Betsy Anthony, Tracy Brown, Joyce Chernick, Marion Deshmukh, Deborah Dwork, Mary Fulbrook, Alexandra Garbarini, Ann Hajkova, Susannah Heschel, Marion Kaplan, Jeffrey Koerber, Deborah Lipstadt, Dalia Ofer, Katrin Paehler, John Roth, Corrine Unger e James Waller. Timothy Snyder introduziu o termo "terras de sangue" em seu marcante livro sobre o Leste nazista. Participantes do seminário Soros ReSet, em Kiev e Odessa, também foram de grande ajuda: Anna Bazhenova, Olena Bettlie, Alexei Bratochkin, Oksana Dudko, Diana Dumitru, Anastias Felcher, John-Paul Himka, Georgiy Kasianov, Alexandr Marinchenko, Alexei Miller, Oleksandr Nadtoka, Irina Sklokina, Octavian Tacu e Oksana Vynnyk. Tive a oportunidade de apresentar meus achados num workshop na Universidade da Carolina do Norte, onde Christopher Browning, Karen Hagemann, Claudia Koonz, Michale Meng, Karl Schleunes e Gerhard e Janet Weinberg me hospedaram amavelmente e me deram sugestões valiosas.

Este livro não teria acontecido sem o apoio de minha agente, Geri Thoma, da Writers House. Ela me aconselhou na preparação de minha proposta e fez com que a proposta caísse nas mãos certas na Houghton Mifflin Harcourt. Foi uma honra e um prazer colaborar com Deanne Urmy, excelente editora executiva e pessoa maravilhosa que encaminhou o manuscrito com diligência e carinho. O entusiasmo e dedicação de Debbie Engel nessa pesquisa asseguraram que o livro atingisse um público internacional. Katya Rice editou zelosamente o manuscrito. Os historiadores Richard Breitman e Atina Grossmann leram todo o manuscrito final, apontando erros e problemas que somente especialistas poderiam detectar. Sua erudição me inspira e sou agradecida por sua incansável orientação e trabalho.

Acima de tudo, sou grata pela tolerância de minha família e meus amigos, que muito conviveram com esta pesquisa, e não por escolha deles. Este livro é dedicado a minhas avós, minha mãe, minhas irmãs, mas quero agradecer também a meu pai, James Lower, meu irmão, Joshua Lower, meu marido, Christof Mauch, meus filhos, Ian Maxwell Mauch e Alexander Morgan Mauch, e a minhas outras irmãs, Millie Gonzalez, Sally George, Susan Hercher, Sylvia Szeker e Valerie Henry por me manterem ancorada no presente e levantarem meu ânimo com seu amor e bom humor.

Foi possível apresentar certas mulheres neste estudo porque elas ou suas famílias responderam aos meus questionários e me receberam amavelmente em casa. Os Petri, os Schücking-Homeyer, Ingelene Ivens Rodewald, Renate Summ Sarkar e a falecida Maria Seidenberger me confidenciaram suas histórias. Fiz o melhor possível para apresentar seus relatos com a compreensão que elas esperam e a integridade e compaixão que as vítimas do Holocausto merecem.

NOTAS

ARQUIVOS

Alemanha

BAB   Bundesarchiv (Arquivo Federal), Berlim
BAK   Bundesarchiv (Arquivo Federal), Koblenz
BAL   Bundesarchiv (Arquivo Federal), Ludwigsburg
BSL   Bavarian State Library, Munique
ICH   Institute of Contemporary Story, Munique
ITS   International Tracing Service, Bad Arolsen
LAS   Landesarchiv Speyer, Speyer
MCA   Munich City Archive, Munique

Áustria

SWA   Simon Wiesenthal's Office Archive, Vienna Wiesenthal Institute for Holocaust Studies, Viena
VCA   Vienna City and State Archive, Viena

Ucrânia

CSA   Central State Archives of Civic Organizations of Ukraine, Kiev
ZSA   State Archives, Zhytomyr

Estados Unidos

BDC   Berlin Document Center Collection, NARA, Washington, D.C.
IMT   International Military Tribunal at Nuremberg, NARA, Washington, D.C.
NARA U.S. National Archives Record Administration, Washington, D.C.

SFA   Shoah Foundation Visual History Archive, University of Southern California, Los Angeles

USHMMA U.S. Holocaust Memorial Museum Archives, Washington, D.C.

França

Yahad   Yahad in Unum Collection, Paris

Israel

YVA   Yad Vashem Archive, Jerusalém

Página

INTRODUÇÃO

15   "apenas uns judeus...": Elisabeth H., Neustadt, 11 de agosto de 1977, BAL, 76-K 41676-Koe.

15   estudos de historiadoras pioneiras: Theresa Wobbe, ed., *Nach Osten: Verdeckte Spuren nationalsozialistischer Verbrechen* (Verlag Neue Kritik, 1992); Gudrun Schwarz, *Eine Frau an seiner Seite: Ehefrauen in der "SS-Sippengemeinschaft"* (Hamburger Edition, 1997); Elizabeth Harvey, *Women and the Nazi East: Agents and Witnesses of Germanization* (Yale University Press, 2003); Susannah Heschel, "Does Atrocity Have a Gender? Feminist Interpretations of Women in the SS", in Jeffrey Diefendorf, ed., *Lessons and Legacies*, vol. 6, *New Currents in Holocaust Research* (Northwestern University Press, 2004), pp. 300-21.

17   "Nosso povo que imigrou...": Christa Schroeder, *He Was My Chief: The Memoirs of Adolf Hitler's Secretary* (Frontline Books, 2009), pp. 99, 114-15. A edição alemã foi lançada em 1985.

18   reconheciam seu papel imperial: Lora Wildenthal, *German Women for Empire, 1884-1945* (Duke University Press, 2001). Para a história pré-nazista relacionada, ver também Katharina Walgenbach, *Die weisse Frau als Trägerin deutscher Kultur: Koloniale Diskurse über Geschlecht, "Rasse" und Klasse im Kaiserreich* (Campus Verlag, 2005). Sobre a integração de mulheres aristocratas em projetos imperiais, ver a biografia de Hildegard von Rheden, chefe do Departamento de Trabalho Ideológico do Escritório Central do Reich Nährstandes, e ativa na Cruz Vermelha; ver também encontro de Von Rheden com Himmler, 17 de junho de 1941, em Landesbauerführerin, in Peter Witte et al., eds., *Der Dienstkalender Heinrich Himmler 1941/42* (Christians Verlag, 1999).

18   As Mulheres do Nazismo: Rosemarie Killius, ed., *Frauen für die Front: Gespräche mit Wehrmachtshelferinnen* (Militzke Verlag, 2003), pp. 69-70, e Franka Maubach, "Expansionen weiblicher Hilfe: Zur Erfahrungsgeschichte von Frauen im Kriegdienst", in

Sybille Steinbacher, ed., *Volksgenossinnen: Frauen in der NS-Volksgemeinschaft* (Wallstein Verlag, 2007), pp. 93-4. As mulheres eram enviadas para fazer treinamento policial em Erfurt, e as formadas nessa escola podiam fazer treinamento da SS na Alsácia no começo de 1945. Ver Gudrun Schwarz, "Verdrängte Täterinnen: Frauen im Apparat der SS, 1939-1945", in Theresa Wobbe, ed., *Nach Osten: Verdeckte Spuren nationalsozialistischer Verbrechen* (Verlag Neue Kritik, 1992), p. 210.

20 servindo lanches: Num depoimento especialmente revelador, uma cozinheira de etnia alemã de Lida disse ter sido encarregada das refeições dos policiais locais. Um dia o capitão da guarda civil alemã pediu que ela preparasse rapidamente refeições para cem pessoas que chegariam no dia seguinte para uma ação especial. Eles comeram nas primeiras horas da madrugada e partiram ainda no escuro; poucas horas depois, começou o tiroteio. Trabalhando em turnos, os executores, que ela descreveu como oficiais alemães da SS, e auxiliares lituanos de farda verde-acinzentada, voltavam lá para comer com regularidade. Isso acontecia depois da meia-noite e entrava pelo dia seguinte. Auxiliares locais contaram a ela detalhes horríveis do local de execução, inclusive que jogavam bebês para o alto e enterravam pessoas que ainda estavam vivas. Ela recordou o espancamento de uma mulher judia na rua em frente ao escritório da guarda civil e perseguição a judeus que tinham trabalhado naquele escritório, caçados por executores da SS e seus auxiliares. Maria Koschinska Sprenger, 20 de abril de 1966, BAL, 162/3446.

20 Gertrud Scholtz-Klink: Scholtz-Klink liderou a Liga de Mulheres Nazistas e muitíssimas outras organizações. Como a "Frau do Volk", ela pregava uma nova fase do feminismo que era antifeminista. Coerente, ela teve 11 filhos e se casou três vezes. Pregava uma vida de pureza, parcimônia e disciplina, mas levava uma vida de devassidão e infidelidade. Segundo Claudia Koonz, que pesquisou sua vida e a entrevistou, Scholtz-Klink era ambiciosa, porém fraca. Ver Koonz, *Mothers in Fatherland: Women, the Family, and Nazi Politics* (St. Martin's Press, 1988), p. 6. Ver também o relato de Scholtz-Klink sobre si mesma, *Die Frau im Dritten Reich* (Grabert, 1978).

21 nos campos de morte: Minha escolha do termo *campos de morte* é deliberada. Embora o terror do Khmer Vermelho tenha surgido muito depois – três décadas após a Segunda Guerra Mundial –, esse caso de genocídio atraiu a atenção popular para métodos não industrializados de assassinato em massa, historicamente mais comuns, e para o papel das mulheres do Khmer como revolucionárias e matadoras. Ver Ben Kiernan, *The Pol Pot Regime: Race, Power, and Genocide in Cambodia under the Khmer Rouge, 1975-1979*, 3ª ed. (Yale University Press, 2008). Como exemplo da visão de que os dois casos foram muito diferentes, supondo que o caso alemão envolveu poucos milhares de guardas de campo, em comparação com a ampla participação de mulheres no Khmer Vermelho, ver Roger W. Smith "Perpetrators", in *Encyclopedia of Genocide and Crimes against Humanity* (Macmillan, 2004).

22 não falava abertamente: Ursula Mahlendorf, *The Shame of Survival: Working through a Nazi Childhood* (Penn State University Press, 2009).

22 Tinham rações fartas: Sobre a excessiva pilhagem das mulheres, ver o relatório (*Schenk Bericht*) do comandante da Polícia de Segurança e do Serviço de Segurança do Distrito da Galícia, Verhalten der Reichsdeutschen in den besetzten Gebieten, 14 de maio de 1943. O relatório completo está em ITS; estão faltando várias páginas do exemplar em BAK, R58/1002. Ver também Martin Dean, *Robbing the Jews: The Confiscation of Jewish Property in the Holocaust, 1933-1945* (Cambridge University Press, 2008).

23 Essa imagem complacente: Margarete Dörr, *"Wer die Zeit nicht miterlebt hat...": Frauenerfahrungen im Zweiten Weltkrieg und in den Jahren danach*, vol. 2, *Kriegsalltag* (Campus Verlag, 1998), p. 109. Relatos de mulheres sobre os escombros contribuíram para essa narrativa de vitimização; ver Antonia Meiners, ed., *Wir haben wieder aufgebaut: Frauen der Stunde null erzählen* (Sandmann, 2011).

23 "dotada de inocência...": Ann Taylor Allen, "The Holocaust and the Modernization of Gender: A Historiographical Essay", *Central European History 30* (1997), pp. 349-64 (ver p. 351). As mulheres são analisadas só de passagem em Gerhard Paul, ed., *Die Täter der Shoah: Fanatische Nationalsozialisten oder ganz normale Deutsche?* (Wallstein Verlag, 2002).

24 atuação das mulheres nos crimes: In Karen Hagemann e Jean H. Quataert, eds., *Gendering Modern German History: Rewriting Historiography* (Berghahn, 2007), ver Karen Hagemann, "Military, War, and the Mainstreams: Gendering Modern German Military History", especialmente pp. 70-5, e a excelente resenha da literatura por Claudia Koonz, "A Tributary and a Mainstream: Gender, Public Memory, and Historiography of Nazi Germany", pp. 147-68.

24 maquinaria genocida do regime: Raul Hilberg, *Perpetrators, Victims, Bystanders: The Jewish Catastrophe, 1933-1945* (HarperCollins, 1992), p. 53.

24 Uma detetive-chefe: Ela era a única chefe de sessão no Escritório Central de Segurança do Reich (Reichssicherheitshauptamt, ou RSHA). Havia 71 oficiais mulheres graduadas na Polícia Criminal (Kriminalpolizei, ou Kripo), trabalhando em 61 escritórios em maio de 1943. Ver Michael Wildt, *An Uncompromising Generation: The Nazi Leadership of the Reich Security Main Office* (University of Wisconsin Press, 2009), pp. 177-78, 482, nº 35.

25 Há diferenças significativas: Ver Henry Greenspan, *On Listening to Holocaust Survivors: Recounting and Life History* (Praeger, 1998); Christopher Browning, *Collected Memories: Holocaust History and Postwar Testimony* (University of Wisconsin Press, 2003); Harald Welzer, *"Opa war kein Nazi": Nationalsozialismus und Holocaust im Familiengedächtnis* (Fischer Verlag, 2002); e Dörr, *"Wer die Zeit nicht miterlebt hat..."*.

CAPÍTULO 1
A GERAÇÃO PERDIDA DE MULHERES ALEMÃS

27 Os homens e mulheres que fundaram: Ver Ernest M. Doblin e Claire Pohly, "The Social Composition of the Nazi Leadership", *American Journal of Sociology 51*, nº 1 (1945), pp. 42-9; Michael Mann, "Were the Perpetrators of Genocide 'Ordinary Men' or 'Real Nazis'? Results from Fifteen Hundred Biographies", *Holocaust and Genocide Studies 14* (inverno de 2000), pp. 331-66; e Daniel Brown, *The Camp Women: The Female Auxiliaries Who Assisted the SS in Running the Nazi Concentration Camp System* (Schiffer, 2002), sobretudo o prefácio de John Roth, pp. 6-7.

27 Um historiador: Michael Wildt, *An Uncompromising Generation: The Nazi Leadership of the Reich Security Main Office* (University of Wisconsin Press, 2009).

28 bebês da Primeira Guerra Mundial: Entre 1914 e 1964, o maior número de nascimentos ocorreu nos anos 1920-1922. Durante a Primeira Guerra Mundial a taxa de nascimentos despencou para 14,3 por 1.000 em 1918, depois disparou, em 1920, para 25,8, e tornou a cair com a Depressão de 1930 para 17,5. Essa tendência demográfica, embora comum na Europa, foi extrema na Alemanha e uma das causas da virada antifeminista, que tentava levar as mulheres de volta ao lar e controlava a contracepção e o aborto, enquanto elevava o status social das mães. Ver Michelle Mouton, *From Nurturing the Nation to Purifying the Volk: Weimar and Nazi Family Policy, 1918-1945* (Cambridge University Press, 2007), pp. 108, 272-82. O maior número de casamentos na Alemanha entre 1908 e 1964 ocorreu em 1919-1920. Ver Elizabeth D. Heineman, *What Difference Does a Husband Make? Women and Marital Status in Nazi and Postwar Germany* (University of California Press, 1999). Apêndice A.

28 A República de Weimar viu uma explosão: Por exemplo, o Partido Nacional do Povo Alemão, o Partido do Povo Socialista Cristão, o Partido do Povo Alemão, o Partido Nacional Cristão dos Fazendeiros e Ruralistas e o Partido do Povo Bávaro. Ver Larry Eugene Jones e James Retallack, eds., *Elections, Mass Politics and Social Change in Modern Germany* (Cambridge University Press, 1992); George L. Mosse, *The Crisis of German Ideology: Intellectual Origins of the Third Reich* (Grosset & Dunlap, 1964); e Mosse, *Toward the Final Solution: A History of European Racism* (Howard Fertig, 1997).

29 Faltava ao feminismo: Ute Frevert, *Women in Germany History: From Bourgeois Emancipation to Sexual Liberation* (Berg, 1989).

30 usando um avental imaculado: Ver Nancy R. Reagin, *Sweeping the German Nation: Domesticity and National Identity in Germany, 1870-1945* (Cambridge University Press, 2006), pp. 61-9, 97-101; e Renate Bridenthal, Atina Grossmann e Marion Kaplan, eds., *When Biology Became Destiny: Women in Weimar and Nazi Germany* (Monthly Review Press, 1984), p. xiii.

31 extrema adesão das mulheres à ala direitista: Eva Schöck-Quinteros e Christiane Streubel, eds., "*Ihrem Volk verantwortlich*": *Frauen der politischen Rechten (1890-1933); Organisationen – Agitationen – Ideologien* (Trafo Verlag, 2007).

32 "As mulheres não podiam deixar...": Erna Günther, "Wir Frauen im Kampf um Deutschlands Erneuerung", *NS-Frauen-Warte* 2, nº 17 (25 fev. 1934), p. 507. Arquivo Alemão de Propaganda, http://www.calvin.edu/academic/cas/gpa/fw2-17.htm.

32 as mulheres não podem ser culpadas: As mulheres não foram a maioria dos eleitores de Hitler, mesmo no pico de popularidade do partido em 1932. Na eleição presidencial de março de 1932, 51,6% das mulheres votaram em Hindenburg e 26,5% em Hitler. Nas eleições de setembro de 1931, 3 milhões de mulheres votaram em candidatos do NSDAP, quase a metade do total de 6,5 milhões de votos conseguidos pelo NSDAP. A maioria das mulheres votou nos partidos conservadores. Ver Richard Evans, "German Women and the Triumph of Hitler", *Journal of Modern History 48* (março de 1976), pp. 156-57. Entretanto, as variações regionais foram significativas e a religião teve peso – por exemplo, eleitoras do Partido Católico do Centro (Amalie Lauer) e esquerdistas do SPD e do Partido Comunista (Clara Zetkin) se opunham ao fascismo de Hitler. Dentre as líderes mais liberal-conservadoras que orientaram as mulheres contra o partido Nazista estava a jurista Elisabeth Schwarzhaupt, in "Was hat die deutsche Frau vom Nationalsozialismus zu erwarten?", que veio a público em 1932 em Berlim, citada por Annette Kuhn e Valentine Rothe, *Frauen im deutschen Faschismus,* vol. I (Schwann, 1982), pp. 80-3. Ver também Michael Kater, *The Nazi Party: A Social Profile of Members and Leaders* (Harvard University Press, 1983), e Raffael Scheck, "Women on the Weimar Right: The Role of Female Politicians in the Deutschnationale Volkspartei", *Journal of Contemporary History 36*, nº 4 (2001), pp. 547-60.

32 Tão logo assumiu, Hitler: A história começou em 1933, com a dissolução da maior organização feminina, a Associação de Mulheres Alemãs (BdF). À medida que as profissões e os grupos femininos tradicionais foram sendo dominados por nazistas fanáticas, as mulheres judias foram sendo expulsas. Ver Bridenthal, Grossmann e Kaplan, *When Biology Became Destiny*, pp. 21-2.

32 estavam entre as pessoas perseguidas: Sibyl Milton, "Women and the Holocaust: The Case of German and German-Jewish Women", in Bridenthal, Grossmann e Kaplan, *When Biology Became Destiny*, pp. 298, 300, 305. Havia cerca de 150 mil comunistas em campos de concentração nazistas entre 1933 e 1939, e 30 mil foram executados. Mais tarde as prisioneiras foram transferidas para Lichtenburg e depois para Ravensbrück. Dentre as presas nos primeiros campos, em Gotteszell e depois Lichtenburg, estava a comunista Lina Haag.

33 "cuidadosamente e sem ruído": Memórias de Lina Haag de 1947, *Eine Hand voll Staub – Widerstand einer Frau 1933 bis 1945* (Fischer Verlag), 1995, pp. 10, 53.

33 "Quando você partir...": Barbara Distel, "In the Shadow of Heroes: Struggle and Survival of Centa Beimler-Herka and Lina Haag", in Wolfgang Benz e Barbara Distel, eds., *Dachau Review: History of Nazi Concentration Camps; Studies, Reports, Documents,* vol. 1 (Berg, 1988), p. 201; ver também entrevista da autora com Lina Haag e o dr. Boris Neusius, 9 de fevereiro de 2012, Munique (entrevista disponível em USHMMA).

33 O aumento de prisioneiras: Relatórios sobre o pessoal dos campos de concentração de janeiro de 1945, listando 3.508 guardas femininas, citado por Karin Orth, "The Concentration Camp Personnel", in Jane Caplan e Nikolaus Wachsmann, eds., *Concentration Camps in Nazi Germany: The New Histories* (Routledge, 2010), p. 45. O número total de mulheres que serviram no sistema prisional (não nos campos) é desconhecido. Para perfis de guardas femininas, ver Luise Rinser, *Gefängnistagebuch (1944-1945)*, trechos citados em Kerrin Gräfin Schwerin, ed., *Frauen im Krieg: Briefe, Dokumente, Aufzeichnungen* (Nicolai Verlag, 1999), pp. 117-24. Sobre Stutthoff, onde havia 30 mil prisioneiros, ver Rita Malcher, "Das Konzentrationslager Stutthof", in Theresa Wobbe, ed., *Nach Osten: Verdeckte Spuren nationalsozialistischer Verbrechen* (Verlag Neue Kritik, 1992), pp. 161-74. Ver também Elissa Mailänder Koslov, *Gewalt im Dienstalltag: Die SS-Aufseherinnen des Konzentrations und Vernichtungslagers Majdanek, 1942-1944* (Hamburg Institute for Social Research, 2009); Brown, *The Camp Women*; e Jürgen Matthäus, ed., *Approaching an Auschwitz Survivor: Holocaust Testimony and Its Transformations* (Oxford University Press, 2009).

34 As guardas do campo de Neuengamme: Ver Marc Buggeln, *Arbeit und Gewalt: Das Aussenlagersystem des KZ Neuengamme* (Wallstein Verlag, 2009). Em janeiro de 1945 havia 322 guardas femininas em Neuengamme.

34 quando os vizinhos se prestam: Sobre o autopoliciamento na sociedade alemã, ver Robert Gellately, *The Gestapo and German Society: Enforcing Racial Policy, 1933-1945* (Oxford University Press, 1991).

34 "O que o homem oferece em heroísmo...": Trecho retirado de Benjamin Sax e Dieter Kunz, eds., *Inside Hitler's Germany: A Documentary History of Life in the Third Reich* (D. C. Heath, 1992), pp. 262-63.

34 "já que arrasta a mulher...": Hitler citado em George L. Mosse, ed., *Nazi Culture: Intellectual, Cultural, and Social Life in the Third Reich* (Grosset & Dunlap, 1966), p. 39.

35 "Consequentemente, todas as possibilidades...": Rosenberg citado em Mosse, *Nazi Culture*, p. 40.

35 Na batalha do Reich por nascimentos: Ver Gisela Bock, "Ordinary Women in Nazi Germany: Perpetrators, Victims, Followers, and Bystanders", in Dalia Ofer e Lenore

Weitzman, eds., *Women in the Holocaust* (Yale University Press, 1999). Ver também as diretrizes para concepção, gravidez, parto e parteiras num manual da época (reeditado no período imediatamente pós-guerra) por Frau Dr. Johanna Haarer, *Die deutsche Mutter und ihr erstes Kind* (J. F. Lehmanns Verlag, 1938). Todas as candidatas a casamento tinham que se submeter a exames médicos invasivos e eram avaliadas por supostas doenças hereditárias, que incluíam prostituição, jogatina e vadiagem. Ver "Richtlinien für die ärztliche Untersuchung der Ehestandsbewerber vom 3.1.1939", trechos citados em Kuhn e Rothe, *Frauen im deutschen Faschismus*, vol. 1, p. 95; e "Die geschichtliche Entwicklung der deutschen Schwesternschaften", in *Lehrbuch für Säuglings- und Kinderschwestern* (Stuttgart, 1944), p. 11.

35 historiadora Gisela Bock: Bock, "Ordinary Women in Nazi Germany", p. 87.

36 "incrivelmente autoritária": Dagmar Reese, *Growing Up Female in Nazi Germany*, trad. William Templer (University of Michigan Press, 2006), p. 148. Ver também Michael Kater, *Hitler Youth* (Harvard University Press, 2004), pp. 100-103.

36 "emancipar a mulher...": Alfred Rosenberg, citado em Frevert, *Woman in German History*, p. 207. Ver também Matthew S. Seligmann, John Davison e John McDonald, *Daily Life in Hitler's Germany* (St. Martin's Press, 2003), p. 75; Kirsten Heinsohn, Barbara Vogel e Ulrike Weckel, eds., *Zwischen Karriere und Verfolgung: Handlungsräume von Frauen im nationalsozialistischen Deutschland* (Campus Verlag, 1997), p. 7, e Bock, "Ordinary Women in Nazi Germany", p. 93.

37 sua própria estética feminina: Mosse, *Nazi Culture*, p. 21; e Irene Guenther, *Nazi Chic? Fashioning Women in the Third Reich* (Berg, 2004), pp. 83-5, 92, 106-108.

38 noção ambiciosa: Sobre o apelo de "ser alguém", Ulrike Gaida, *Zwischen Pflegen und Töten: Krankenschwestern im Naionalsozialismus* (Mabuse Verlag, 2006), pp. 7-8.

39 Na escola secundária: Lisa Pine, *Education in Nazi Germany* (Berg, 2011), pp. 57-8.

40 Num desfile de carnaval: Jürgen Matthäus, "Antisemitic Symbolism in Early Nazi Germany, 1933-1935", *Leo Baeck Institute Yearbook* 45 (2000), pp. 183-203.

40 tanto nas ruas como nas escolas: Os judeus foram proibidos de frequentar as escolas públicas alemãs em novembro de 1938. Henny Adler, entrevista 10.481; Susi Podgurski, entrevista 5.368, ambas em SFA. Obrigada a Danielle Knott pelas fontes das entrevistas.

40 "... não pode revidar": Marion A. Kaplan, *Between Dignity and Despair: Jewish Life in Nazi Germany* (Oxford University Press, 1999), p. 108.

40 O historiador Richard Evans: Richard Evans, *The Third Reich in Power* (Penguin, 2006), pp. 584-86; o número estimado de mortes está na p. 590.

40 "a Noite dos Cristais": Alan E. Steinweis, *Kristallnacht 1938* (Harvard University Press, 2009); Beate Meyer, Hermann Simon e Chana Schütz, eds., *Jews in Nazi Berlin: From Kristallnacht to Liberation* (University of Chicago Press, 2009); e Thomas Kühne, *Belonging and Genocide: Hitler's Community, 1918-1945* (Yale University Press, 2010), pp. 38-40.

40 "Os judeus são os inimigos...": Evans, *The Third Reich in Power*, pp. 587.

41 gerentes judeus foram dispensados: Evans, *The Third Reich in Power*, pp. 378-88.

41 integrava as mulheres numa sociedade marcial: Kaplan, *Between Dignity and Despair*. Sobre o treinamento de meninas com exercícios de estilo militar, ver Reese, *Growing Up Female in Nazi Germany*, p. 4. Sobre militarismo alemão e "soluções finais", ver Isabel V. Hull, *Absolute Destruction: Military Culture and Practices of War in Imperial Germany* (Cornell University Press, 2005), e sobre militarismo de mulheres no Exército Vermelho, ver Anna Krylova, *Soviet Women in Combat: A History of Violence on the Eastern Front* (Cambridge University Press, 2011). As alemãs foram levadas a combater por necessidade, nos últimos estágios da guerra, mas já faziam parte da cultura marcial e tinham treinamento físico.

42 não era necessário às futuras mães: Sobre o Estado racial e o papel da mulher, ver Michael Burleigh e Wolfgang Wippermann, *The Racial State: Germany, 1933-1945* (Cambridge University Press, 1991), e Evans, *The Third Reich in Power*, pp. 331-523.

42 "Em meu país, a mãe...": Citado em Frevert, *Women in Germany History*, p. 207. Ver também Christina Thürmer-Rohr, "Frauen als Täterinnen und Mittäterinnen im NS-Deutschland", in Viola Schubert-Lehnhardt e Sylvia Korch, eds., *Frauen als Täterinnen und Mittäterinnen im Nationalsozialismus: Gestaltungsspielräume und Handlungsmöglichkeiten* (Universität Halle-Wittenberg, 2006), p. 22.

42 não alcançavam os resultados esperados: 1939 foi uma exceção, quando a taxa de casamentos deu um salto, mas entre 1933 e 1945, a taxa de nascimentos não era muito mais alta do que nos anos 1920, e nos anos de guerra (1940-1945) foi significativamente mais baixa. Ver Jill Stephenson, *Women in Nazi Germany* (Longman, 2001), pp. 24, 31-5, e Frevert, *Women in German History*, pp. 218-19.

42 "todo mundo precisava ter uma profissão...": Reese, citando uma entrevistada nascida em Minden em 1921, *Growing Up Female in Nazi Germany*, p. 126.

42 Contudo, não seria correto: Além de trabalhar numa fazenda, ainda era possível escolher uma função específica para cumprir o dever laboral, e para as mulheres isso geralmente significava "trabalho administrativo, enfermagem, bem-estar social, transporte público [e] trabalho com equipamentos militares" (Stephenson, *Wwomen in Nazi Germany*, p. 81). O serviço obrigatório de mulheres solteiras se expandiu durante o Plano de Quatro Anos, mas como elas preferiam trabalhar em escritórios e no comércio va-

rejista, Goering as obrigou a prestar pelo menos um ano de serviço como empregadas domésticas e na agricultura, onde havia escassez de mão de obra. Ver decreto de Goering de 15 de fevereiro de 1938, e Elisabeth Sedlmayr, *Frauenberufe der Gegenwart und ihre Verflechtung in den Volkskörper* (Munique, 1939), com excertos em Kuhn e Rothe, *Frauen im deutschen Faschismus*, vol. 1, pp. 125-26.

CAPÍTULO 2
O LESTE PRECISA DE VOCÊ

44 "Assim como nossos ancestrais...": Adolf Hitler, *Mein Kampf*, trad. Ralph Manheim (Houghton Mifflin, 2001; publ. orig. 1943), pp. 653-54. Segundo o relato de Albert Speer, Hitler declarou também que a perda de algumas centenas de milhares de alemães no campo de batalha não era relevante, pois essas perdas seriam facilmente repostas em dois ou três anos. Albert Speer, *Spandau: The Secret Diaries* (Macmillan, 1976).

45 "O colonizador alemão..." Monólogos de 8-10 de setembro de 1941, Adolf Hitler, *Table Talk, 1941-1944* (Enigma Books, 2008), p. 24.

45 "essência da pureza do sangue": Lisa Pine, *Education in Nazi Germany* (Berg, 2011), p. 56.

45 um romance bestseller: Woodruff Smith, "The Colonial Novel as Political Propaganda: Hans Grimm's *Volk ohne Raum*", *German Studies Review 6*, nº 2 (maio de 1983), pp. 215-35.

46 "Ao vento leste...": Versos in *Wir Mädel singen*, edição de 1938 do álbum de canções da BdM, citado in Michael Kater, *Hitler Youth* (Harvard University Press, 2004), pp. 102-103.

46 uma grande exposição em Berlim: *Das Sowjet-Paradies: Ausstellung der Reichspropagandaleitung der NSDAP; Ein Bericht in Wort und Bild* (Berlim: Zentralverlag der NSDAP, 1942; excerto em www.calvin.edu). Em 18 de maio de 1942, um grupo de resistentes esquerdistas, inclusive Herbert Baum e quatro outros judeus, jogaram bombas na exposição. Goebbels, a SS e a polícia retaliaram com a prisão de 500 judeus e suas famílias, 250 homens foram fuzilados imediatamente, e os outros foram mandados para campos de concentração. O evento é descrito nos diários de Goebbels e de Victor Klemperer. Ver Regina Scheer, *Im Schatten der Sterne: Eine jüdische Widerstandsgruppe* (Aufbau Verlag, 2004).

46 "a expansão para o Leste...": Elizabeth Harvey, *Women in the Nazi East: Agents and Witnesses of Germanization* (Yale University Press, 2003), p. 92. Ver também Nicholas Stargardt, *Witnesses of War: Children's Lives under the Nazis* (Random House, 2005), p. 120; e as memórias de Hildegard Fritsch, *Land, mein Land: Bauerntum und Landdienst, BDM-Osteinsatz, Siedlungsgeschichte im Osten* (Schütz, 1986).

47 Na imaginação nazista: Wendy Lower, "Living Space", in Peter Hayes e John K. Roth, eds., *The Oxford Handbook of Holocaust Studies* (Oxford University Press, 2011), pp. 310-25; Carroll P. Kakel III, *The American West and the Nazi East: A Comparative and Interpretive Perspective* (Palgrave Macmillan, 2011), p. 1; Hitler, *Table Talk*; Götz Aly, *Hitlers Volkstaat: Raub, Rassenkrieg und Naionalsozialismus* (Fischer Verlag, 2005), pp. 230-44; Johnpeter Horst Grill e Robert L. Jenkins, "The Nazis and the American South in the 1930s: "A Mirror Image?", *Journal of Southern History* 58, nº 4 (1992), pp. 667-94, e Gert Gröning e Joachim Wolschke-Bulmahn, *Der Drang nach Osten: Zur Entwicklung der Landespflege im Nationalsozialismus und während des 2. Weltkrieges in den eingegliederten Ostgebieten* (Minerva, 1987), p. 132.

47 em vagões de trem: Para fotos de *Volksdeutsche* Volhynian migrando em vagões fechados, ver Maximillian du Prel, ed., *Das deutsche Generalgouvernement Polen: Ein Überblick über Gebiet, Gestaltung und Geschichte* (Buchverlag Ost Krakau, 1940).

48 "as camadas profundas...": Siegfried Kracauer, *From Caligari to Hitler: A Psychological History of the German Film* (Princeton University Press, 1947; reeditado em 2004), p. 6. Ver também Eric Rentschler, *Ministry of Illusion: Nazi Cinema and Its Afterlife* (Harvard University Press, 1996).

48 campanha de sequestros: Discurso de Himmler em Hegewald, 16 de setembro de 1942, NARA, Record Group 242, T175, R90. O Serviço Internacional de Rastreamento ainda está reunindo famílias: http://www.its-arolsen.org/en/archives/collection/organisation/child-tracing-service/index.html. Durante a guerra, as crianças eram exploradas como mão de obra e submetidas a experimentos médicos. Karoline Diehl e seu marido, o médico da SS Sigmund Rascher (amigo íntimo de Himmler, conhecido por seus cruéis experimentos médicos em Dachau), sequestravam crianças. Presos em 1944, Diehl e Rascher foram mortos em campos de concentração em abril de 1945 por fraude e malversação financeira. Ver Stanislav Zamecnik, *Das war Dachau* (Comité International de Dachau, 2002).

49 No papel de administradoras: Isabel Heinemann, *Rasse, Siedlung, deutsches Blut* (Wallstein Verlag, 2003), p. 520.

50 "euforia da vitória": Christopher R. Browning com Jürgen Matthäus, *The Origins of the Final Solution: The Evolution of Nazi Jewish Policy, September 1939-March 1942* (Yad Vashem, 2004), p. 427.

50 quantos alemães: Os números do pessoal alemão no Leste estão espalhados na documentação, e os relatórios existentes são de agências específicas em diferentes pontos no tempo. Os números apresentados aqui são principalmente do Comissariado do Reich na Ucrânia, do Comissariado do Reich em Ostland e do Governo Geral. As mulheres faziam parte da equipe de mais de 15 mil alemães nos escritórios da SS no Comissariado

do Reich na Ucrânia e em Ostland em 1942, e das equipes de 14 mil inspetores agrícolas e 6, 6 mil alemães na Corporação Central do Comércio do Leste (ZHO). Na Ucrânia havia mais de 440 postos avançados rurais que compunham o comissariado, e em cada um havia pelo menos uma secretária. Ver estatísticas em Timothy Patrick Mulligan, *The Politics of Illusion and Empire: German Occupation Policy in the Soviet Union, 1942-1943* (Praeger, 1988), pp. 22-3, 26, 28-9, 64 (nº 18) e 72. A fonte de Mulligan é NARA, Record Group 242. "Übersicht über die Verwaltungseinteilung des Reichskommissariats Ukraine nach dem Stand vom 1. Januar 1943", T454, rolo 92, quadro 000933. Os números na Polônia ocupada são de Bogdan Musial, *Deutsche Zivilverwaltung und Judenverfolgung im Generalgouvernement* (Harrossowitz Verlag, 1999), pp. 82-90. Os números citados por Musial abrangem habitantes locais de etnia germânica (*Volksdeutschen*). Outros registros de pessoal que mostram datilógrafas e administradoras em Ostland estão em Record Group 242, A3345-DS-A156, Ostministerium, quadro 316, seleções para Riga "Einsatz in den besetzten Ostgebieten, 28 de novembro de 1941, Zentral- und Personalabteilung RKO-RmfdbO, NARA, Record Group 242, T454, rolo 15.

50 19 mil jovens alemãs: Kater, *Hitler Youth*, p. 89.

51 "inflamar o sentido racial...": Richard Evans, *The Third Reich in Power* (Penguin, 2006), p. 273; ver também pp. 265 e 268.

51 "observar judeus...": George L. Mosse, ed., *Nazi Culture: Intellectual, Cultural, and Social Life in the Third Reich* (Grosset & Dunlap, 1966), p. 80, extraído de Jakob Graf, *Familienkunde und Rassenbiologie für Schüler* (Munique, 1935).

51 "Vá para o fundo da sala...": Susi Podgurski, entrevista 5.386, segmento 32; Henry Adler, entrevista 10.481; ambas em SFA. Ver Pine, *Education in Nazi Germany*, pp. 15-16. Obrigada a Danielle Knott por sua ajuda na pesquisa.

52 A menina nunca mais apareceu: Entrevista da autora com um ex-aluno de Ottnad, amigo da criança epilética, Friedrich, e Freya K., 11 de abril de 2011. Carta de testemunhas para a autora, Reichrsbeuern, 6 de maio de 2011. História local corroborada nos registros de pessoal e do partido de Ottnad, que era ativista do partido, líder distrital da Liga das Mulheres NS depois de julho de 1933, na Liga de Professoras Nazistas e administradora local de programas da juventude começando em 1934. Ver NARA, Record Group 242, BDC records, NSDAP Parteikorrespondenz: A3340-PK-I450, quadros 1336-1340; NS Lehrerbund: A3340-MF-B095 quadros 96-98, NSDAP, MFOK: A3340-MFOK-Q036, quadro 1496. A entrevista da autora com o ex-aluno de Ottnad foi depositada em USHMMA. Sobre a confiança de professoras no partido para material básico, ver Kalender 1938-NS Lehrerbund, coleção particular de ex-professora, Weil im Schönbuch, Alemanha.

53 Claudia Koonz observou: Claudia Koonz, *The Nazi Conscience* (Harvard University Press, 2005), p. 154.

53 "Você está nomeada...": Ingelene Rodewald, ... *und auf dem Schulhof stand ein Apfelbaum: Meine Zeit in Polen, 1942-1944* (Cimbrian, 2007), pp. 8-11.

54 uma dentre muitas centenas: Harvey, *Women and the Nazi East*, pp. 97, 98-101.

55 "tarefa de Sísifo": Rosemarie Killius, ed., *Frauen für die Front: Gespräche mit Wehrmachtshelferinnen* (Militzke Verlag, 2003). Ver correspondência de Eugenie S., pp. 59-60.

55 De todas as profissões: Ver Jean H. Quataert, "Mobilizing Philanthropy in the Service of War: The Female Rituals of Care in New Germany, 1871-1914", in Manfred F. Boemeke, Roger Chickering e Stig Förster, eds., *Anticipating Total War: The German and American Experiences, 1871-1914* (Cambridge University Press, 1999). Dentre a rede de organizações dos anos 1930 havia associações de freiras-enfermeiras católicas e luterano-evangélicas (por exemplo, a Diakonissen des Kaiserswerther Verbandes, a Caritasschwestern des dritten Ordens) e a Associação Nacional de Enfermeiras (Reichsbund für Schwestern); a Blue Sisterhood se fundiu com a Nazi Schwesterschaft.

56 "anjos do *front*": Ver Birgit Panke-Kochinke e Monika Schaidhammer-Placke, *Frontschwestern und Friedensengel: Kriegskrankenpflege im Ersten und Zweiten Weltkrieg; Ein Quellen- und Fotoband* (Mabuse Verlag, 2002), p. 18, e Ulrike Gaida, *Zwischen Pflegen und Töten: Krankenschwestern im Naionalsozialismus* (Mabuse Verlag, 2006).

56 Na era nazista: Para interconexões de DRK, NSV e NSDAP, ver registro da Cruz Vermelha alemã em NARA, Record Group 242, Deutsches Rotes Kreuz, Göttingen Stab, BDC, A3345-DS-N001, quadro 298. Gaida, *Zwischen Pflegen und Töten*.

56-7 O Partido Nazista expedia: Vorschlagsliste DRK para NSDAP, Ortsgruppenleiter Aschaffenburg, 7 de dezembro de 1938. NARA, Record Group 242, Coleção Misc., Regitros de Pessoal, Göttingen, A3345-DS-N001. Decreto do Ministério do Interior do Reich, 28 de setembro de 1938, sobre a segregação na formação de enfermeiras e atendimento a pacientes. Joseph Walk, ed., *Das Sonderrecht für die Juden im NS-Staat* (C. F. Mueller Verlag, 1996), p. 243.

57 "o ódio é nobre": Lotte Guse, *Kriegserlebnisse einer Krankenschwester: Vom Kreuz beschützt, Der Spiegel*, 11 de agosto de 2008, http://einestages.spiegel.de/static/authoralbumbackground/2413/vom_kreuz_beschuetzt.html. A citação é de recordações de uma enfermeira do tempo da guerra, Lotte Guse.

58 "povo perverso da Rússia": *Frauen an der Front: Krankenschwestern im Zweiten. Weltkrieg*, filme documentário, Henrike Sandner e Dirk Otto (MDR, 2010). Obrigada a Renate Sarkar por me emprestar esse filme.

58 Ohr admirou: Erika Summ, *Schäfers Tochter: Die Geschichte der Frontschwester* (Zeitgut Verlag, 2006), p. 76.

58 "Eu queria mais": Erika Summ, "Ich will mehr", citado em Jürgen Kleindienst, ed., *Als wir Frauen stark sein mussten: Erinnerungen 1939-1945* (Zeitgut Verlag, 2007), p. 60, e em Summ, *Schäfers Tochter*, p. 89, a mesma frase é usada em destaque, com ponto de exclamação.

59 enfermeiras e assistentes de saúde: Ver Panke-Kochinke e Schaidhammer-Placke, *Frontschwestern und Friedensengel*; e Birgitt Morgenbrod e Stephanie Merkenich, *Das Deutsche Rote Kreuz unter der NS-Diktatur, 1933-1945* (Ferdinand Schöningh), 2008.

60 dois anos de treinamento intensivo: Summ, *Schäfers Tochter*, pp. 95-115.

61 Patriota e idealista: Entrevista da autora com Annette Schücking-Homeyer, 30 de março de 2010, Lünen, Alemanha.

62 mulheres no setor Judiciário: Diemut Majer, *"Non-Germans" under the Third Reich: The Nazi Judicial and Administrative System in Germany and Occupied Eastern Europe, with Special Regard to Occupied Poland, 1939-1945* (Johns Hopkins University Press, 2003), p. 638.

62 prestar o serviço de guerra: Sobre o trabalho obrigatório de mulheres durante a guerra, ver Ute Frevert, *Women in German History: From Bourgeois Emancipation to Sexual Liberation* (Berg, 1989), p. 227.

62 De todas as profissões femininas: Michael Burleigh, *Death and Deliverance: "Euthanasia" in Germany, 1900-1945* (Cambridge University Press, 1994), p. 159, e Henry Friedlander, *The Origins of Nazi Genocide: From Euthanasia to the Final Solution* (University of North Carolina Press, 1997).

63 "O *Führer* promulgou...": NARA, RG 238, NMT, NO-470; Pauline Kneissler, Nazi Party #3892898. Ela nasceu em Kurdjunowka, Ucrânia. Nazi Party Card, BDC, NARA II, A3340-MFOK-L005, quadro 0972.

64 "nem todos eram casos particularmente graves": Todas as citações nesse parágrafo e no seguinte são de Kneissler e testemunhos citados em Gaida, *Zwischen Pflegen und Töten*, p. 176.

65 tratava-se da ascensão do mercado de trabalho moderno: O cenário metropolitano era atordoante para as jovens da zona rural. Elas viviam novas formas de tensão, bem como a liberação. Ver Katharina von Ankum, ed., *Women in the Metropolis: Gender and Modernity in Weimar Culture* (University of California Press, 1997), pp. 2-4, e Frevert, *Women in German History*, pp. 156-57, 218.

66 "Graças a Deus...": Ilse Schmidt, *Die Mitläuferin: Erinnerungen einer Wehrmachtsangehörigen* (Aufbau Verlag, 2002), p. 16.

67 Era uma das 500 mil: O maior empregador de mulheres auxiliares de escritório na Alemanha durante a guerra era o Exército. As muito numerosas auxiliares femininas no Exército, as *Blitzmädchen*, ou "garotas-relâmpago", eram uma versão nos tempos de guerra da Nova Mulher de Weimar, e não a mocinha fazendeira virtuosa que encarnava o *front* doméstico. Para a história de uma secretária, ver Killis, *Frauen für die Front*, depoimento intitulado "Ich hatte es nicht schlecht", pp. 69-70. Mulheres chamadas a ocupar postos de auxiliares no Exército "para liberar os homens para o *front*" eram colocadas em posições de dar ordens, desde chefe de equipe sênior até simples assistente. Ver Franka Maubach, "Expansionen weiblicher Hilfe: Zur Erfahrungsgeschichte von Frauen im Kriegdienst", in Sybille Steinbacher, ed., *Volksgenossinnen: Frauen in der NS-Volksgemeinschaft* (Wallstein Verlag, 2007), p. 105. Ver também memórias de Hölzer, *"Im Sommer 1944..."* (Wim Snayder Verlag, 1994), e Franz Wilhelm Seidler, *Blitzmädchen* (Wehr und Wissen, 1979).

68 Tinha crescido na vila saxônica: Liselotte Meier Lerm, declaração de 29 de setembro de 1963, BAL, 162/3425.

69 um status mais alto: Dagmar Reese, *Growing Up Female in Nazi Germany*, trad. William Templer (University of Michigan Press, 2006), p. 128.

69 "mulheres fortes, de coragem": Reese, *Growing Up Female in Nazi Germany*, p. 41, citando Hitler e Von Schirach num comício na BdM em 1936. Ver também pp. 72, 101, 133, 237.

69 "muito pontual, trabalhadora...": Material biográfico da acusação e veredicto de Altvater, BAL, B162/4524, pp. 20 e 22.

70 Sabine Dick: Depoimento de Dick, 27 e 30 de abril de 1960, Berlim, arquivos Oberstaatsanwalt Koblenz. Koblenz, 9 Js 716/59, Sonderkommission P. Obrigada a Jürgen Matthäus por esses arquivos das investigações da Heuser e RSHA.

70 As secretárias que trabalhavam: Gerhard Paul, "'Kämpfende Verwaltung' Das Amt IV des Reichsicherheitshauptamtes als Führungsinstanz der Gestapo", in Gerhard Paul e Klaus-Michael Mallman, eds., *Die Gestapo im Zweiten Weltkrieg: "Heimatfront" und besetztes Europa* (Primus Verlag, 2000), pp. 45, 47. Havia 31.374 na Polícia Secreta do Estado (Gestapo), 12.792 na Polícia de Investigação Criminal (Kripo) e 6.482 no Serviço de Segurança (SD); ver Klaus Hesse, Kay Kufeke e Andreas Sander, eds., *Topographie des Terrors* (Stiftung Topographie des Terrors, 2010), p. 127. Obrigada a Rachel Century por compartilhar suas fontes sobre secretárias.

71 "caráter franco, honesto": NARA, RG242, BDC, RuSHA marriage application, e A3343-RS-D-490, quadros 1.584, 1.640 e 1.656.

72 O acadêmico Michael Mann: Michael Mann determinou que os alemães que viviam em territórios perdidos ou ocupados pelos termos do Tratado de Versalhes (como a Silésia

e a Renânia) e que eram ativistas na época nazista eram ultranacionalistas e constituíam uma porcentagem mais alta de perpetradores. Ver seu "Were the Perpetrators of Genocide 'Ordinary Men' or 'Real Nazis'?" *Holocaust and Genocide Studies* 14 (inverno de 2000), pp. 331-66, principalmente pp. 343-46.

72 Josefine Krepp: Informações biográficas sobre Josefine Krepp Block, Vernchmung, VCA, Strafbezirksgericht Wien, 15 de outubro de 1946, Wiener Stadt- und Landesarchiv, Vg 8514/46.

73 austríacos construíram seu futuro: Sobre o modelo de Viena, ver Hans Safrian, *Eichmann's Men* (Cambridge University Press, 2010).

73 Tendo passado nos testes da SS: Katrin Himmler, "'Herrenmenschenpaare': Zwischen nationalsozialistischen Elitebewusstsein und rassenideologischer (Selbst-) Verpflichtung", in Marita Krauss, ed., *Sie waren dabei: Mitläuferinnen, Nutzniesserinnen, Täterinnen im Nationalsozialismus* (Wallstein Verlag, 2008), pp. 65-6.

73-4 A trajetória para o sucesso: Outros casos de estenógrafas enviadas dos escritórios da Gestapo no Reich para os territórios ocupados estão em Michael Wildt, *An Uncompromising Generation: The Nazi Leadership of the Reich Security Main Office* (University of Wisconsin Press, 2009), pp. 116-19.

74 O tremendo avanço: Segundo Richard Evans em *The Coming of the Third Reich* (Penguin, 2004): "A rápida emergência de um setor de serviços na economia, com as novas possibilidades de emprego para mulheres, desde uma função no departamento de vendas em lojas de departamentos até uma função de secretária na enorme expansão do trabalho burocrático (liderado pela forte influência feminilizante da datilógrafa), criou novas formas de exploração, mas também deu ao crescente número de jovens solteiras uma independência financeira e social que elas não conheciam até então" (p. 127). Segundo Elizabeth D. Heineman, em *What Difference Does a Husband Make? Women and Marital Status in Nazi and Postwar Germany* (University of California Press, 1999): "Quer tenham se unido ao esforço de guerra com entusiasmo, quer com relutância, as mulheres nascidas entre 1918 e 1928, aproximadamente, que estavam solteiras durante a guerra, contribuíram para a guerra mais diretamente do que qualquer outro grupo de trabalhadoras alemãs" (p. 64).

74 "deixando de cumprir suas obrigações...": Frevert, *Women in German History*, p. 186.

75 duas maneiras de entender o casamento: Michael Burleigh e Wolfgang Wippermann, *The Racial State, 1933-1945* (Cambridge University Press, 1991), pp. 49-50, e Wildt, *An Uncompromising Generation*, p. 111.

75 240 mil alemãs: Ver Gudrun Schwarz, *Eine Frau an seiner Seite: Ehefrauen in der "SS-Sippengemeinschaft"* (Hamburger Edition, 1997), p. 11, e Kathrin Kompisch, *Täterinnen: Frauen im Nationalsozialismus* (Böhlau, 2008), p. 204. Documentação sobre solicita-

ções de casamento que sobreviveu à guerra e está arquivada nos Estados Unidos e na Alemanha, como parte da coleção do Centro de Documentação de Berlim. Ver também Isabel Heinemann, *Rasse, Siedlung, deutsches Blut* (Wallstein Verlag, 2003), pp. 54 e 62, nº 47.

76 Vera Stähli: Nasceu em Hamburgo, em 1912, portanto não se encaixa na categoria de *baby boomers* pós-Primeira Guerra Mundial, mas sua experiência profissional pré-Segunda Guerra Mundial foi amplamente formatada pelos retrocessos do período final da República de Weimar e do nazismo, e pelas tendências incipientes da emergente cultura do trabalho metropolitana. Quando fez o pedido de autorização de casamento e lhe solicitaram um histórico de sua família, ela declarou que não sabia muito sobre seus pais. Ou estava escondendo algo que os examinadores da SS considerariam "pernicioso" em seu passado genético, ou não tinha intimidade com os pais. "Fragebogen" Wohlauf, NARA, BDC, A3343-RS-G5348, quadros 2214-2326.

78 "mais íntimos desejos": Urteil Landegericht Zivilkammer Hamburg, 10 de junho de 1942, NARA, BDC, RuSHA arquivo Wohlauf, A3343-RS-G5348, quadros 2.214-2.326.

78 Vera e Julius tinham pressa: Christopher R. Browning, *Ordinary Men: Reserve Police Battalion 101 and the Final Solution in Poland* (HarperCollins, 1993), p. 92.

79 Liesel Riedel e seu noivo da SS: Solicitação de casamento Willhaus, NARA, BDC, arquivos RuSHA, A3343-RS-G5242, quadros 2524-2710. Ver Ernst Klee, *Das Personenlexikon zum Dritten Reich: Wer war was vor und nach 1945* (Fischer Verlag, 2003).

82 "Afinal, o sangue...": Evans, *The Third Reich in Power*, p. 626.

82 "uma organização política...": Carta de 2 de julho de 1935, do Stabsführer RuSHA líder do 85º Standarte, Cottbus. Arquivo RuSHA Willhaus. Em 1943, a SS ainda estava investigando a questão de seu casamento não aprovado. NARA, BDC, A3343-RS-G5242. Ver Michael Burleigh, *The Third Reich: A New History* (Hill & Wang, 2000), pp. 102 e 116.

83 uma dupla personalidade: Dentro e em volta da cidade natal de Erna, militantes antissemitas e da doutrina do "sangue e solo" se infiltraram em instituições estatais, com efeitos imediatos. O boicote aos negócios de judeus começou em dezembro de 1932, junto com reedições de livros escolares para reeducar a juventude. Dentre os líderes nazistas regionais na Turíngia, que iriam ascender e cair com o regime, estava Fritz Sauckel (mais tarde "czar" de Hitler, encarregado de deportações para trabalho forçado do Leste para o Reich, enforcado em Nuremberg em 1946), Richard Walter Darré (especialista de Himmler em fazendas e chefe principal do escritório racial da SS), e o professor dr. Hans F. K. Günther (o intelectual popularizador do nordicismo, paganista conhecido como "Papa da Raça"). Mas Walter Darré, o especialista de confiança de Himmler em matéria de colonização, é quem teria um papel direto na condução do futuro de Erna. Ver Lower, "Living Space", pp. 310-25, e Evans, *The Third Reich in Power*, p. 9.

85 "sangue e solo": Darré propôs a criação de uma nova nobreza agrária, fundada no puro sangue alemão de homens e mulheres em relacionamentos monogâmicos, cultivando grandes famílias em grandes propriedades, em *Neuadel aus Blut und Boden* (Munique, 1930), pp. 131, 152, 153. Darré era filho de fazendeiros alemães na Argentina; retornando à Alemanha, estudou na Escola Colonial Alemã em Witzenhausen e fez doutorado em ciências agrícolas na Universidade de Haia. Era um feroz defensor das teorias *völkisch*. Ver Klee, *Das Personenlexikon zum Dritten Reich*.

85 Após um ano de namoro: NARA, BDC, RuSHA arquivo Petri, SSOK, rolo 373A, quadros 2.908, 2.910-2.936. Ver Heineman, *What Difference Does a Husband Make?* Apêndice A.

85 não era mais a filha do fazendeiro: Muitas filhas e esposas de fazendeiros não eram registradas como trabalhadoras, mas como "membros assistenciais de família". Os séculos de economia do lar tradicional persistiam. Ver Jill Stephenson, *Women in Nazi Germany* (Longman, 2001), p. 68.

86 O Corpo de Veículos Motorizados: Shelley Barandowski, *Nazi Empire: German Colonialism and Imperialism from Bismarck to Hitler* (Cambridge University Press, 2011), p. 154.

86 Nova Mulher da era Weimar: Frevert, *Women in German History*, p. 203.

87 métodos "superiores" de ordem e gestão doméstica: Nancy Reagin, *Sweeping the German Nation: Domesticity and National Identity in Germany, 1870-1945* (Cambridge University Press, 2006).

CAPÍTULO 3
TESTEMUNHAS

89 "tudo era totalmente diferente...": Erika Summ, *Schäfers Tochter: Die Geschichte der Frontschwester* (Zeitug Verlag, 2006), p. 119. A descrição de Ohr aqui se encaixa no típico discurso colonialista sobre paisagens estrangeiras que não têm vida nem cultura e as sinistras profundezas das estepes russas.

91 prisioneiros soviéticos emaciados: Ver Dieter Pohl, *Die Herrschaft der Wehrmacht: Deutsche Militärbesatzung und einheimische Bevölkerung in der Sowjetunion, 1941-1944* (Oldenbourg, 2008). Ver também Christian Streit, "The Fate of the Soviet Prisoners of War", in Michael Berenbaum, ed., *A Mosaic of Victims: Non-Jews Persecuted and Murdered by the Nazis* (New York University Press, 1990).

91 "como animais pendurados...": Enfermeira citada em Birgit Panke-Kochinke e Monika Shaidhammer-Plake, *Frontschwestern und Friedensengel: Kriegskrankenpflege im Ersten und Zweiten Weltkrieg; Ein Quellen-und Fotoband* (Mabuse Verlag, 2002), pp. 193-96. Ver também Magdalena Wortmann, *Was haben wir nicht alles milgemacht:*

Kriegserinnerungen einer Rotkreuzkrankenchwester (Wim Snayder Verlag, 1995), Lora Wildenthal, *German Women for Empire, 1884-1945* (Duke University Press, 2001), e Elfriede Schade-Bartkowiak, *Sag mir, wo die Blumen sind... Unter der Schwesternhaube. Kriegserinnerungen einer DRK-Schwester im II. Weltkrieg an der Ostfront* (Hamburgo, 1989), extraído de Panke-Kochinke and Schaidhammer-Placke, *Frontschwestern und Friedensengel*, pp. 191-92.

92 "olhos bem abertos": Carta de Brigitte Erdmann para sua mãe, 24 de janeiro de 1943, publicada em Walter Kempowski, *Das Echolot* (btb Verlag, 2001), p. 339.

92 cartas enviadas do *front*: Jens Ebert e Sybille Penkert, eds., *Brigitte Penkert: Briefe einer Rotkreuzschwester von der Ostfront* (Wallstein Verlag, 2006).

92 Enfermeiras, professoras e secretárias: Franka Maubach, "Expansionen weiblicher Hilfe: Zur Erfahrungsgeschichte von Frauen im Kriegdienst", in Sybille Steinbacher, eds., *Volksgenossinnen: Frauen in der NS-Volksgemeinschaft* (Wallstein Verlag, 2007), e Marita Krauss, ed., *Sie waren dabei: Mitläuferinnen, Nutzniesserinnen, Täterinnen im Nationalsozialismus* (Wallstein Verlag, 2008), p. 13.

92 Casos de fuzilamentos: Karel Berkhoff, "Babi Yar: Site of Mass Murder, Ravine of Oblivion", J. B. e Maurice C. Shapiro Annual Lecture, 9 de fevereiro de 2011 (United States Holocaust Memorial Museum, Occasional Paper Series, maio de 2012), Peter Longerich, *"Davon haben wir nichts gewusst!" Die Deutschen und die Judenverfolgung, 1933-1945* (Siedler, 2006), e Jeffrey Herf, *The Jewish Enemy: Nazi Propaganda during World War II and the Holocaust* (Belknap Press, 2008).

93 operações de morte por gás como as de Belzec: Para um exemplo sobre assassinato em massa em Belzec quando um trem passava pelo campo, ver "Aufzeichnungen eines deutschen Unteroffiziers vom 31 de agosto de 1942, Rawa Ruska, Anlage 36", in Raul Hilberg, *Sonderzüge nach Auschwitz: The Role of the German Railroads in the Destruction of the Jews* (Dumjahn Verlag, 1981), pp. 188-91. Recordações similares sobre conversas em trens estão em Alison Owings, *Frauen: German Women Recall the Reich* (Rutgers University Press, 1995).

93 trem sem aquecimento adequado: Paul Salitter, capitão da *Schutzpolizei* em Düsseldorf, foi indicado pela Gestapo para fiscalizar esse transporte. Em Konitz, o oficial alemão encarregado dos trens no local tentou impedir a passagem do trem e Salitter o denunciou como amigo dos judeus e não membro da comunidade racial germânica. Enquanto aguardava a resolução desse conflito, ele foi ao posto da Cruz Vermelha e preencheu um formulário, reproduzido em Hilberg, *Sonderzüge nach Auschwitz*, p. 134. Ver também Andrej Angrick e Peter Klein, *Die "Endlösung" in Riga: Ausbeutung und Vernichtung 1941-1944* (Wissenschaftliche Buchgesellschaft, 2006).

94 "matando todos os judeus lá": Citações nesse parágrafo e no seguinte são de entrevista com Annette Schücking-Homeyer concedida à autora e ao dr. Christof Mauch em 30

de março de 2010, em Lünen, Alemanha. Parte do material usado aqui apareceu primeiro numa entrevista realizada por Martin Doerry e Klaus Wiegrefe, publicada em *Der Spiegel* on-line em 25 de janeiro de 2010, "They Really Do Smell Like Blood: Among Hitler's Executioners on the Eastern Front". Obrigada ao sr. Wiegrefe por sua ajuda.

95 "fuzilar uma judia em Brest": Sobre massacres e guetização em Brest e arredores, ver o relatório do comandante militar alemão de 11 de outubro e 10 de novembro de 1941, citado em Christian Gerlach, *Kalkulierte Morde. Die Deutsche Wirtschafts- und Vernichtungspolitik in Weissrussland 1941 bis 1944* (Hamburger Edition, 1999), p. 610. Ver também Jürgen Matthäus, Konrad Kwiet e Jürgen Förster, eds., *Ausbildungziel Judenmord? "Weltanschauliche Erziehung" von SS, Polizei und Waffen-SS im Rahmen der "Endlösun"* (Fischer Verlag, 2003).

96 Suas reações variavam: Frau Leonhard, por exemplo, que foi ao gueto por curiosidade, também deu comida escondida a um trabalhador judeu. Foi repreendida, mas não punida (BAL, B162/1682; depoimento de Erna Leonhard, 14 de dezembro de 1960). Helmy Spethmann também se comoveu com os judeus no gueto. Enfermeira mais velha, com experiência na Primeira Guerra Mundial, Spethmann foi ao gueto de Varsóvia em agosto de 1941, apesar da proibição (o gueto estava em quarentena). Ela levou uma câmera e fotografou a extrema pobreza e sofrimento dos judeus. Depois da guerra, ela escondeu as fotos e, pouco antes de morrer, pediu à sobrinha que as guardasse e publicasse após sua morte. Ver "Zeugin des Grauens: Lazarettschwester im Warschauer Ghetto", 24 de setembro de 2010, *Der Spiegel* online, http://einestages.spiegel.de/static/authoralbum background/15081/zeugin_des_grauens.html. Obrigada a Susan Bachrach por me indicar esse artigo.

96 locais de turismo para os alemães: Carta de Erdmann para sua mãe, 30 de janeiro de 1943, em Kempowski, *Das Echolot* (2001), pp. 613-14. Ver também Alexander B. Rossino, "Eastern Europe through German Eyes: Soldier's Photographs, 1939-1942", *History of Photography* 23, nº 4 (inverno, 1999), pp. 313-21.

96 "Hoje vamos ao gueto!...": Citado em Susi Gerloff, "Kriegsschwestern: Erlebnisberichte, 1995", in Panke-Kochinke e Shaidhammer-Placke, *Frontschwestern und Friedensengel*, p. 196.

97 "engradados da morte", nas palavras de Goebbels: Ver Philip Friedman, *Roads to Extinction: Essays on the Holocaust* (Jewish Publication Society, 1980), p. 69. Ver também Eric Sterling, ed., *Life in the Guettos during the Holocaust* (Syracuse University Press, 2005), e Daniel Michman, *The Emergence of Jewish Ghettos during the Holocaust* (Cambridge University Press, 2011).

97 A vedete alemã Brigitte Erdmann: Carta de Erdmann a sua mãe, 30 de janeiro de 1943, em Kempowski, *Das Echolot* (2001), pp. 613-14. Aproximadamente 55 mil ju-

deus moravam em Minsk quando os alemães chegaram lá em 18 de junho de 1941. Muitos foram fuzilados ou mortos por gás em vans, junto com milhares que, a partir de novembro de 1941, foram deportados para Minsk de Hamburgo, Frankfurt, Viena e outras cidades do Reich. Ver lista de deportações de judeus de Hamburgo para o gueto de Minsk, 18 de novembro de 1941, Bundesarchiv, Dahlwitz Hoppegarten Records em microfilme no USHMMA, RG14050, rolo 1, quadros 827-841. Sobre a Organização Todt, o gueto de Minsk e turismo no gueto de Minsk, ver Christian Gerlach, *Kalkulierte Morde*, pp. 57-63.

98 "sujeira, preguiça, primitivismo...": Carta de Marianne Peyinghaus, 17 de julho de 1942, sobre Plöhnen no Warthegau, reproduzida e analisada em Magarete Dörr, *"Wer die Zeit nicht miterlebt hat..."*: *Frauenerfahrungen im Zweiten Weltkrieg und in den Jahren danach*, vol. 2, *Kriegsalltag* (Campus Verlag, 1988), p. 132.

99 "cidade irreal", de judeus com "kaftans engordurados": Elizabeth Harvey, *Women and the Nazi East: Agents and Witnesses of Germanization* (Yale University Press, 2003), pp. 130-31, 122.

99 "É realmente fantástico": Carta citada em Catherine Epstein, *Model Nazi: Arthur Greiser and the Occupation of Wester Poland* (Oxford University Press, 2010), p. 169. A carta prossegue com uma declaração da jovem de que, se fosse uma judia no gueto, ficaria indignada com o confinamento.

99 Nas jovens enviadas: No verão de 1944, uma secretária alemã num escritório de construção perto de Danzig via todas as manhãs 100-150 judias polonesas sendo escoltadas para o trabalho. Elas tinham vindo do campo de concentração de Stutthof. Eram vigiadas por guardas femininas fardadas de preto, com botas e chicote. Ver Walter Kempowski, *Das Echolot* (btb Verlag, 1979), pp. 107-108.

99 "homens bonitos do escritório": Erna Leonhard, declaração em 14 de dezembro de 1960, BAL, 162/1682, e Rosemarie Killius, ed., *Frauen für die Front: Gespräche mit Wehrmachtshelferinnen* (Militzke Verlag, 2003), pp. 71-4.

100 "grudou em mim...": Anna Luise von Baumbach, *Frauen an der Front: Krankenschwestern im Zweiten Weltkrieg*, 2010 (DVD).

100 um gosto estranho na água: Depoimento de Henriette Bau, ex-esposa de Richard Lissberg, 23 de abril de 1969, BAL, 162/1673. Obrigada a Omer Bartov por me indicar essa fonte.

100 O assassinato em massa transforma: A esposa de um oficial da ferrovia em Lida recorda o fuzilamento em massa de 5.200 judeus numa vala comum coberta com cloro que, com o calor do dia, explodiu "como uma fonte". Depoimento de Liselotte Wagentrotz, 11 de outubro de 1965, Staatsanwaltschaft Mainz, 3 Js 155/64, BAL, 162/3446. Ver também padre Patrick Desbois, *The Holocaust by Bullets* (Macmillan, 2008).

101 "do tamanho da nossa casa...": Depoimento de Florentina Bedner, 29 de novembro de 1976, BAL, Bayer, Landeskriminalamt 76-K, 41676, Koe. Ver NSV "tarefas" sob os comissários distritais, "IV. Vorläufige Aufgaben", sobre "Judennachlass". CSA, Kiev, 3206-6-254, microfilme no USHMMA, RG31.002M, rolo 6, p. 5.

101 evitando as ruas de Zhytomyr: A rotina de Erika Ohr incluía uma caminhada pela cidade até a cantina onde almoçavam. Summ, *Schäfers Tochter*, pp. 132, 141.

102 "gueto miserável, todo cercado...": A referência à comunidade judaica de Rivne/Rovno como um "ninho" apareceu também no depoimento do comandante da Polícia de Ordem da Ucrânia, Otto von Oelhafen, 7 de maio de 1947, NARA, RG 238, rolo 50, M1019. Ver Ilse Schmidt, *Die Mitläuferin: Erinnerungen einer Wehrmachtsangehörigen* (Aufbau Verlag, 2002), pp. 73-5.

103 "Uma noite, acordei...": Schmidt, *Die Mitläuferin*, pp. 74-6. Ver também Shmuel Spector, *The Holocaust of Volhynian Jews, 1941-1944* (Yad Vashem, 1990), pp. 113-15, 184-85. Para massacres de judeus em Rivne, ver depoimento de Herman Graebe, NARA, RG 238, Documento 2992-PS, International Military Tribunal Nuremberg. Ver também Dieter Pohl, "The Murder of Ukraine's Jews under Germany Military Administration and in the Reich Commissariat Ukraine", em Ray Brandon e Wendy Lower, eds., *The Shoah in Ukraine: History, Testimony, Memorialization* (Indiana University Press, 2008), p. 49. Segundo a pesquisa de Pohl, colaboradores locais e a primeira companhia do 33º Batalhão da Polícia de Ordem apoiaram as unidades SD. A liquidação do gueto provavelmente testemunhada por Struwe ocorreu em 13 de julho de 1942.

104 Fechou os olhos: Outra testemunha, mais famosa, Melita Maschmann, declarou que, quando viu a violência, ficou cega. Ver Maschmann, *Fazit: Mein Weg in der Hitler-Jugend* (dtv, 1983).

105 ordem de Heinrich Himmler: Sobre a ordem verbal de Himmler em Zhytomyr, ver Lower, *Nazi Empire Building and the Holocaust in Ukraine* (University of North Carolina Press, 2005), p. 8, depoimento de Paul Albert Scheer, 29 de dezembro de 1945, USHMMA RG 06.025 Kiev; e Peter Witte et al., eds., *Der Dienstkalender Heinrich Himmlers 1941/42* (Christians Verlag, 1999), pp. 498-99.

105 "O que estou fazendo aqui...": Schmidt, *Die Mitläuferin*, p. 81.

105-6 "acocorados..." e "uma parte de mim...": Schmidt, *Die Mitläuferin*, pp. 38, 76-7.

106 "Desaprendi meu *Todesangst*...": Brigitte Erdmann, carta de 21 de janeiro de 1943, em Kempowski, *Das Echolot* (2001), p. 237.

106 No primeiro dia em Novgorod Volynsk: A destruição dos judeus de Zwiahel (Novgorod Volynsk) começou em julho de 1941, quando a equipe de comando do Einsatzgruppe C estabeleceu um quartel-general lá. Uma subunidade, SK4a, com o apoio de colaboradores locais ucranianos e de etnia germânica, e de unidades da Waffen-SS sob o co-

mando do HSSPF Jeckeln, identificou e prendeu mulheres e homens judeus. Unidades da Wehrmacht deram assistência, organizando e executando medidas de "represália": judeus locais e prisioneiros políticos soviéticos eram mortos em retaliação a qualquer ataque aos alemães e a instalações alemãs. Uma vala comum aberta em maio de 1945 revelou "roupas e sapatos meio apodrecidos de mulheres e crianças cimentados com sangue". Segundo investigadores da Comissão Extraordinária Soviética, os corpos jaziam num caos, cabeças e crânios quebrados, mulheres abraçando crianças e brinquedos. Segundo uma camponesa ucraniana, testemunha ocular, o fuzilamento ocorreu no final de agosto de 1941. Sobre prisioneiros políticos soviéticos, ver Fernspruch 16 Pz.-Div. 14 de julho de 1941, NARA, RG 242, T314, rolo 1.146, quadro 000467. Sobre massacres de judeus, ver Ereignismeldung 38, Einsatzgruppe C, 30 de julho de 1941, NARA, RG 242, T175, rolo 233; relatórios da Comissão Extraordinária Soviética, 24 de maio de 1945, cópia em ZSA, arquivo 413, e cópia na Sociedade de Cultura Judaica de Novgorod Volynsk. Agradeço a Daniel Redman por me dar acesso a esses relatórios soviéticos. Ver também Jeckeln, *Einsatzbefehl* de 25 de julho de 1941 para Novgorod Volynsk, NARA, RG 242, T501, rolo 5, quadros 000559-560, e *Unsere Ehre Heisst Treue: Kriegstagebuch des Kommandostabes Reichführer SS, Tätigkeitsberichte der 1. Und 2, SS-Inf., Brigade der 1. SS-Kav. Brigade und von Sonderkommandos der SS* (Europa Verlag, 1965), pp. 95-96.

107 "Muitas vezes, as conversas...": Ver carta de Annette Schücking-Homeyer para a autora, 17 de maio de 2010, extraída de sua correspondência durante a guerra. Agradeço à sra. Schücking-Homeyer por me ceder cópias de suas cartas. (Os originais estão no arquivo municipal de Warendorf.)

108 "com os olhos queimando de ódio...": Brigitte Erdmann, carta de 15 de fevereiro de 1943, citada em Kempowski, *Das Echolot* (2001), p. 780.

108 "iria ter pesadelos": Annette Schücking-Homeyer, carta para a autora, 17 de maio de 2010. Massacres em Khmilnyk são corroborados em documentos dos tempos de guerra e depoimentos reunidos por investigadores no BAL – ver Abschlussbericht, BAL II, 204 ARZ, 135/67, 23-24.

108 "entraram arrasando tudo...: *Jude kaput!*": Depoimento de Blyuma Bronfin, 1944, em forma de carta para Ilya Ehrenburg, reproduzida em Joshua Rubenstein e Ilya Altman, eds., *The Unknown Black Book: The Holocaust in the German-Occupied Soviet Territories* (Indiana University Press, 2010), pp. 151-54.

109 roupas foram armazenadas: Entrevista de Schücking-Homeyer concedida à autora e a Christof Mauch, 30 de março de 2010; também no artigo de *Der Spiegel*, 28 de janeiro de 2010.

109 Todas as semanas ela percorria: Em 5 de novembro de 1941, o comissário distrital de Rivne, Werner Beer, organizou um massacre de cerca de 17 mil judeus, que ocorreu em

6-7 de novembro de 1941 e foi executado pelo Orpo 320, 315, 69, e EK 5. Ver Brandon e Lower, eds., *The Shoah in Ukraine*, p. 43.

110 "… é um enorme matadouro": Carta de 5 de novembro de 1941, Zwiahel, de Annette Schücking para os pais. Entrevista de Schücking-Homeyer concedida à autora e a Christof Mauch, em 30 de março de 2010, arquivada no USHMMA.

110 Uma secretária em Slonim: Frau Emilie Horst, declaração de 10 de maio de 1961, BAL, 162/5088.

CAPÍTULO 4
CÚMPLICES

111 poucas publicaram ou falaram publicamente: Joanne Sayner, *Women without a Past? German Autobiographical Writings and Fascism* (Rodopi, 2007), p. 2. Obrigada a Marion Deshmukh pela fonte.

111 que estimule as mulheres a contar histórias de guerra: Ver Rosamarie Killius, ed., *Frauen für die Front: Gespräche mit Wehrmachtshelferinnen* (Militzke Verlag, 2003), e Margarete Dörr, "*Wer die Zeit nicht miterlebt hat…*": *Frauenerfahrungen im Zweiten Weltkrieg und in den Jahren danach*, vol. 2, *Kriegsalltag* (Campus Verlag, 1998).

111 dificuldades… no *front* doméstico: Esses relatos focalizam os desafios domésticos diários para conseguir comida, gasolina, sabão e roupas, a dificuldade de cozinhar, os bombardeios e a falta de moradia. Ver Kathrin Kompisch, *Täterinnen: Frauen im Nationalsozialismus* (Böhlau, 2008), p. 85; Nicole Ann Dombrowski, "Soldiers, Saints, or Sacrificial Lambs? Women's Relationship to Combat and the Fortification of the Home Front in the Twentieth Century", in Nicole Ann Dombrowski, ed., *Women and War in the Twentieth Century* (Routledge, 2004), pp. 2-3, e Joanna Bourke, *An Intimate History of Killing: Face-to-Face Killing in the Twentieth Century Warfare* (Basic, 2000), especialmente capítulo 10, "Women Go to War".

113 À medida que o império de Hitler: Mulheres assumiam cargos deixados vagos por homens em 1944-1945. Em Viena, o escritório da Gestapo tinha 180 administradoras, e em Berlim, num total de 1.500 funcionários, 600 eram mulheres. Ver Kompisch, *Täterinnen*, p. 85.

113 O acesso das mulheres à educação superior: Muitas escolas secundárias foram convertidas em quartéis e hospitais militares, mas, com os homens jovens no *front*, grande número de mulheres retornou às universidades. O número de matrículas de mulheres disparou, atingindo mais de 50% do quadro de estudantes na Universidade de Frankfurt em 1943. Um filme de sucesso na época da guerra, *Unser Fräulein Doctor* (1940), uma comédia sobre uma universitária inteligente e ardilosa que suplantou seu amante,

abordava uma troca de papéis que valorizava as mulheres, e não zombava delas. Ver Christoph Dorner et al., *Die Braune Machtergreifung: Universität Frankfurt, 1930-1945* (Nexus/Druckladen, 1989), p. 96, e Dörr, *"Wer die Zeit nicht miterlebt hat…"*, p. 125.

113 Secretárias, arquivistas, datilógrafas: O número de alemãs empregadas nos escritórios dos comissariados do Reich variava, mas no escritório de Lida, por exemplo, havia 86. No escritório distrital de Baranowitsche, em setembro de 1941 havia seis homens alemães na equipe; em 20 de janeiro de 1943 havia 19 homens e sete mulheres (e da população local, 95 homens e 66 mulheres); em 24 de junho de 1944 havia 26 homens e 10 mulheres, mais quatro homens no fórum alemão com duas assistentes mulheres e três mulheres (sendo duas enfermeiras) na Associação do Bem-Estar Nacional-Socialista. O *Gebietskommissar* desse distrito, Werner, trouxe a esposa e quatro filhos para morar com ele em novembro de 1942. Ver NARA, RG 242, T454, rolo 102, Relatório do Gebietskommissar Hennig, Lida, 15 de agosto de 1944, e Relatório de Situação e Atividade do Gebietskommissar Werner, Baranowitsche, 11 de agosto de 1944.

114 "martelinho amarelo": *Goldammern* é descrito nas memórias de Erika Summ, *Schäfers Tochter: Die Geschichte der Frontschwester* (Zeitgut Verlag, 2006), p. 130.

114 escritório no Leste: O comissário que iria suceder a Hermann Hanweg em Lida no verão de 1944 reclamou que muitas mulheres iam para o Leste, não a serviço do Reich, mas a serviço de si mesmas. E comparou as mulheres de lá com as que tinham ficado em casa, com a obrigação de fazer a limpeza da casa e lavar as próprias roupas, enquanto as do Leste agiam como primeiras-damas, tinham empregadas domésticas e quartos de vestir. (Ele se refere aqui às secretárias e esposas de oficiais.) Gebietskommissar Kennig, relatório de 15 de agosto de 1944, NARA, RG 242, T454, rolo 102, quadro 000162.

114 sinecura no império: Hanweg queria manter trabalhadores em seus projetos de construção, para realizar suas fantasias e exigências pessoais. Ele não era tão brutal quanto seu adjunto, Windisch, mas também não objetava nem impedia operações de assassinato em massa. Hanweg interagia muito bem com "seus" trabalhadores judeus, com alguma decência e apreciação pelo trabalho deles. Por sua leniência, Hanweg teve que responder a queixas que Windisch, a SS e a polícia fizeram dele. NARA, RG 242, rolo 21, quadros 000580 e 000587, relatório de 29 de dezembro de 1942, Wilhelm Kube para Assessor de Pessoal para Rosenberg, e resposta para Kube, 15 de janeiro de 1943.

114 dever de Hanweg deixar a região: Em seus depoimentos ao Comitê Central de Judeus Libertados, em Munique, 1947, vários sobreviventes acusaram Windisch, adjunto de Hanweg, de ser o pior perpetrador na administração de Lida. Hanweg também foi identificado como estando presente nas seleções, mas era Windisch quem aproveitava qualquer oportunidade para espancar, matar e humilhar judeus. Record Group M.21, War Criminals' Section, Legal Department at the Central Committee of Liberated

Jews, Arquivo 184, 28 pp., YVA. Agradeço a Waitman Beorn pelo acesso a referências de arquivos de depoimentos de Lida e Slonim.

114 "Vice-Mama": Declaração de Eberhard Hanweg, 15 de outubro de 1964, BAL, 162/ 3433. Em 1964, Hanweg declarou que chegou a Lida com Meier na primavera de 1942, e pouco depois ocorreu o massacre. Para a ocupação nazista de Lida, ver Christian Gerlach, *Kalkulierte Morde: Die deutsche Wirtschafts- und Vernichtungskriegpolitik in Weissrussland 1941 bis 1944* (Hamburger Edition, 1999), Bernhard Chiari, *Alltag hinter der Front: Besatzung, Kollaboration und Widerstand in Weissrussland, 1941-1944* (Droste Verlag, 1998), e declaração de Joachim L. (antigo 727º Regimento de Infantaria, em Lida), 7 de maio de 1965, BAL, B162/3440.

115 Hoje o anel do comissário: Entrevista concedida por Hanweg à autora em 29 de setembro de 2010, em Langgoens, Alemanha, e ver *Sefer Lida*, Lida Memorial Book, ed. Alexander Manor, Itzchak Ganusovitch e Aba Lando (Tel Aviv, 1970), p. 294. Um caso semelhante está documentado em Buczacz, na Ucrânia. O *Landkommissar* trouxe a esposa e três filhos. Um filho ganhou um cavalinho de madeira de um trabalhador judeu, para desaprovação do comandante da SS Otto Waechter, que perguntou onde ele tinha arrumado aquele brinquedo bonito. B 162/1673, depoimento de Henriette Bau, ex-esposa de Richard Lissberg, 23 de abril de 1969. Obrigada a Omer Bartov pela fonte.

116 relatórios de críticas e investigações: Ver o *Schenk Bericht* sobre o comportamento de alemães do Reich em territórios ocupados (Galícia) de maio de 1943, no ITS. Esse relatório em particular foi uma tentativa da polícia da SS de expor e enfraquecer seus rivais na administração civil, como prefeitos, funcionários distritais e empreendedores locais. Essa briga pelo poder talvez tenha levado a relatos exagerados de má conduta, mas o relatório documenta, no mínimo, sinais de corrupção relacionada ao Holocausto e à conivência de mulheres alemãs no Leste. Sobre a disponibilidade de alimentos enviados para o Reich, ver cartas interceptadas pela Abwher sobre carregamentos em março e abril de 1943, e a crítica da Wehrmacht ao mercado negro e à pilhagem, no ZSA, P1151-1-21. Ver também Götz Aly, *Hitler's Beneficiaries: Plunder, Racial War, and the Nazi Welfare State* (Picador, 2008), e Catherine Epstein, *Model Nazi: Arthur Greiser and the Occupation of Western Poland* (Oxford University Press, 2012), especialmente p. 269 (sobre o castelo Greiser em Mariensee) e p. 276 (sobre sua coleção de vinhos, avaliada em 300 mil dólares).

116 Operação (*Aktion*) Reinhard: Ver Peter Black, "Foot Soldiers of the Final Solution: The Trawniki Camp and Operation Reinhard", *Holocaust and Genocide Studies* 25, nº 1 (2011), p. 1-99, e também por Peter Black, "Odilo Globocnik – Himmler's Vorposten im Osten", in Ronald Smelser et al., eds., *Die Braune Elite* (Wissenschaftliche Buchgemeinschaft, 1993), e Dieter Pohl, "Die Stellung des Distrikts Lublin in der 'Endlösung

der Judenfrage'", em Bogdan Musial, ed., *"Aktion Reinhard": Der Völkermord an den Juden im Generalgouvernement 1941-1944* (Fibre Verlag, 2004).

116 as secretárias... faziam "alegremente" listas: declaração de Runhof no tribunal de Wiesbaden, 15 de setembro de 1961, apresentada em Berndt Rieger, *Creator of Nazi Death Camps: The Life of Odilo Globocnik* (Vallentine Mitchell, 2007), pp. 72, 82. Hillmann foi "liberada" de suas obrigações em Lublin devido a um problema de saúde e boatos de ter ancestrais judeus. Ver Joseph Poprzeczny, *Odilo Globocnik, Hitler's Man in the East* (McFarland, 2004).

116 gestores de alto escalão, como Globocnik: No fim do verão de 1943, porém, Globocnik perdeu os favores do Reich por causa dos seus excessos de comportamento. Ver Bogdan Musial, *Deutsche Zivilverwaltung und Judenverfolgung im Generalgouvernement* (Harrossowitz Verlag, 1999), pp. 201-8. Ver também David Silberklang, "Only the Gates of Tears Were Not Locked: The Holocaust in the Lublin District of Poland" (a ser lançado), e Peter R. Black, "Rehearsal for 'Reinhard'? Odilo Globocnik and the Lublin Selbstchutz", *Central European History* 25, nº 2 (1992), pp. 204-26.

116 Um dia, quando o filho de Hanweg: As oficinas do gueto foram liquidadas em 18 de setembro de 1943. Os judeus restantes foram deportados para as câmaras de gás dos campos de Sobibor e Majdanek. O filho de Hanweg, que saiu de Lida antes de setembro de 1943, deve ter recordado um massacre anterior. Ver declaração de Eberhard Hanweg, 15 de outubro de 1964, BAL, 162/3433, e em entrevista concedida à autora, 31 de julho de 2010.

117 O primeiro e maior massacre: Durante as duas primeiras semanas de maio de 1942, principalmente de 5 a 12 de maio, vários massacres ocorreram na região de Lida (Radun, Woronowo, Szczuczyn), em que mais de 20 mil judeus forram mortos. Ver depoimento de sobrevivente (Churban Wilno), relatório alemão do General Commissar Weissruthenian (mês ilegível, mas não antes de 29 de julho de 1942), sobre "Partisan Warfare and Jewish Actions", excertos da investigação soviética, e exumações de covas de setembro de 1947 no ITS, Doc Nº 82176805#1 (1.2.7.6/0007/1383/0233, Archivnummer 3090). Em depoimento de 1962, a sobrevivente Sioma Pupko se refere a Hanweg e Meier como "Hanenberg junto com sua namorada, Merkel, uma pessoa sádica". Citado em *Sefer Lida*, Lida Memorial Book, traduzido para o inglês em http://www.jewishgen.org/Yizkor/lida/lid307.html#Page311. O massacre de 8 de maio foi efetuado por antigos membros do *Einsatzkommando* 9 (baseado no escritório da SD em Baranowitsche) e auxiliares nativos. Ver também *The Yad Vashem Encyclopedia of the Ghettos during the Holocaust* (Yad Vashem, 2009), vol. 1, *Lida*, pp. 396-97. Os auxiliares locais deviam ser lituanos, poloneses, bielorrussos ou letões, o depoimento sobre a nacionalidade é inconsistente. Ver Wolfgang Curilla, *Die deutsche Ordnungspolizei und der Holocaust im Baltikum und in Weissrussland* (Ferdinand Schöningh, 2006), pp. 885-86. Trezentos judeus sobre-

viveram à guerra em Lida. Muitos do que fugiram para as florestas se uniram aos *partisans* de Bielski, a força da resistência recentemente apresentada no filme *Defiance*, baseado na obra de Nechama Tec, *Defiance: The Bielski Partisans* (Oxford, 1994).

117 "mais bem informada...": Declaração de Johanna Luise Zietlow, 9 de outubro de 1964, BAL, 162/3433.

117 Escriturária diplomada: Liselotte Meier Lerm, declaração de 19 de setembro de 1963, BAL, 162/3425, e declaração de 5 de setembro de 1966, BAL, 162/3450. Na declaração de 19 de setembro de 1963, Lerm disse que a última vez que viu Altmann foi no outono de 1943, quando o gueto foi liquidado. O filho de Hanweg se lembrou de Tenenbaum, que também é mencionado nos depoimentos de Lerm.

117 "Os oficiais do comissariado": *Sefer Lida*, Lida Memorial Book, p. 294. A exploração de trabalhadores judeus pelas mulheres para obter objetos pessoais foi investigada pela Sipo SD Lettland, num caso concernente a uma fábrica de artigos de couro local, onde várias mulheres tinham ligações com o *Gebietskommissariat* Schaulen. KdS Lettland, Ermittlungsverfahren, betr: Lederwerk in Schaulen, 10 de janeiro de 1943, NARA, RG 242, T454, rolo 15.

117 construíram uma piscina: Liselotte Meier Lerm, declarações de 19 de setembro de 1963, 6 de outubro de 1964 e 6 de setembro de 1966, BAL, 162/3425. Obrigada a Waitman Beorn por me falar de Lerm.

118 "corrida para o Leste": *Ostrausch*, "embriaguez com o Leste", mais como uma excitação espaço-colonial do que sexual, é tratada em Elizabeth Harvey, *Women and the Nazi East: Agents and Witnesses of Germanization* (Yale University Press, 2003), p. 125.

118 sexo e violência: mulheres não alemãs estupradas eram frequentemente mortas por homens alemães para esconder o crime de promiscuidade racial. Depoimento de Erna Leonhard, 14 de dezembro de 1960, BAL, 162/1682. Depoimento de Frau Ingeborg Gruber (n. 1922), Mannheim, 11 de outubro de 1960, BAK, 9Js 716/59. Grihory Denisenko, ZSA, entrevista concedida à autora, 11 de agosto de 1993, Zhytomyr, Ucrânia. Ver também Abschulussbericht, Becker Case, BAL, 204 AR-Z 129/67, 1023; e Dagmar Herzog, ed., *Brutality and Desire: War and Sexuality in Europe's Twentieth Century* (Palgrave Macmillan, 2011). Sobre a interligação de circuitos cerebrais que controlam o comportamento sexual e violento, ver *Scientific American*, "Sex and Violence Linked in the Brain", fevereiro de 2011. A ocorrência de estupro seguido por assassinato de mulheres judias por homens alemães foi documentada, mas não se sabe bem o quão esse fenômeno era difundido porque as autoridades nazistas processavam os alemães por promiscuidade racial, e a maioria das vítimas e testemunhas judias eram mortas. Para proteger a privacidade e a honra, sobreviventes judias relutam em falar sobre esse tipo de ataque. Uma sobrevivente judia que morava em Viena, Julie Sebek, foi

interrogada sobre vários casos de crimes em Minsk. Ela foi mandada para Minsk e Trostenets em maio de 1942, e menciona incidentes de mulheres judias estupradas e mortas (20 de março de 1962, BAK, Sta, 9 Js 716/59). Ver Sonja M. Hedgepeth e Rochelle G. Saidel, eds., *Sexual Violence against Jewish Women during the Holocaust* (Brandeis University Press, 2010), e John Roth e Carole Rittner, eds., *Rape: Weapon of War and Genocide* (Paragon, 2012).

118 deu a ela acesso especial: Liselotte Meier Lerm, declaração de 6 de setembro de 1966, BAL, 162/3450. A secretária pessoal de Arthur Greiser, Elsa Claassen, era a única além de Greiser a ter acesso ao cofre onde ordens altamente secretas e correspondência do Reich eram guardadas. Ver Epstein, *Model Nazi*, p. 142.

118 O comissário e sua equipe tinham autoridade: "Die Zivilverwaltung in den besetzten Ostgebieten, Teil II: Reichskommissariat Ukraine" (Brown File), Osobyi Moscow 7021-148-83.

119 "não tinha terminado de tricotar...": Frau Emilie Horst, outra secretária da serraria local, declaração de 10 de maio de 1961, BAL, 162/5088.

120 "Num domingo...": Citado no capítulo "Life in the Lida Ghetto", p. 289, por D. S. Amarant, traduzido por Don Goldman, em *Sefer Lida*, Lida Memorial Book, http://www.jewishgen.org/yizkor/lida/lida.html. Esse incidente é descrito também por Elise Barzach (n. 1913), entrevista 1.995, Sidney, Austrália (entrevistadora Anna Friedlander), SFA. Da mesma forma, o capitão distrital de Tarnopol e Rawa Ruska, Gerhard Harger, foi descrito como um mulherengo corrupto num relatório crítico da SS (em grande parte uma campanha difamatória contra os rivais no governo civil), que levava mulheres em caçadas de javalis e as cobria de presentes roubados de judeus. Ver *Schenk Bericht* sobre corrupção na Galícia, Verhalten der Reichsdeutschen in den besetzten Gebieten, 14 de maio de 1943. O relatório completo está no ITS; várias páginas estão faltando no exemplar do BAK, R58/1002. Ver também álbum de fotos e depoimentos sobre massacres em Lida, LAS, Bestand J76, Nr. 569.

121 "As árvores nos salvaram": Elise Barzach, entrevista 1.995, Sidney, Austrália (entrevistadora Anna Friedlander), Título 4, SFA. Barzach falou também sobre a amante de um dos assessores de Hanweg, que estava presente quando o adjunto, chamado Werner, matou judeus. Obrigada à equipe do USHMM por me darem uma cópia dessa entrevista.

121 os judeus de Lida iriam reaparecer: Liselotte Meier Lerm, declaração de 6 de setembro de 1966, BAL, 162/3450. Os alemães da cidade (Meier, Hanweg, Windisch, Werner) estavam com outros visitantes alemães quando encontraram os judeus na floresta. Ver interrogatório de Meier, 19 de setembro de 1963, BAL, 162/3425.

121 Muitos historiadores do Holocausto: Hilary Earl, *The Nuremberg SS-Einsatzgruppen Trial, 1945-1958: Atrocity, Law, and History* (Cambridge University Press, 2010). En-

trevista dada ao antigo promotor do Julgamento do *Einsatzgruppen*, Benjamin Ferencz e sua esposa, Gertrude Ferencz, conduzida com a autora, Nicole Dombrowski e Linda Bishai. New Rochelle, Nova York, 15 de outubro de 2005.

121 pelo menos 13: Gudrun Schwarz, "Verdrängte Täterinnen: Frauen im Apparat der SS, 1939-1945", em Theresa Wobe, ed., *Nach Osten: Verdeckte Spuren nationalsozialistischer Verbrechen* (Verlag Neue Kritik, 1992), p. 207. Durante anos após terminada a guerra, Barbara Hellmuth, a secretária do chefe da Gestapo Heinrich Mueller, foi interrogada por autoridades da Alemanha Ocidental e dos Estados Unidos que caçavam Mueller. O nome de Hellmut aparece nos arquivos da CIA divulgados recentemente: http://www.archives.gov/iwg/declassified-records/rg-263-cia-records/rg-263-mueller.html. A amante de Mueller, Anna Schmid, também foi interrogada. Ver Richard Breitman, Norman Goda, Tim Naftali e Robert Wolfe, *U.S. Intelligence and the Nazis* (Cambridge University Press, 2005), p. 150. Depois da guerra, a esposa de Wily Suchanek, ajudante de Himmler na SS, que também serviu como secretária de Himmler, foi procurada como testemunha. Ver a correspondência de Simon Wiesenthal sobre a investigação do oficial da SS Horst Bender, 2 de janeiro de 1975, SWA.

122 milhares de páginas desses relatórios: Sobre os relatórios, ver Ronald Headland, *Messages of Murder: A Study of the Reports of the Einsatzgruppen of the Security Police and the Security Service, 1941-1943* (Fairleigh Dickinson University Press, 1992).

122 Himmler percebeu: Discurso de Himmler em Poznan, 4 de outubro de 1943, texto completo com apelo para auxiliares femininas da SS, http://www.nizkor.org/hweb/people/h/himmler-heinrich/posen/oct-04-43. A escola da SS para mulheres era direcionada para aquelas que tinham tido "um despertar do senso de honra". No fim da guerra, cerca de três mil mulheres, que compunham um quarto das candidatas, foram aceitas em cargos de auxiliares e de comando. Ver SS Obersturmbannführer, comandante da Helferinnenschule da SS, dr. Mutschler, sobre a candidata Dorothea Seebeck (n. 1925), Prüfung, Dienstleistungszeugnis e Verhandlung, 19 de fevereiro de 1945, NARA, RG 242, BDC, Misc. recs., arquivos de pessoal DRK, A 3345-SF B021, 130, 156. Para saber mais sobre treinamento e empregos das graduadas, ver Jutta Mühlenberg, *Das SS Helferinnenkorps: Ausbildung, Einsatz und Entnazifizie-rung der weiblichen Angehörigen der Waffen-SS 1942-1949* (Hamburguer Edition, 2011), p. 264.

123 "um campo de mulheres deve ser...": Langefeld se queixou das invasões dos homens da SS Aumeier e Mulka. Himmler tomou o partido dela. Ver Peter Write et al., eds., *Der Dienstkalender Heinrich Himmlers 1941/42* (Christinas Verlag, 1999), registro de 18 de julho de 1942, p. 483; e a biografia de Langefeld por Imtraud Heike, "Johannes Langefeld: Die Biographie einer KZ-Aufseherin", em *Werkstatt Geschichte* 4 (1995), p. 7-19.

124 "No corredor...": Citado em Thomas Kühne, *Belonging and Genocide: Hitler's Community, 1918-1945* (Yale University Press, 2010), p. 149.

124 "defender o forte" e "Veja, aqui tem um pingo...": Helene Dowland, Euskirchen, 21 de abril de 1966, BAL, B162/2110, fol. 1, cópia fornecida por Marie Moutier, Yahad in Unum. Ver também depoimento de Maria Koschinska Sprenger, 20 de abril de 1966, BAL, 162/3446. Sobre o Holocausto em Tarnopol, da perspectiva de uma judia que foi assassinada lá em 1943, ver "Briefe einer unbekannten Jüdin an ihre Familie (geschrieben kurz vor ihrer Hinrichtung, 1943)", Tarnopol, 7 de abril e 26 de abril de 1943, ed. Kerrin Gräfin von Schwerin, *Frauen im Krieg: Briefe, Dokumente, Aufzeichnungen* (Nicolai Verlag, 1999), pp. 127-30. Houve um depoimento similar, de uma secretária alemã em Minsk confrontada por um atirador com um dedo imobilizado numa tala depois de uma ação, contando um massacre em Maly Trostenets em 1943. O primeiro-tenente da SS também convidou a secretária para ir ao local da execução, achando que ela gostaria de pegar umas roupas. Depoimento de Frau Ingeborg Gruber (n. 1922), Mannheim, 11 de outubro de 1960, BAK, Js716/59.

125 Queria subir na carreira: Além das mulheres apresentadas aqui, Birgit Classen (n. 1921) trabalhava na Associação de Advogados do Partido Nazista e soube por um parente de Wilhelm Kube que havia boas oportunidades no Leste. Ela chegou à Bielorrússia em agosto de 1941 com um grupo de seis ou sete mulheres, indicada para o escritório do comissário-geral Kube, em Minsk, e foi interrogada sobre o caso Heuser em 20 de novembro de 1959, BAK, Staatsanwalt, arquivo 9, Js 716/59.

125 "Sabine, escreva isso, rápido!": Depoimento de Sabine Dick, 27-29 de abril de 1960, BAL, 162/1583, 14 de dezembro de 1960, BAL, 162/1682. Obrigada a Stephan Lehnstädt, Jürgen Matthäus e Andrej Angrick por me indicarem esse depoimento. Erna Leonhard depôs contra Heuser, dizendo que as pessoas no escritório falavam que Heuser ia ao gueto à noite, armado de pistola, e corria por lá dando tiros, aterrorizando os judeus, que se trancavam cheios de medo. Declaração de 14 de dezembro de 1960, BAL, 162/1682.

125 "queriam nossa companhia": Depoimento de Erna Leonhard (14 de dezembro de 1960) também referido a outras dez alemãs que trabalhavam no escritório da Sipo-SD em Minsk. Leonhard datilografava relatórios de interrogatórios à noite e assistia a interrogatórios de judeus.

126 tomar decisões no local: Witte et al., *Der Dienstkalender Heinrich Himmlers*, 15 de agosto de 1941. Sobre as tomadas de decisão de Himmler, ver Wendy Lower, "'Anticipatory Obedience' and the Nazi Implementation of the Holocaust in the Ukraine: A Case Study of Central and Peripheral Forces in the Generalbezirk Zhytomyr, 1941-1944", *Holocaust and Genocide Studies* 16, nº 1 (primavera de 2002), p. 1-22.

126 que dormiam no porão: Depoimento de Ingeborg Gruber, Mannheim, 11 de outubro de 1960, BAK, Sta, 9Js 716/59, B162/1682.

126 *Judenwurst*: Depoimento de Erna Leonhard, 14 de dezembro de 1960, BAL, 162/1682.

126 desejava mais que comida judaica: O episódio descrito nesse parágrafo se baseia no depoimento de Sabine Dick, 27-29 de abril de 1960, BAL, 162/1583. Leonhard também descreveu o depósito de objetos em Gut Trostenets, declaração de 14 de dezembro de 1960, BAL, 162/1682.

127 grande concentração de pessoas de etnia germânica: Em julho de 1942, apareceu uma série de artigos sobre celebrações da etnia germânica em Zhytomyr em volta do prédio do jardim de infância. *Deutsche Ukraine Zeitung* (Luzk), 1º, 2, 5 e 9 de julho de 1942, todos na p. 3 da Library of Congress Newspaper Collection. Ver "Vermerk", 9 de junho de 1942; "Einweisung von 14 Kindergärtnerinnen zur Betreuung Volksdeutscher in der Ukraine", 21 de julho de 1942; e "Lagebericht", NSV, 29 de setembro de 1942, Zhytomyr – todos CSA, 3206-6-255, microfilme no USHMMA, RG 31.002M, rolo 6. Em 16 de dezembro de 1942, comissários anunciaram que a escola era obrigatória para crianças de etnia alemã. *Deutsche Ukraine-Zeitung* (Luzk), 16 de dezembro de 1942, p. 3.

128 "portadoras da cultura": Esse arquivo sobre materiais educacionais para a juventude alemã no Leste não tem data; provavelmente é do fim de 1942 ou começo de 1943. ZSA P1151-1-139. Ver memorando de Koch para comissários-gerais sobre educação *Volksdeutsche*, sobre crimes raciais e punições *vis-à-vis* de judeus. 13 de maio de 1942, ZSA, P1151-1-120. Relatório de Hoffmeyer, 12 de outubro de 1941, NARA, RG 242, T454, rolo 100, quadros 000661-670. Ver relatório NSV de 11-12 de junho de 1942 e relatório RmfdbO de 15 de junho de 1942, CSA, 3206-6-255, microfilme no USHMMA, RG 31.002M, rolo 6. Irma Wildhagen e sua equipe de enfermeiras instalaram postos para mães e bebês em Cherniakhiv, Novgorod Volynsk, Andreyiv, Horoshkyn e Sadki. Ver visão global de equipe NSV datada de 11 de agosto de 1942. CSA, 3206-6-255, microfilme no USHMMA, RG 31.002M, rolo 6.

128 esposas dos homens da SS: Sobre a esposa de Greiser, ver Epstein, *Model Nazi*, pp. 64-66, 70.

129 Vera Wohlauf: Schwarz, *Eine Frau an seiner Seite,* pp. 191-94; e Christopher R. Browning, *Ordinary Men: Reserve Police Battalion 101 and the Final Solution in Poland* (HarperCollins, 1993), pp. 91-4. Os perpetradores alemães eram de pelotões da primeira, segunda e terceira companhias do 101º Batalhão da Polícia de Ordem, uma unidade de Hiwis, e da Polícia de Segurança de Radzyn.

130 Dois meses antes do massacre: Solicitação de casamento de Wohlauf, NARA, BDC, A3343-RS-G5348, quadros 2214-2326. Consta um filho no arquivo pessoal de Julius Wohlauf, nascido em 6/2/43, NARA, BDC, A3343 SSO 006C, quadro 1182. Ver Da-

niel Jonah Goldhagen, *Hitler's Willing Executioners: Ordinary Germans and the Holocaust* (Knopf, 1996), pp. 241-42.

131 "diante de um grande número de oficiais...": Goldhagen, *Hitler's Willing Executioners*, pp. 244, 558 nn. 9, 12, 16.

131 "revoltante que mulheres...": Declaração da esposa do tenente Brand; citada em Goldhagen, *Hitler's Willing Executioners*, p. 243.

131 Ao incorporar o *front* doméstico: A pesquisa de Claudia Koonz e Gitta Sereny, entre outras, estabeleceu que os homens perpetradores voltavam dos centros de matança e campos de concentração para esposas e amantes receptivas, que tranquilizavam a consciência deles e em alguns casos os incitavam a cometer mais crimes. Quando perguntaram ao comandante de Treblinka e Sobibor como suportava a tensão diária de dirigir uma fábrica de massacres, ele respondeu: "Não sei. Minha esposa. Talvez o amor por minha esposa." Gitta Sereny, *Into the Darkness: An Examination of Conscience* (Vintage, 1983), p. 348, e sobre Frau Stangl, pp. 210-11, 361-62.

131 Assim racionalizavam os perpetradores nazistas: Steven K. Baum, *The Psychology of Genocide: Perpetrators, Bystanders, and Rescuers* (Cambridge University Press, 2008), pp. 131-32.

132 liquidação do gueto de Hrubieszow: Schwarz, *Eine Frau an seiner Seite*, p. 189.

CAPÍTULO 5
PERPETRADORAS

134 Tudo isso era feito: Henry Friedlander, *The Origins of Nazi Genocide: From Euthanasia to the Final Solution* (University of North Carolina Press, 1997), pp. 4, 54, 231-32, e Michael Burleigh, *Death and Deliverance: "Euthanasia" in Germany, 1900-1945* (Cambridge University Press, 1994). Ver também USHMM *Deadly Medicine* exibição on-line: http://www.ushmm.org/wlc/article "euthanasia" Program.

135 médicos e parteiras: Sobre parteiras, ver Wiebke Lisner, "'Mutter der Mütter – Mütter des Volkes'? Hebammen im Nationalsozialismus", in Marita Krauss, ed., *Sie waren dabei: Mitläuferinnen, Nutzniesserinnen, Täterinnen im Nationalsozialismus* (Wallstein Verlag, 2008).

135 fuzilamentos de pacientes psiquiátricos poloneses: Richard Evans, *The Third Reich at War* (Penguin, 2010), pp. 75-6.

136 hospícios de Grafeneck e Hadamar: Sumários de interrogatórios de enfermeiras e pessoal de escritório em Hadamar (Irmgard Huber, Margarete Borkowski, Lydia Thomas, Agnes Schrankel, Isabella Weimer, Judith Thomas, Paula Siegert, Johanna Schrettinger, Hildegard Ruetzel, Elfriede Haefner, Elisabeth Utry, Ingeborg Seidel, Margot Schmidt,

Christel Zielke, Lina Gerst), em julgamentos de Wahlmann, Gorgass et al., CLG Frankfurt-am-Main, SS 10.48, 188/48.B162/28348 fol. 1, Urteil, 68-98. A enfermeira Maria Appinger, experiente em eutanásia e membro desde o início do Partido Nazista, também foi mandada para Minsk durante cinco meses, na primeira metade de 1942; ver Friedlander, *The Origins of Nazi Genocide*, p. 235.

136 "aliviavam o sofrimento" dos soldados alemães: Burleigh, *Death and Deliverance*. Bishop von Galen tinha suspeitado que isso iria acontecer. Em 3 de agosto de 1941, em seu famoso discurso em Münster denunciando a eutanásia, ele advertiu que "bastará apenas que uma ordem secreta seja emitida para que o procedimento experimentado e testado nos mentalmente doentes se estenda a outras pessoas 'improdutivas', que seja também aplicado aos que sofrem de tuberculose incurável, aos idosos e aos enfermos, pessoas deficientes na indústria, soldados com ferimentos irrecuperáveis!".

137 Os mortos eram "dos nossos": Declaração pública de Pauline Kneissler sobre aplicação em Minsk, reproduzida em Ulrike Gaida, *Zwischen Pflegen und Töten: Krankenschwestern im Nationalsozialismus* (Mabuse Verlag, 2006), p. 176. Kneissler foi transferida para várias unidades para introduzir procedimentos letais e expandir a matança. Promovida a enfermeira-chefe substituta, Kneissler podia ordenar que outras matassem e administrar doses mortais de sedativos, como Vernal e Luminal. Segundo Kneissler, a cada dia cerca de 75 pacientes morriam em sua enfermaria. Quando sua chefe lhe perguntou se estava pronta para matar sem sua orientação e supervisão, ela respondeu que sim, e que já o tinha feito. Ver Burleigh, *Death and Deliverance*, p. 254. A pesquisa de Georg Lilienthal de biografias de perpetradores em Hadamar focaliza, em parte, uma auxiliar de enfermagem, Lydia Thomas, cuja história segue a mesma linha da de Pauline Kneissler, com ida para o Leste no começo de 1942, e fornece confirmação de morte por gás de civis alemães aleijados em bombardeios e de soldados feridos da Wehrmacht e da SS. Ver Georg Lilienthal, "Personal einer Tötungsanstalt Acht. biographische Skizzen", em Uta George et al., *Hadamar: Heilstätte, Tötungsanstalt, Therapienzentrum* (Jonas Verlag, 2006), p. 286. Ver também Ernst Klee, *Euthanasie (NS-Staat): Die "Vernichtung lebensunwerten Lebens"* (Fischer Taschenbuch, 1983), pp. 372-73; Burleigh, *Death and Deliverance*, pp. 231-32, e Friedlander, *The Origins of Nazi Genocide*, pp. 153, 160, 296-97.

138 um hospício em Meseritz-Obrawalde: Susan Benedict e Tessa Chelouche, "Meseritz-Obrawalde: A 'Wild euthanasia' Hospital of Nazi Germany", *History of Psychiatry* 19 (1): 68-76; Bronwyn Rebekah McFarland-Icke, *Nurses in Nazi Germany: Moral Choice in History* (Princeton University Press, 1999), p. 214. Uma mulher, dra. Hilde Wernicke, tinha cargo de chefia da equipe médica em Meseritz-Obrawalde. Outros locais na Polônia eram o antigo Mosteiro Bernardino, em Koscian, a 30 milhas de Poznan, e Tiegenhof em Dzienkanka, no Warthegau.

138 "os transportes continuavam chegando": Citado em Harald Welzer, *Täter: Wie aus ganz normalen Menschen Massenmörder werden* (Fischer Verlag, 2007), p. 67. Ver também Claudia Koonz, *The Nazi Conscience* (Harvard University Press, 2005), e Friedlander, *The Origins of Nazi Genocide*, p. 153.

138 "davam trabalho extra..." e "os que fugiam...": Texto da acusação citado em Friedlander, *The Origins of Nazi Genocide*, p. 160.

138 era preciso pelo menos duas enfermeiras: Depoimento da enfermeira Anna Gastler, reproduzido em Gaida, *Zwischen Pflegen und Töten*, p. 170.

139 sede de município: O material dessa seção se baseia em *Der Generalbezirk Wolhynien, Der Reichminister für die besetzten Ostgebiete, Hauptabteilung I, Raumplanung*, 5 de dezembro de 1941, 9, 30; em Yitzhak Arad, Shmuel Krakowski e Shmuel Spector, eds., *The Einsatzgruppen Reports: Selections from the Dispatches of the Nazi Death Squads' Campaign Against the Jews in the Occupied Territories of the Soviet Union, July 1941-Jan 1943* (Holocaust Library, 1989), Report #24, 16 de julho de 1941.

139 "nanico de olhos fuzilantes": Depoimento de Karl Wetzle, Oberhausen, 21 de junho de 1963, BAL, 162/4522 fol. 1, II, 204 AR-Z 40/1961.

140 a "morta": Depoimento de Moses Messer, data incerta, corroborado por Arie Gomulka, 3 de maio de 1964, Haifa. Os depoimentos foram dados principalmente ao Untersuchungstelle für NS Gewaltverbrechen beim Landesstab der Polizei, Israel. Os originais estão no BAL, B162/4522, fol. 1, II, 204 AR-Z 40/1961. Muitos desses depoimentos foram publicados antes, no livro memorial *Pinkas Ludmir: Sefer-zikaron li-kehilat Ludmir* (Tel Aviv, 1962).

141 "... um sadismo assim...": Depoimento de Moses Messer, data incerta, corroborado por Arie Gomulka, 3 de maio de 1964, Haifa.

141 "como se estivesse tocando o gado": Depoimento de Kurt Bettins, que desde setembro de 1941 até abril de 1943 foi o chefe do campo dos prisioneiros soviéticos em Volodymyr-Volynsky, reproduzido em *Die Tat*, 27 de outubro de 1978. Arquivo de recorte de jornal, registros de julgamento, BAL, II, 204 AR-Z 40/61, Band II.

141 "horrível hábito": Arie Gomulka, 3 de maio de 1964, Haifa, BAL, B162/4522, fol. 1.

141 "não a admiravam...": Depoimento de Erna Schirbel Michels, 12 de junho de 1968, p. 434, BAL, B162/4523, fol. 1. Ver Judith Halberstam, *Female Masculinity* (Duke University Press, 1998).

142 Fazendeiros poloneses que estavam nos campos ali perto trabalhando: Cena de banquete em Piatydny, depoimento de Josef Opatowski, p. 7, Jewish Historical Institute, Varsóvia, ZIH 301/2014. Agradeço a Ray Brandon por fornecer esse documento. Outras testemunhas descreveram a cena da mesa de banquete em outros assassinatos em massa. Ver *The*

Holocaust by Bullets: The Mass Shooting of Jews in Ukraine, 1941-1944, Exhibition Catalogue, Fondation pour la Mémoire de la Shoah e Yahad in Unum, p. 44.

143 "uma polonesa...": Ginsburg nasceu em 1932, na cidade vizinha de Maciejow. Agradeço a sua filha, Suzanne Ginsburg, por fornecer o livro de memórias *Noike: A Memoir of Leon Ginsburg*, 2011 (ver pp. 120-21). Ver também Martin Dean, ed., *Encyclopedia of Ghettos and Camps*, vol. 2, *Ghettos in German-Occupied Eastern Europe* (Indiana University Press, 2011), e Shmuel Spector, *The Holocaust of Volhynian Jews, 1941-1944* (Yad Vashem, 1990), pp. 127, 145, 186. Havia um gueto menor na aldeia vizinha, Ustilug. O relato de Spector sobre o gueto é derivado de depoimentos publicados no Volodymyr-Volynsky Memorial Book.

143 "área arborizada...": Dieter Pohl, "The Murder of Ukraine Jews under German Military Administration and in the Reich Commissariat Ukraine", in Ray Brandon e Wendy Lower, eds., *The Shoah in Ukraine: History, Testimony, Memorialization* (Indiana University Press, 2008), pp. 50, 52, 58.

146 os Petri caminhavam com os visitantes: Horst Petri lembrou que a visita foi no outono de 1943; Erna disse que foi no verão de 1943. Entretanto, o oficial da SS Fritz Katzmann tinha sido enviado para Danzig, no Oeste da Prússia, no fim de abril daquele ano. No livro de convidados de Grzenda, Hilde Katzmann expressa gratidão por uma tarde passada lá em 3 de novembro de 1942, e uma assinatura similar aparece numa visita em 29 de março de 1943. Interrogatório de Horst em 8 de setembro de 1961; interrogatório de Erna em 15 de setembro de 1961. Arquivo nº 403/63 BSTu aussenstelle Erfurt, fol.2. Untersuchungsvorgang, 000131, Arquivo Stasi, BAB. Sobre o papel de Katzmann no Holocausto da Galícia, ver Dieter Pohl, *Nationalsozialistische Judenverfolgung in Ostgalizien, 1941-1944: Organisation und Durchführung eines staatlichen Massenverbrechens* (Oldenbourg, 1996). No famoso "relatório Katzmann", de 30 de junho de 1943, apresentado no julgamento de Nuremberg (material de Nuremberg USA Exhibit 277, Document L-18), Katzmann dá detalhes da guetização, de assassinatos, trabalhos forçados e roubo de bens efetuados dos 434.329 judeus da região. Katzmann não foi capturado depois da guerra, e acredita-se que tenha morrido em 1957.

146 Enquanto elas continuavam andando: Erna Petri, primeiro interrogatório, 25 de agosto de 1961. Arquivo nº 403/63 BSTu aussenstelle Erfurt, fol.2 Untersuchungsvorgang, 000131, Arquivos Stasi, BAB.

146 "as crianças que fugiram...": Interrogatório de Erna Petri, 18 de setembro de 1961, pp. 1-7. Julgamento de Horst e Erna P., BAB, BStU 000050-57; USHAMMA, RG 14.068, ficha 566. Ver também Wendy Lower, "Male and Female Holocaust Perpetrators and the East German Approach to Justice, 1949-1963", *Holocaust and Genocide Studies* 24, nº 1 (primavera de 2010), pp. 56-84, onde foi publicado algum desse material sobre

Erna Petri. Agradeço à Oxford University Press e ao U. S. Holocaust Memorial Museum a permissão para usar passagens (de forma alterada) desse artigo.

148 "comandante de campo sedento de sangue": Recordação de Stepan Yakimovich Shenfeld, 1943, citado em Joshua Rubenstein e Ilya Altman, eds., *The Unknown Black Book: The Holocaust in the German-Occupied Soviet Territories* (Indiana University Press, 2010), p. 91.

148 "assassino por natureza" e "cortador de palha": Excerto de depoimento, BAL, Acusação e Julgamento de Lemberg, p. 273; USHMMA, RG 17.003m, rolo 98, incluído na investigação preliminar austríaca de Karl Kempka. Acusação de Hansberg, antes Wilhaus, BAL, 162/4688, 208 AR-Z 294/59. The Lemberg Prozess, abril de 1968, BAL, 162/2096, 274.

148 "por esporte": Philip Friedman, *Roads to Extinction: Essays on the Holocaust* (Jewish Publication Society, 1980), p. 311. Um relato coloca Heike também atirando em "alvos judeus" com uma pistola que ganhou dos pais, de presente de aniversário. Eliyahu Yones, *Smoke in the Sand: The Jews of Lvov in the War Years, 1939-1944* (Gefen House, 2004).

149 trabalhadores judeus no jardim: Outros tiros disparados de um terraço ocorreram perto dali, no campo de Jaktorow, em Placzow. Entrevista da autora com Gisela Gross, 3 de novembro de 2005, Baltimore.

150 "mercado de casamento": Há numerosos exemplos de homens da SS que se casaram ou tiveram relacionamentos com a secretária, inclusive o *Reichsführer* Heinrich Himmler, cuja "segunda esposa", Hedwig Potthast, era sua assistente; o chefe da Gestapo, Heinrich Mueller, e sua secretária, Barbara Hellmuth; o general da Waffen-SS Jochen Peiper e sua secretária Sigrid Hinrichsen; Alois Brunner e sua assistente Anni Roeder. Nesses casos, e em muitos mais, a separação das esferas pública e privada não era tão nítida. Ver Gudrun Schwarz, *Eine Frau an seiner Seite: Ehefrauen in der "SS-Sippengemeinschaft"* (Hamburger Edition, 1997), pp. 201-202.

150 Os filhos dessa nova elite: Como mostra o caso de Hanweg, as crianças foram envolvidas no Holocausto. Em vários casos, eram levadas a oficinas e interagiam com trabalhadores judeus, que depois eram mortos. Ver Nicholas Stargardt, *Witnesses of War: Children's Lives under the Nazis* (Random House, 2005). Ver também Schwarz, *Eine Frau an seiner Seite*, pp. 219-21, para o caso de um pai da SS, Hermann Blache, que levou o filho ao gueto de Tarnow para praticar tiro ao alvo.

150 educação de filhos, feminilidade e prazer: Sobre revolução sexual, ver Dagmar Herzog, *Sex after Fascism: Memory and Morality in Twentieth-Century Germany* (Princeton University Press, 2005).

151 sua "adorável coelhinha": Landau, in Walter Kempowski, *Das Echolot: Ein kollektives Tagebuch, Barbarossa 1941* (btb Verlag, 2002), pp. 215, 243, 261, 282, 297, 714. As

anotações de Landau são corroboradas por relatórios oficiais do Einsatzgruppe C. Ereignismeldung UdSSR Nr. 21, 13 de julho de 1941. Excertos do diário original estão no Staatsarchiv Ludwigsburg, referência E1 317 III Bue 1103-1113. Cópias de trechos do diário estão em arquivos de investigação BAL 162/22380. Passagens do dia 13 de julho foram extraídas e traduzidas em Ernst Klee, Willi Dressen e Volker Riess, eds., *"The Good Old Days": The Holocaust as Seen by Its Perpetrators and Bystanders* (Konecky & Konecky, 1991), pp. 97-8.

151 Drohobych: Omer Bartov, *Erased: Vanishing Traces of Jewish Galicia in Present-Day Ukraine* (Princeton University Press, 2007), pp. 50-60.

152 Eram belas pinturas: Poucos anos atrás os murais estiveram no centro de um escândalo internacional e de uma crise diplomática, quando o governo da Ucrânia objetou à remoção dos murais para Israel, onde estão hoje em exposição no Yad Vashem, o museu e memorial oficial do Holocausto nesse país.

152 tinham um terraço em casa: Schwarz, *Eine Frau an seiner Seite*, pp. 201-209.

152 depoimento de uma testemunha judia: Chaim Patrich, 3 de julho de 1947 e 6 de setembro de 1947, VCA, Polizeidirektion Viena, investigação do Tribunal do Povo, Vg 3b Vr 7658/47.

152 recostados em cadeiras estofadas: os austríacos chamavam essas cadeiras de "canadenses", muito em moda nos anos 1930. Gertrude Landau, declaração de 27 de fevereiro de 1948, VCA, Polizeidirektion Viena, investigação do Tribunal do Povo, Vg 3b Vr 7658/47.

152 judeus trabalhavam lá embaixo: Gertrude Landau, 29 de maio de 1947, VCA, Polizeidirektion Viena, investigação do Tribunal do Povo, Vg 3b Vr 7658/47.

152 Começou a atirar nos pombos: Gertrude Landau, 2 de junho e 17 de junho de 1947, complementação à declaração de 29 de maio de 1947, VCA, Polizeidirektion Viena, investigação do Tribunal do Povo, Vg 3b Vr 7658/47.

152 Uma das maiores foi em novembro de 1942: Acusação "General Judeu" de Landau, 20 de abril de 1961, 14 Js 3808/58, BAL 162/3380. Não muito depois desse massacre, o colega de Landau matou Bruno Schulz nas ruas de Drohobych.

153 "Não seja idiota...": Citado em Schwarz, *Eine Frau an seiner Seite*, p. 204.

153 pisoteou uma criança judia até a morte: Ver o Julgamento do Tribunal de Stuttgart de 16 de março de 1962, publicado em *Justiz und NS-Verbrechen*, vol. 18, pp. 364-65.

154 "Vou te ajudar!": Declaração de Josefine Block, 18 de maio de 1948, VCA, Vg 8514/46. Acusação, 3 de março de 1949, 15 St 1617/49. Em 1946, ela tinha um filho de 5 anos e outro de 3 anos. Assim, em 1942-43, na época dessas matanças, tinha um menininho e um bebê, ou estava grávida do segundo.

154 Muitas vezes, trabalhadores judeus desesperados: Uma vítima conseguiu fugir. As três que foram mortas foram identificadas como Vera Zuckermann, Dora Sternbach e Paula

Winkler (declarações das testemunhas Katz, Fischer e Weidemann). Sobre o prazer que Block e seu marido obtinham maltratando judeus em encontros casuais, ver depoimento de Regina Fritz no tribunal, 12 de dezembro de 1946, e declaração de Weiss, 19 de fevereiro de 1947, Vg 8514/46, Investigação e Julgamento de Josefine Block (n. 1910), 19 de novembro de 1946, VCA, Polizeidirektion Wien an Staatsanwaltschaft Wien; Stadtarchiv Wien.

154 Mais tarde duas testemunhas disseram: Declarações de Fischer, 3 de outubro de 1946, e Katz, VCA, Polizeidirektion Viena, 21 de setembro de 1946, e Katz, 12 de dezembro de 1946, Vg 8514/46.

154 não podia tomar nenhuma decisão: Declarações de Fischer, 16 de dezembro de 1946, e Dengg, 17 de janeiro de 1947, VCA, Vg 8514/46.

155 abordava alemães na rua: Depoimento de Heinrich Barth em 2 de março de 1977, BAL, 76-K 41676-Koe. Depoimento de Wetzle sobre "convite" de Westerheide para matar judeus: Declaração de Karl Wetzle, Oberhausen, 21 de junho de 1963, BAL, LKA-NW, B162/4522 fol, 1, II, 204 AR-Z 40/1961.

155 as "compactadoras"... As "coletoras": padre Patrick Desbois, *The Holocaust by Bullets* (Macmillan, 2008).

155 As cenas de crimes incluíam: Em Riga, uma mulher de etnia alemã, tradutora, compareceu a um desses "banquetes funerários" e se lembrou das pessoas levantando os copos de schnapps, brindando à morte dos judeus. Um chefe de polícia letão chamou todos – "Senhoras e senhores, está na hora" – e todos foram caminhando uns 150 metros, da mesa do banquete até uma cova recém-aberta, de 15 metros de comprimento por 2 metros de largura. Dez judeus estavam na beira da cova, vestidos somente com a roupa de baixo; outros dez já estavam dentro da cova, gemendo. O letão ordenou à sua unidade que atirasse, e também colocou uma pistola na mão de uma mulher, dizendo-lhe para experimentar, mirando os judeus. Os soldados alemães que estavam presentes não atiraram, e reclamaram que aquilo estava uma bagunça. Voltaram ao banquete, que durou até a madrugada. Violetta Liber, BAL, B162/8978, interrogatório de 16 de fevereiro de 1972, Riga. Obrigada a Martin Dean pelo acesso a essa fonte.

CAPÍTULO 6
POR QUE ELAS MATAVAM?

159 Uma jovem professora primária: Eugenie S. sobre a escola em Chernihiv, in Rosemarie Killius, ed., *Frauen für Front: Gespräche mit Wehrmachtshelferinnen* (Militzke Verlag, 2003), pp. 59-60.

160 Toda a equipe: Erika Summ, *Schäfers Tochter: Die Geschichte der Frontschwester* (Zeitug Verlag, 2006), p. 144.

160 "transportada": Summ, *Schäfers Tochter*, p. 153.

161 pendurou nos ganchos as crianças mortas: Summ, *Schäfers Tochter*, pp. 165-66. Erika Ohr casou-se com um de seus pacientes, um soldado alemão que tinha perdido as pernas na guerra. Depois da guerra, Summ (como passou a ser chamada) trabalhou como enfermeira em Sindelfingen e Marbach, e depois teve filhos. Encontrou-se com colegas enfermeiras cinco ou seis vezes depois da guerra, no Sul da Alemanha. Summ tinha fé em poder lidar com tudo o que testemunhara e fizera durante a guerra. Tendia a olhar para a frente. Até fazer 19 anos de idade, seu lema era "Es muss weitergehen" (A vida continua). Concentrava-se em pequenos prazeres e se policiou para suprimir fantasias e ambições maiores. Entrevista da autora, por telefone, com a filha de Summ, 4 de agosto de 2011.

161 "Pela última vez...": Proclamação de Adolf Hitler, 15 de abril de 1945, publicada em jornais alemães. Citada em Ian Kershaw, *Hitler: Nemesis, 1936-1945* (W. W. Norton, 2000), p. 793.

161 mulheres estupradas: Estimativas de estupro variam, em parte porque as vítimas eram estupradas repetidamente, em parte porque muitas eram mortas ou cometiam suicídio depois (somente em Berlim morreram 10 mil). As tropas francesas efetuavam estupro em massa no sudoeste da Alemanha. Houve também casos de soldados americanos e, em menor grau, do Exército britânico. Ver Richard Evans, *The Third Reich at War* (Penguin, 2010); Michael Kater, *Hitler Youth* (Harvard University Press, 2004), p. 241, e Norman M. Naimark, *The Russians in Germany: A History of the Soviet Zone of Occupation, 1945-1949* (Harvard University Press, 1995). Sobre estupro em massa e discursos de vitimização alemã, ver Atina Grossmann, "A Question of Silence: The Rape of German Women by Soviet Occupation Soldiers", in Nicole Ann Dombrowski, ed., *Women and War in the Twentieth Century* (Routledge, 2004), pp. 162-83; *Die deutschen Trümmerfrauen* (filme documentário), Hans Dieter Grabe (1968); Elizabeth D. Heinemann, "The Hour of the Woman: Memories of Germany's 'Crisis Years' and West German National Identity", *American Historical Review* 101, nº 2 (abril de 1996), pp. 354-95; e [Anônimo] *A Woman in Berlin: Eight Weeks in the Conquered City* (Metropolitan Books, 2005).

162 a vida sem Hitler: Frau Ottnad, professora primária em Reichersbeuern, por exemplo, cometeu suicídio em 9 de maio de 1945, quando os Aliados chegaram. Entrevista da autora com um antigo aluno de Ottnad e sua esposa, Friedrich e Freya K., 11 de abril de 2001, USHMMA. Ver também Evans, *The Third Reich at War*, e Margaret Bourke-White, *Dear Fatherland, Rest Quietly: a Report on the Collapse of Hitler's Thousand Years* (Literary Licensing, 2012).

162 seriam punidos: Sobre os primeiros julgamentos e justiça vigilante, ver Ilya Bourtman, "Blood for Blood, Death for Death": The Soviet Military Tribunal in Krasnodar, 1943",

Holocaust and Genocide Studies 22 (outono de 2008), pp. 246-65; Gary Bass, *Stay the Hand of Vengeance: The Politics of War Crimes Tribunals* (Princeton University Press, 2000), e Donald Bloxham, *Genocide on Trial: War Crimes Trials and the Formation of Holocaust History and Memory* (Oxford University Press, 2001).

163 escapar da custódia soviética: Christiane Berger, "Die Reichsfrauenführerin Gertrud Scholtz-Klink", in Marita Krauss, ed., *Sie waren dabei: Mitläuferinnen, Nutzniesserinnen, Täterinnen im Nationalsozialismus* (Wallstein Verlag, 2008), e entrevista de Claudia Koonz com Klink em *Mothers in the Fatherland: Women, the Family, and Nazi Politics* (St. Martin's Press, 1988).

164 20 mil foram presas: Gudrun Schwarz, "Verdrängte Täterinnen: Frauen im Apparat der SS, 1939-1945", in Theresa Wobbe, ed., *Nach Osten: Verdeckte Spuren nationalsozialistischer Verbrechen* (Verlag Neue Kritik, 1992), p. 212.

164 "seria o mesmo que me enforcar...": Ilse Schmidt, *Die Mitläuferin: Erinnerungen einer Wehrmachtsangehörigen* (Aufbau Verlag, 2002), pp. 38, 61, 76-7.

164 Erika Ohr também foi apanhada: Summ, *Schäfers Tochter*, p. 176.

165 cruéis experimentos médicos: A dra. Oberheuser tinha galgado posições no Partido Nazista. Foi voluntária para servir como médica de campo em Ravensbrück e recebeu a Medalha do Mérito de Guerra alemã por dar assistência a experimentos médicos terríveis (injeções letais, transplantes de ossos, inserção de farpas de vidro e de madeira em ferimentos) que mataram trabalhadores poloneses, entre outras vítimas. No tribunal de Nuremberg, ela disse que sempre fora interessada em procedimentos cirúrgicos, e que era quase impossível para uma mulher ser cirurgiã na Alemanha. No campo de concentração de Ravensbrück, ela teve a oportunidade de ser cirurgiã e fazer experimentos com "sujeitos vivos" saudáveis. Ver Paul Weidling, *Nazi Medicine and the Nuremberg Trials* (Palgrave Macmillan, 2004), e Robert Jay Lifton, *The Nazi Doctors: Medical Killing and the Psychology of Genocide* (Basic Books, 2000). Documentos originais do Julgamento dos Médicos, inclusive o depoimento de Oberheuser (Documento NO-487, NO-862), foram digitalizados e estão on-line em Harvard University's Law Library, http://nuremberg.law.harvard.edu.NO-470.NARA, RG 238.

165 Inge Viermetz: Sobre o caso dos Estados Unidos contra a organização da SS que realizava campanhas de sequestros (entre outros crimes de "germanização"), e Viermetz, ver Kathrin Kompisch, *Täterinnen: Frauen im Nationalsozialismus* (Böhlau, 2008), pp. 33-36, e Andrea Bölkten: *Führerinnen im Führerstaat: Gertrud Scholtz-Klink, Trude Mohr, Jutta Rüdiger und Inge Viermetz* (Centaurus Verlag, 1995), pp. 105-29.

165 Emmy Hoechtl: De 1925 a 1933, Emmy Hoechtl foi secretária do Ministério do Interior da Prússia (com Robert W. Kempner); de 1933 a 1936, secretária do Polizeipräsidium de Berlim; de 1939 a 1942, secretária de Arthur Nebe no Reichskriminalpolizeiamt; de outubro de 1945 a 30 de novembro de 1948, secretária de Kempner em

Nuremberg; de 1948 a 1949, secretária do representante da Landesregierung, Nordhein-Westfalen, com a Zweizonenregierung Frankfurt; e de 1950 a 1059, baseada em Bonn, como secretária do representante do governo de Berlim (Ocidental). Quando foi interrogada, em 1961, como parte das investigações de Albert Widman e do dr. Werner a respeito das vans de gás no Leste, Hoechtl declarou que não se lembrava de nada sobre crimes, nem de atividades criminais de Nebe ou de qualquer outra pessoa que ela conheceu na Kripo. Durante a guerra, ela não ficou baseada no Leste, mas seu conhecimento da documentação sobre a Solução Final e escritórios do Reich pode ter sido uma das razões de o promotor Kempner ter apresentado muitas evidências, inclusive o Wannsee Protocol, quando ela era secretária dele em Nuremberg. Ver BAL, B162/1604, fol. 1, 556-568. Agradeço a Christian Gerlach por me indicar Hoechtl.

166 "sem ilusões...": Ruth Kempner e Robert M. W. Kempner, *Women in Nazi Germany* (1944), p. 46.

167 "Não se pôde estabelecer...": Summ, *Schäfers Tochter*, p. 152.

167 "como servidora pública...": Citação de Susan Benedict, "Caring White Killing", in Elizabeth R. Baer e Myrna Goldenberg, eds., *Experience and Expression: Women, the Nazis and the Holocaust* (Wayne, State University Press, 2003), p. 105.

167 "Eu nunca praticaria...": Depoimento citado em Harald Welzer, *Täter: Wie aus ganz normalen Menschen Massenmörder weren* (Fischer Verlag, 2007), p. 67. Dr. Wernicke, em Meseritz-Obrawalde, também usou sua autoridade para mandar enfermeiras aplicarem injeções letais. Ver Bronwyn Rebekah McFarland-Icke, *Nurses in Nazi Germany* (Princeton University Press, 1999), pp. 233, 248.

168 compartilhar os instrumentos da violência: Os métodos de homens e mulheres se sobrepunham de várias maneiras, mas as mulheres parecem ter tido preferências que os homens não tinham. Na literatura sobre os campos de concentração, são muito frequentes as descrições de um certo estilo das guardas femininas, que se fiavam regularmente em cães de ataque, e que gritavam, esbofeteavam e chutavam. Ver Elissa Mailänder Koslov, *Gewalt im Dienstalltag: Die SS-Aufseherinnen des Konzentrations- und Vernichtungslagers Mayjdanek, 1942-1944* (Hamburg Institute for Social Research, 2009), e entrevista da autora com Helen Tichauer, falando sobre Irma Grese em Birkenau e guardas femininas em Malchow, 23 de junho de 2010, Ludwig Maximilians University, Munique; corroborada in Donald McKale, *Nazis after Hitler: How Perpetrators of the Holocaust Cheated Justice and Truth* (Rowman & Littlefield, 2012), p. 42.

168 negação e repressão: Respostas típicas incluem "Mir ist nichts daruber bekannt" (Não sei nada sobre isso), "Ich kann nicht sagen" (Não sei dizer), "Ich weiss nicht mehr" (Não sei mais nada), e "Ich habe nichts davon gehört" (Não ouvi nada sobre isso). Elisabeth Hoeven (n. Bork, 1922), Kassel, 10 de outubro de 1978, BAL, 634-K41676-Koe.

168 alemães e austríacos investigados: A mais recente estimativa de perpetradores alemães e austríacos que tiveram uma ação direta no processo de matança – pessoal da SS e da polícia, e do sistema dos campos – é de aproximadamente 200 mil a 250 mil pessoas. Na Europa, 300 mil alemães e austríacos foram investigados e acusados, e destes, cerca de 150 mil foram realmente julgados e sentenciados. Na Alemanha Oriental, entre 1945 e 1989, 12.890 pessoas foram levadas a julgamento por crimes contra a humanidade, quase o dobro das pessoas julgadas na Alemanha Ocidental. Noventa por cento dos julgamentos ocorreram antes de 1955, por pressão soviética. As taxas de condenação foram altas, e a sentença de morte foi imposta até meados dos anos 1980. Ver Norbert Frei, ed., *Transnationale Vergangenheitspolitik. Der Umgang mit deutschen Kriegsverbrechern in Europa nach dem Zweiten Weltkrieg* (Wallstein, 2006), e Jürgen Matthäus e Patricia Heberer, eds., *Atrocities on Trial: Historical Perspectives on the Politics of Prosecuting War Crimes* (University of Nebraska Press, 2008).

168 "Nunca entendi...": Pauline Kneissler citado em Michael Burleigh e Wolfgang Wippermann, *The Racial State: Germany, 1933-1945* (Cambridge University Press, 1991); e em Ulrike Gaida, *Zwischen Pflegen und Töten: Krankenschwestern im Nationalsozialismus* (Mabuse Verlag, 2006), p. 160. Kneissler matou enquanto pôde. Em seu último posto, em Kaufbeuren-Irsee, um menino de 4 anos foi morto em 29 de maio de 1945, 33 dias depois que as tropas dos Estados Unidos entraram em Kaufbeuren. Ver Ernst T. Mader, *Das erzwungene Sterben von Patienten der Heil- und Pflegeanstalt Kaufbeuren-Irsee zwischen 1940 und 1945 nach Dokumenten und Berichten von Augenzeugen* (Blöcktach, 1992). O historiador Peter Witte juntou a documentação desses últimos dias em Kaufbeuren, baseando-se num relatório do serviço secreto norte-americano de 2 de julho de 1945, Nuremberg Doc. PS-1696 (não publicado). Ver excertos em Henry Frielander's, *The Origins of Nazi Genocide: From Euthanasia to the Final Solution* (University of North Carolina Press, 1997), pp. 218-19; "Massenmord in der Heilanstalt" no *Münchner Zeitung* em 7 de julho de 1945; e Ernst Klee, *"Euthanasie" im NS-Staat: Die "Vernichtung lebensunwerten Lebens"* (Fischer Verlag, 1983), pp. 452-53.

168 "podem ver algo errado...": Roy Baumeister, *Evil: Inside Human Violence and Cruelty* (W. H. Freeman, 1997), p. 47.

169 Erna Petri não negou seus assassinatos: Segundo Insa Eschenbach, o julgamento de mulheres na GDR por crimes nazistas foi influenciado por três fatores: o comportamento delas como um lapso anômalo, a juventude ou ingenuidade delas e seu status de trabalhadoras num Estado socialista emergente. A autoapresentação de Erna jogou com os três fatores, mas ao que parece o tribunal não foi complacente, pois ela foi condenada à prisão perpétua. Ver Insa Eschenbach, "Gespaltene Frauenbilder: Geschechterdramaturgien im juristischen Diskurs ostdeutscher Gerichte", in Ulrike Weckel e Edgar Wolfrum, eds., *"Bestien" und "Befehlsempfänger": Frauen und Männer in NS-Prozessen nach 1945* (Vandenhoeck & Ruprecht, 2003), p. 99.

169 "Naquela época...": Interrogatório de Erna Petri, 18 de setembro de 1961. Julgamento de Horst e Erna Petri, BStU 000050-57, USHMMA, RG 14.068, ficha 566.

170 "Não posso entender hoje...": Interrogatório de Erna Petri, 18 de setembro de 1961.

171 "o tratamento que nós, alemães, tivemos...": Norman Goda, *Tales from Spandau: Nazi Criminals and the Cold War* (Cambridge University Press, 2008), p. 147.

172 As matadoras permaneceram: Roger Brown e James Kulik, "Flashbulb Memories", *Cognition* 5 (1977), p. 73-99.

172 não é uma característica feminina: Susannah Heschel, "Does Atrocity Have a Gender? Feminist Interpretations of Women in the SS", in Jeffrey Diefendorf, ed., *Lessons and Legacies*, vol. 6, *New Currents in Holocaust Research* (Northwestern University Press, 2004), pp. 300-21.

172 um falso escudo: Certamente, como aponta o psicólogo social James Waller, "oferecer uma explicação para as atrocidades cometidas por perpetradores não é perdoar, justificar ou desculpar seu comportamento. A explicação simplesmente nos permite entender as condições sob as quais muitos de nós poderíamos ser transformados em máquinas de matar". James Waller, *Becoming Evil: How Ordinary People Commit Genocide and Mass Killing* (Oxford University Press, 2002), p. xiv.

172 criminologista do século XIX Cesare Lombroso: Cesare Lombroso e Guglielmo Ferrero, *Criminal Woman, the Prostitute, and the Normal Woman*, trad. Nicole Hahn Rafter e Mary Gibson (Duke University Press, 2004).

172 assemelhadas a primatas subdesenvolvidos: Eileen MacDonald, *Shoot the Women First* (Random House, 1991), pp. xi-xii. Obrigada a Robert Ehrenreich por me indicar essa fonte.

172 "naturalmente traiçoeiras": Citado em Steven Barkan e Lynne Snowden, *Collective Violence* (Allyn & Bacon, 2000), p. 85.

172-3 Estudos recentes de comportamento animal: Richard Wrangham e Dale Peterson, *Demonic Males: Apes and the Origins of Human Violence* (Houghton Mifflin, 1996); e Frans B.M. de Waal, "Evolutionary Ethics, Aggression, and Violence: Lessons from Primate Research", *Journal of Law, Medicine, and Ethics* 32 (primavera de 2004), pp. 18-23. Adam Jones oferece uma boa lista de literatura similar, como o trabalho de Michael Ghiglieri, *The Dark Side of Man*, in *Genocide: A Comprehensive Introduction*, 2ª ed. (Routledge, 2001), pp. 477-82.

173 "um insulto ao reino animal...": Yehuda Bauer, *Rethinking the Holocaust* (Yale University Press, 2000), p. 21.

173 A perpetração do genocídio exige: Ver o verbete de Roger W. Smith, "Perpetrators", em *Encyclopedia of Genocide and Crimes against Humanity* (Macmillan, 2004); Baumeister, *Evil*, p. 137; Beatrice Hanssen, *Critique of Violence: Between Poststructuralism and Critical*

Theory (Routledge, 2000), e Steven K. Baum, *The Psychology of Genocide: Perpetrators, Bystanders, ans Victims* (Cambridge University Press, 2008), p. 123.

173 preponderância da violência masculina: James Blair, Derek Mitchell e Karina Blair, *The Psychopath: Emotion and the Brain* (Blackwell, 2005), p. 20. Exemplos em comunidades atuais nos Estados Unidos mostram que a conduta cruel (*bullying*, tortura de animais) e comportamento delinquente (pequenos furtos em lojas, vadiagem) ocorrem com 6% a 16% de homens e 2% a 9% de mulheres. Formas mais extremas de psicopatia aparecem em 1% a 3% de homens e 1% de mulheres. Segundo psicólogos, formas extremas de comportamento criminal podem ser medidas num espectro de fatores emocionais e interpessoais. Tipicamente, esse diagnóstico se baseia em um sistema de pontuação de fatores, ou em uma lista de checagem, como a lista elaborada por Robert Hare, de certos traços, comportamentos e reações emocionais (falta de empatia, autocentramento, ausência de remorso, agressão e impulsividade). Essas listas de traços são mais descritivas do que explicativas. A infância de um matador pode ser um forte indicador, dado que a psicopatia e o comportamento antissocial se manifestam em tenra idade e se acentuam na adolescência.

174 Um estudo recente sobre mulheres criminosas: Há também diferenças de gênero; ver Dana Britton, *The Gender of Crime* (Rowman & Littlefield, 2011). Waller, *Becoming Evil*, também enfatiza a importância da socialização, e uma conclusão similar está num importante estudo de Adam Jones, "Gender and Genocide in Rwanda", in Adam Jones, ed., *Gendercide and Genocide* (Vanderbilt University Press, 2004), pp. 127-28. O estudo de Wuggershaus sobre guardas e carcereiros – citado em Jill Stephenson, *Women in Nazi Germany* (Longman, 2001), p. 113 – destaca seu histórico de privações e família disfuncional. Do ponto de vista biológico, uma recente pesquisa psicológica associou hormônios (como a serotonina) e dano cerebral causado por complicações no parto a anormalidades psicológicas e comportamento violento. Ver Blair, Mitchell e Blair, *The Psychopath*, pp. 32, 42; Peter Loewenberg, "Psychohistorical Perspectives on Modern German History", *Journal of Modern History* 47 (1975), pp. 229-79; Richard Bessel e Dirk Schumann, eds., *Life after Death: Approaches to a Cultural and Social History of Europe during the 1940s and 1950s* (Cambridge University Press, 2003); e Dirk Schumann, ed., *Raising Citizens in the Century of the Child* (Berghahn, 2010), pp. 111-13.

174 Outros estudos, inclusive o de Theodor Adorno: Theodor Adorno et al., *The Authoritarian Personality* (W. W. Norton, 1950); Aurel Ende, "Battering and Neglect: Children in Germany, 1860-1978", *Journal of Psychohistory* 7 (1979), pp. 249-79; Raffael Scheck, "Childhood in German Autobiographical Writings, 1740-1820", *Journal of Psychohistory* 15 (1987), e Sigrid Chamberlain, "The Nurture and Care of the Future Master Race", *Journal of Psychohistory* 31 (2004), pp. 374-76.

175 teste de manchas de tinta, de Rorschach: Ver Molly Harrower, "Rorschach Records of the Nazi War Criminals: An Experimental Study after Thirty Years", *Journal of Personality Assessment* 40, nº 4 (1976), pp. 341-51, e George Kren e Leon Rappoport, *The Holocaust and the Crisis of Human Behavior* (Holmes & Meier, 1994).

175 "sádico, pervertido ou insano": Citado na introdução a Joshua Rubenstein e Ilya Altman, eds., *The Unknown Black Book: The Holocaust in the German-Occupied Soviet Territories* (Indiana University Press, 2010), p. 35. Sobre Ohlendorf, ver também Hilary Earl, *The Nuremberg SS-Einsatzgruppen Trial, 1945-1958: Atrocity, Law, and History* (Cambridge University Press, 2010).

175 "nem doentes nem anormais...": Relatório de Douglas Kelley, citado em Welzer, *Täter*, p. 9.

175 Esses experimentos psicológicos: Muitas das pesquisas psicológicas no pós-guerra sobre perpetradores nazistas, realizadas por Milgram, Adorno, Ritzler e outros, concluíram que os líderes e funcionários nazistas eram normais. Segundo critérios clínicos aplicados a depoimentos de perpetradores, cerca de 10% dos estudados seriam diagnosticados como patológicos. De fato, a maioria era altamente inteligente, criativa e dinâmica. Analisando resultados do teste de Rorschach, o dr. Ritzler concluiu que cinco entre 16 pessoas examinadas em Nuremberg encontravam imagens semelhantes ao camaleão. Ele diz que essa imagem foi a mais reveladora. Citado em Welzer, *Täter*, pp. 9-11. Sobre o efeito camaleão, ver também Eric Steinhart, "The Chamaleon of Trawniki: Jack Reimer, Soviet *Volksdeutsche*, and the Holocaust", *Holocaust and Genocide Studies* 23 (primavera de 2009), pp. 239-62.

175 não foram publicados: Eleanor Baur, também conhecida como a Sangrenta Irmã Pia, é um dos poucos casos de mulheres que passaram por avaliação psicológica. Nazista linha-dura, ela foi vista em Dachau assistindo a experimentos médicos. Em mais de uma véspera de Natal ela espancou prisioneiros ao mesmo tempo que cantava canções natalinas e lhes estendia pacotes embrulhados. Baur foi presa em 1945. Um médico alemão de uma clínica neurológica em Munique examinou-a quando estava presa e determinou que ela era um "caráter primitivo, incapaz... dominada por um ego forte e impulsos sexuais". Um tribunal de Munique condenou-a em 1949 a dez anos de trabalhos forçados, a sentença máxima permitida nesse tribunal de desnazificação. Ela foi libertada em 1950 por motivos de saúde, e morreu em 1981, aos 95 anos de idade. Ver Ulrike Leutheusser, ed., *Hitler und die Frauen* (DVA, 2001), pp. 178-86. Ver também Hans Holzhaider, "'Schwester Pia': Nutzniesserin zwischen Opfern und Tätern", in *Dachauer Hefte* 10 (1994).

175 "Os indivíduos não eram insanos...": Entrevista da autora com Hermann Weissing, 10 de março de 2010, Münster, Alemanha.

176 Não havia contradição: Baum, *The Psychology of Genocide*, pp. 122-25.

177 "masculina" e "fria como gelo": Entrevista da autora com Hermann Weissing, 10 de março de 2010.

178 Havia mulheres na elite da medicina e da ciência: Dora Maria Kahlich, antropóloga vienense, visitou o gueto de Tarnów para conduzir uma pesquisa racial sobre judeus. Ver Evan Bukey, *Jews and Intermarriage in Nazi Austria* (Cambridge University Press, 2011), p. 51.

179 dinâmica dos relacionamentos homem/mulher: A importância das relações conjugais deve ser enfatizada, não somente como fator causal na perseguição, mas também como uma parte decisiva da atividade de resgate. No Terceiro Reich, um cônjuge podia ser um enorme encargo ou uma vantagem. Além da famosa história de mulheres em Berlim casadas com judeus (protesto da Rosenstrasse), vejam o seguinte caso: em Riga, a conselheira residente de um determinado dormitório de secretárias do Exército, uma alemã, fez amizade com uma judia que tinha chegado à Letônia vindo de Nuremberg, sua terra natal. A alemã surrupiava comida da cozinha do alojamento para dar aos judeus que trabalhavam na frota de veículos do Exército. A SS descobriu, prendeu a alemã e acusou o marido dela, um primeiro-tenente também baseado no Leste. Quando ele soube dos crimes da esposa, e que ele seria responsabilizado pelas ações dela, cometeu suicídio. A esposa sobreviveu à guerra. Ver Yad Vashem Righteous File, n° 49, arquivo 2.828. Ver também Killius, *Frauen für die Front*, p. 183.

179 se exibem uns para os outros: Franz Bauer, um guarda civil alemão em Miedzyrzec-Podlaski, marcou ponto com a esposa, segundo uma testemunha ocular, um ex-prisioneiro judeu-russo que estava lá no gueto. Testemunho sob juramento de Daniel Dworzynski, Linz, 28 de fevereiro de 1962. Correspondência entre Wiesenthal e Staatsanwalt Zeug, Zentrale Stelle der Landesjustizverwaltungen, 8 AR-Z 236/60, 5 de fevereiro de 1962. Foi aberta uma investigação em Dortmund, arquivo n° 45 Js 28/61. Correspondência de Wiesenthal para o Investigative Office for Nazi War Crimes, Tel Aviv, 28 de março de 1963, SWA.

180 Os códigos de conduta moral: Gisela Bock, "Ordinary Women in Nazi Germany: Perpetrators, Victims, Followers and Bystanders", in Leone Weitzman e Dalia Ofer, eds., *Women in the Holocaust* (Yale University Press, 1999), p. 96.

CAPÍTULO 7
O QUE ACONTECEU COM ELAS?

182 35% da equipe da SS: Ver Kathrin Kompisch, *Täterinnen: Frauen im Nationalsozialismus* (Böhlau, 2008), pp. 77, 84. Em 1944, havia 31 mil membros da Gestapo e 13 mil na Kripo.

182 não eram ameaças à sociedade alemã pós-guerra: Gudrun Schwarz, "Verdrängte Täterinnen: Frauen im Apparat der SS, 1939-1945", in Theresa Wobbe, eds., *Nach Osten: Verdeckte Spuren nationalsozialistischer Verbrechen* (Verlag Neue Kritik, 1992), p. 209. Ver também Hilary Earl, *The Nuremberg SS-Einsatzgruppen Trial, 1945-1958: Atrocity, Law, and History* (Cambridge University Press, 2010), pp. 40-4.

183 "mulher-escombro": Elizabeth D. Heineman, "The Hour of the Woman: Survival in Defeat and Occupation", e "Marriage Rubble", in *What Difference Does a Husband Make? Women and Marital status in Nazi and Postwar Germany* (University of California Press, 1999).

183 alemãs como mártires: Sobre as metáforas de gênero da história moderna alemã e nazismo, ver Elizabeth D. Heineman, "Gender, Sexuality, and Coming to Terms with the Nazi Past", *Central European History* 38 (2005), pp. 41-74.

183 demonstração de emoção: O interrogador da secretária de Lida Liselotte Meier Lerm contou que ela se desfez em lágrimas, ficou arrasada e confusa quando apanhada nas próprias mentiras, negou o caso com o chefe e tentou esconder o que sabia. Sua verdadeira culpa não foi determinada. 6 de outubro de 1964, BAL 162/3433.

183 Depois da guerra, Annette Schücking: Schücking foi uma das primeiras mulheres julgadas num tribunal criminal, em Duisburg. Entre 1954 e 1957, ela foi julgada no tribunal civil em Düsseldorf, e de lá foi para os tribunais de Detmold. Casou-se com o jornalista Helmut Homeyer, em 1948, e tiveram dois filhos. Schücking-Homeyer foi considerada uma testemunha potencialmente importante. Em maio de 1974, o dr. Rückerl, chefe do Escritório Central de Administração da Justiça Federal de Investigação de Crimes Nacional-Socialistas em Ludwigsburg, na Alemanha Ocidental, enviou um memorando ao promotor declarando que Schücking-Homeyer deveria ser contatada como testemunha, caso a investigação do *Gebietskommissar* e policiais alemães em Zwiahel/Novgorod Volynsk resultasse em julgamento. Não houve julgamento. O memorando do dr. Rückerl sobre Schücking-Homeyer como testemunha, anexado aos relatos dela, está na Investigation of Gebietskommissar Schmidt, BAL, II, 204a ARZ 132/67, p. 574.

184 "... era impossível...": Entrevista de Schücking-Homeyer concedida à autora e Christof Mauch, 30 de março de 2010, Lünen, Alemanha.

184 fossem minoria: As mulheres representavam de 5% a 18% dos matadores e cúmplices de assassinato indiciados na Áustria, Alemanha Ocidental e Alemanha Oriental. Dos acusados em casos de eutanásias, 22% eram mulheres, e 9% em casos de acusação a guardas de campos. Ver Claudia Kuretsidis-Haider e Winfried R. Garscha, eds., *Keine "Abrechnung": NS-Verbrechen, Justiz und Gesellschaft in Europa nach 1945* (Akademische Verlagsanstalt, 1998), pp. 200-205. Ver também Alexandra Przyrembel, "Ilse Koch", in Klaus-Michael Mallmann e Gerhard Paul, eds., *Karrieren der Gewalt: Nationalso-*

zialistische Täterbiographien (Wissenschaftliche Buchgesellschaft, 2004), pp. 126-27, 130-31.

184 seu papel de administradoras: Quando Hannah Arendt escreveu sua tese sobre a banalidade do mal, baseada em seu estudo de Adolf Eichmann e a burocracia nazista, ela negligenciou o papel das administradoras femininas. O sociólogo Zygmunt Bauman, cuja obra foi fortemente influenciada pela tese de Arendt, também apresentou uma teoria que não considerou o papel das mulheres. Cerca de seis meses após o julgamento de Eichmann, uma assassina de escritório foi levada a julgamento: Gertrude Slottke, de 39 anos, especialista do Departamento "J" (Assuntos de Judeus), no escritório da polícia secreta nazista em Amsterdã. Historiadores que examinaram documentos alemães entre o verão e o outono de 1941 para reconstruir as origens da Solução Final encontraram indícios nas iniciativas regionais, tais como um documento preparado por Slottke em 31 de agosto de 1941, "Combater o judaísmo em sua totalidade", propondo "a solução final da questão judaica, por meio da remoção de todos os judeus". Slottke tinha uma equipe própria de datilógrafas e funcionárias, e participação ativa nas reuniões com seu chefe, o comandante da Polícia de Segurança e do Serviço de Segurança, Wilhelm Harster. Ela fazia listas de judeus a serem deportados para Mauthausen, Auschwitz e Sobibor, e assistiu a pelo menos um arrebanhamento de mulheres judias "histéricas", conforme descrito em seu relatório de 27 de maio de 1943. Os judeus presos no campo de trânsito em Westerbork a chamavam de Anjo da Morte porque ela circulava pelo campo, fazendo a seleção. A família de Anne Frank consta em sua lista de deportados. No julgamento de Slottke e seus chefes homens, o pai de Anne Frank, Otto, também interrogou os réus e lhes mostrou a foto de Anne na capa do diário publicado. Slottke foi condenada a cinco anos de prisão por cumplicidade no assassinato de 55 mil judeus deportados. Em 1967, eram poucos os julgamentos como o dessa assassina de escritório, e as condenações eram raras. A atenção internacional, a cobertura da mídia e o envolvimento de Otto Frank, bem como os do importante caçador de nazistas Simon Wiesenthal e do ex-advogado em Nuremberg Robert Kempner, podem ter reforçado o argumento da promotoria. Sobre o depoimento de Gertrude Slottke e outros materiais sobre julgamento, ver BAL, 107 AR 518/59, Band II. Ver também Yaacov Lozowick, *Hitler's Bureaucrats: The Nazi Security Police and the Banality of Evil* (Continuum, 2000), pp. 165-66, 171, 269, e Elisabeth Kohlhaas, "Weibliche Angestellte der Gestapo, 1933-1945", in Marita Krauss, ed., *Sie waren dabei: Mitläuferinnen, Nutzniesserinnen, Täterinnen im Nationalsozialismus* (Wallstein Verlag, 2008), pp. 154-61.

184 fora dos ambientes institucionais: Sobre a cumplicidade de administradoras de apartamentos e propriedades de judeus em Berlim, ver Brigitte Scheiger, "'Ich bitte um baldige Arisierung der Wohnung': Zur Funktion von Frauen im buerokratischen System der Verfolgung", in Theresa Wobbe, ed., *Nach Osten: Verdeckte Spuren nationalsozialistis-*

cher Verbrechen (Verlag Neue Kritik, 1992), pp. 175-96; Krauss, *Sie waren dabei*, p. 11, e Jill Stephenson, *Women in Nazi Germany* (Longman, 2001), pp. 112-13. Mulheres que denunciavam eram perseguidas, embora não houvesse uma desproporcionalidade de mulheres entre os que denunciavam e os que eram perseguidos por denunciar. Ver Robert Gellately, *The Gestapo and German Society: Enforcing Racial Policy, 1933-1945* (Oxford University Press, 1991), e Ulricke Weckel e Edgar Wolfrum, eds., *"Bestien" und "Befehlsempfänger": Frauen und Männer in NS-Prozessen nach 1945* (Vandenhoeck & Ruprecht, 2003).

186 "um ato do destino...": Citado em Katharina Kellenbach, "God's Love and Women's Love: Prison Chaplains Counsel the Wives of Nazi Perpetrators", *Journal of Feminist Studies in Religion* (outono de 2004), pp. 11-3, 23. Agradeço a Susan Bachrach por essa fonte.

186 Quando telefonei: Entrevista por telefone da autora com Edith N., 22 de abril de 2010. Edith enfatizou que tinha conhecido o marido depois da guerra, quando ele já era um inválido que necessitava de cuidados constantes. Ela chorou ao falar na morte prematura do filho problemático, que foi investigar o passado do pai e ficou arrasado com o que descobriu. Seu marido esteve na divisão da Chefia de Morte da SS e foi atirador no fuzilamento em massa do *sonderkommando* 10a em Taganrog em 1942. Antes disso, ele foi guarda da prisão de Varsóvia.

186 Os pactos de lealdade: Ver Jürgen Matthäus, "'No Ordinary Criminal' Georg Heuser, Other Mass Murderers and the West German Justice", in Patricia Heberer e Jürgen Matthäus, eds., *Atrocities on Trial: Historical Perspectives on the Politics of Prosecuting War Crimes* (University of Nebraska Press, 2008).

186 ex-secretária do comissário distrital em Slonim: Gerda Rogowsky, declaração de 14 de março de 1960, BAL, 162/5102.

186 É claro que nem todo mundo sucumbia: Vorermittlungsverfahren der Zentralen Stelle der Landesjustizverwaltungen wegen NS-Verbrechen im Bereich des ehemaligen Generlabezirks Shitomir/Ukraine, II, 204a AR-Z 131/67, Abschlussbericht, Das Gebietskommissariat Tschudnow. Beweismittel, Depoimentos de testemunhas, Erna Barthelt, Elisabeth Tharun, Elfriede Büschken, Friedrich Paul, Otto Bräse, Elfriede Bräse, Staatsanwaltschaft, Handakten, I 13 Js 60/51, Landesgericht I 13 ERKs 35/51. BAB, BStU 000199-202. Herr Richter, Volkspolizei Oberwachtmeister, VPKA-Wittenberg, "Bericht", 3 de fevereiro de 1950, BStU 00035, Archiv Staatsanwalt des Bezirkes Halle, Fach Nr. 2052. MfS BV Halle, Ast 5544, BStU 00133-138, Urteilurschrift, Strafsache geden den Arbeiter Bruno Sämisch aus Mühlanger Landgericht Dessau, e "Gründe", pp. 1-5. BAB, BStU 00133-138, Archiv Staatsanwalt des Bezirkes Halle, Fach Nr. 2052.

187 Secretárias que davam cobertura: Quando interrogada depois da guerra, Mimi Trsek, secretária de Globocnik, manteve uma lealdade inabalável ao chefe e sustentou sua ignorância sobre a Solução Final. Afirmou que não sabia nada sobre câmaras de gás. Sim, ouvira termos como "reassentamento" e "evacuações", mas não sabia que eram códigos para morte. Mimi manteve essa defesa quando foi entrevistada por um cineasta alemão em 2001. Ver Berndt Rieger, *Creator of Nazi Death Camps: The Life of Odilo Globocnik* (Vallentine Mitchell, 2007), p. 201.

187 o motivo de Woehrn era ódio antissemita: Citado em Kerstin Freudiger, *Die juristische Aufarbeitung von NS-Verbrechen* (Mohr Siebeck, 2002), p. 214.

187 carimbando um documento: *"Erledigt!"* Conversa telefônica com Ruth P., 7 de junho e 2 de agosto de 2011. Agradeço a Andrej Angrick por essa fonte. A investigação da RSHA na Alemanha Ocidental foi a mais extensa, envolvendo a identificação de cerca de 730 membros da RSHA e a acusação de cerca de 50 homens. Landgericht Berlin, 13 de outubro de 1969, KS 1/69 (ZStL: VI 415 AR 1310/63, Sammelakte Nr. 341).

189 "arrastada para essa merda": Vermerk, 9 de outubro de 1960, notas do promotor, BAL, 9 Js 716/59.

189 detalhes que incriminavam: Quando os promotores especiais procuraram fora do círculo fechado de amigos e equipe de Heuser, encontraram outras mulheres alemãs que tinham trabalhado em Minsk durante a guerra que deram depoimentos mais objetivos. Uma secretária que esteve em Minsk de setembro de 1941 a dezembro de 1943 descreveu as operações de assassinato em detalhes críveis. Ela se lembrava muito bem de Heuser e o situou no centro das operações. Cada vez que chegavam transportes de judeus em Maly Trostenets, Heuser subia num caixote e fazia um discurso. Cumprimentos em nome do Reich. Ele dizia aos judeus que eles estavam sendo reassentados e que, naqueles tempos difíceis, precisavam entregar seus bens para o esforço de guerra. Todos os itens seriam registrados numa lista, deixando implícito que eles seriam compensados depois. Eles seriam transferidos para fazendas, para trabalhar na agricultura, e pedia desculpas pelas más acomodações e transportes. Então a secretária contou que tinha ouvido mulheres do escritório de Heuser e colegas homens da SS falarem sobre os eventos nos locais de assassinato em massa e de métodos de matança específicos dos alemães. Ela viu judeus sendo mortos a tiros no pátio do prédio em que morava, e deu os nomes das pessoas que os mataram. Depoimento de Eva Maria Schmidt, 9 de novembro de 1961. Landgericht Köln. Koblenz Sta, 9 Js/716/59. Esse depoimento, junto com a documentação dos tempos da guerra, foi suficiente para condenar Heuser. Ele foi sentenciado a 15 anos de prisão pelo assassinato de 11.103 pessoas, mas foi libertado após dez anos porque a justiça determinou que ele "não era um assassino no sentido comum". Arquivos de Staatsanwalt Koblenz, caso Heuser, Sonderkommission P. 9 Js 716/59. Anotações do interrogatório de Sabine Dick, abril-outubro de 1960.

189 Preconceitos de gênero: Kuretsidis-Haider e Garscha, *Keine "Abrechnung"*, pp. 204-206. Ver Heineman sobre viúvas e estatutos da família na Alemanha Ocidental, *What Difference Does a Husband Make?*

190 lembretes odiosos: Dagmar Herzog, *Sex after Fascism: Memory and Morality in Twentieth-Century Germany* (Princeton University Press, 2005), especialmente capítulo 3, "Desperately Seeking Normality", e Krauss, *Sie waren dabei*, p. 13.

190 o adjunto de Hanweg ainda estava em Mainz: Windisch, que era austríaco, tinha fugido para a Alemanha Ocidental e se escondido em círculos neonazistas na Saarland. Morreu na cadeia, 15 anos depois de preso.

190 Prendeu pessoalmente: Entrevistas da autora com Herbert Hinzmann, ex-*Oberstaatsanwalt*, Mainz, 2 de agosto de 2010, e com Hinzmann e Boris Neusius, Mainz, 14 de fevereiro de 2012.

191 "não me lembro", "não consigo me recordar...": Liselotte Meier Lerm, declaração de 19 de setembro de 1963, BAL, 162/3425; declarações de 5 e 6 de setembro de 1966, BAL, 162/3449 e 3450.

191 criminosos de guerra nazistas na Alemanha Ocidental: Uma delegação da Alemanha Ocidental, incluindo o promotor Hermann Weissing e os advogados de defesa do acusado, foi a Lutsk, onde testemunhas oculares ucranianas soviéticas e polonesas prestaram depoimentos. Entrevista da autora com Weissing, Münster, 9 de março de 2010.

191 "Ela pode ser bem aproveitada": Material biográfico na acusação de Altvater e veredicto, BAL, B162/4524, pp. 20, 22.

191 Juventude Nazista em Minden: Dagmar Reese, *Growing Up Female in Nazi Germany*, trad. William Templer (University of Michigan Press, 2006), citando as recordações de uma contemporânea de Altvater em Minden, p. 154.

192 Durante os procedimentos do julgamento público: Uma testemunha-chave no julgamento de Johanna Altvater Zelle e Wilhelm Westerheide foi um ex-colega alemão, um motorista da Werhmacht (6º Batalhão Técnico, 1ª Companhia) baseado perto do escritório de Westerheide. Esse motorista encontrava frequentemente Westerheide nas ruas de Volodymyr-Volynsky. Caminhavam juntos e conversavam. Em 1943, eles encontraram trabalhadores judeus que se ajoelharam diante de Westerheide. O motorista perguntou por que os judeus faziam aquilo, e Westerheide respondeu: "Porque eu ordeno que façam", e se vangloriou de que tinha 30 mil judeus em seu distrito, amontoados nos guetos, mas agora 18 mil já tinham sido "derrubados", e faltava o resto ser morto. Westerheide acrescentou que estava procurando atiradores e perguntou ao motorista se ele estaria interessado em matar judeus, mas o motorista recusou. Outros das unidades militares dele foram abordados por Westerheide e foram atiradores num massacre no antigo cemitério em 1943. O motorista se lembrou de que, dentre os recrutados, havia

uma banda de músicos. Declaração de Karl Wetzle, 21 de junho de 1963, Oberhausen, BAL, 162/4522, fol. 1. Provavelmente, esses músicos foram os mesmos que tocaram no banquete e largaram os instrumentos para dar uns tiros, conforme declaração de testemunhas polonesas. Depoimento de Josef Opatowski, 7. Instituto Histórico Judeu de Varsóvia, ZIH 301/2014.

193 "sua cidade", "seus judeus" e "Herr Westerheide...": Citado em *Die Tat*, 6 de outubro de 1978. "Das Todes-Getto war 'unsagbar freundlich'", cobertura de imprensa do julgamento. Band IV, bl 773-1004. Westerheide, II, 204 AR-Z 40/61, B162/4523, fol. I. Strafsenat do Bundesgerichtshof.

194-5 "insuficiência de provas" e "Apesar de fortes suspeitas...": Urteil, Bundesgerichtshof, in der Strafsache gegen Westerheide und Zelle, wegen Moerder, 4 StR 303/80. BAL, Band IV, II, 204 AR-Z 40/61.

194 O promotor-chefe desse escritório: Durante o mandato de Weissing no Escritório Central (1965-2000), ele e seus colegas investigaram mais de 25 mil suspeitos e indiciaram 159. Dentre os outros casos controversos que o escritório acusou sem sucesso ou rejeitou estavam os de Erich Priebke e Heinrich Boere. Boere, ex-Waffen-SS (com a Divisão Viking na Ucrânia), foi julgado em Aachen por seus crimes na Holanda e condenado à prisão perpétua em 23 de março de 2010.

195 Em reflexões posteriores: Entrevista da autora com Wiessing, 9 de março de 2010.

195 Houve outro protesto: "Germans Protest Acquittal of Two in War Criminal Case", *New York Times*, 21 de dezembro de 1982.

195 "lei de Ninguém": Hannah Arendt, *Eichmann in Jerusalem* (Viking, 1963). Advogados de defesa não puderam apresentar evidências de que aqueles que não obedeciam às ordens para roubar, deportar e matar judeus eram punidos pelos superiores. Supostas coações e cumprimento de ordens não se sustentaram como argumentos da defesa. A falta de uma Ordem do *Führer* constatável também enfraqueceu a argumentação.

197 "não é certo atirar...": Declaração de Gertrude Segel Landau, 29 de maio de 1947, VCA, Polizeidirektion Wien, investigação do Tribunal do Povo, Vg 3b Vr 7658/47. Felix Landau negou ter reagido da maneira afirmada por Gertrude, e insistiu que a esposa estava mentindo ao dizer que tinha falado com ele para não atirar nas pessoas. Felix admitiu ter confiscado um apartamento de um judeu em Viena em 1938. Durante esse ataque a propriedades de judeus, ele também ameaçou um membro de uma família (os Altman, donos de uma fábrica em Viena) para lhe entregar joias de ouro. Declaração de Felix Landau em 7 de agosto de 1947. Camp Marcus, Abschrift in Wien Stadtarchiv, Vg 8514/46.

197 fugido de uma prisão austríaca: Ao que parece, as prisões austríacas eram bem abertas – Franz Stangl também fugiu da prisão em 1947. Ver Gitta Sereny, *Into That Darkness:*

An Examination of Conscience (Vintage, 1983), p. 353. Para se esconder de investigadores na Áustria e Alemanha, Landau assumiu outra identidade, a de Rudolf Jaschke, afirmando que era um refugiado sudeto de etnia alemã. Na verdade, Landau nasceu em Viena, em 1910. (Investigação preliminar de Landau, e registros da Staatsanwaltschaft Stuttgart, II 208 AR-Z 60a/1959, BAL/3380.) Em 1958, Landau tentou obter uma licença de casamento em Stuttgart. Quando solicitou a certidão de casamento, revelou seu nome verdadeiro e apresentou sua certidão de nascimento austríaca. Foi a investigação dessa falsa identidade que levou à sua prisão, seguida de uma acusação, em 1961, de crimes na era nazista, e uma condenação por assassinato dada por um tribunal de Stuttgart em março de 1962. Ele foi condenado a dupla prisão perpétua, uma punição rara num tribunal da Alemanha Ocidental nos anos 1960. Mas acabou sendo apenas simbólica, pois ele foi perdoado em 1973. Morreu uma década mais tarde. Ver Dieter Pohl, *Nationalsozialistische Judenverfolgung in Ostgalizien, 1941-1944: Organisation und Durchführung eines staatlichen Massenverbrechens* (Oldenbourg, 1996), pp. 392, 417.

197 procurando provas de culpa: Declarações de Gertrude Segel Landau de 29 de maio, 2 de junho e 17 de junho de 1947, e 17 de fevereiro e 27 de fevereiro de 1948. VCA, Wien Stadtarchiv, Vg 8514/46.

198 as testemunhas judias que a acusavam: Regina Katz, que tinha trabalhado como costureira pessoal de Block em Drohobych, foi uma das testemunhas contra Block. Katz tinha dois motivos para procurar as autoridades. Quando o gueto foi liquidado em 1943, a vida de Katz e a de sua filha estavam em risco. Block manteve Katz como trabalhadora, mas não sua filha de 1 ano. Katz queria encontrar a filha e ter certeza de que Josefine Block seria punida. Declaração de Regina Katz, 3 de outubro de 1946, VCA, Amtsvemerk, Haft, 19 de outubro de 1946. Polizeidirektion. Niederschrift vom 19 Okt. 1946, Hausdurchsuchung, Wien Stadtarchiv, Vg 8514/46.

198 "amiga dos judeus": Declaração de Josefine Block, 14 de novembro de 1946, VCA, Vg 8514/46. Declaração de Josefine Block, 12 de fevereiro de 1948, Investigação de Gertrude Landau, VCA, Vg 3b Vr 7658/47. A ex-guarda de Birkenau, Irma Grese, afirmou ter sido vítima dos judeus privilegiados que realmente controlavam o campo; ver depoimento em Donald McKale, *Nazis after Hitler: How Perpetrators of the Holocaust Cheated Justice and Truth* (Rowman & Littlefield, 2012), p. 41.

199 no tribunal de Viena em 1949: O processo investigativo se arrastou por bastante tempo, com Frau Block permanecendo na cadeia até o começo de 1949. As autoridades austríacas fizeram poucos esforços para encontrar testemunhas oculares importantes, judeus "estrangeiros" que "falavam mal o alemão" ou que tinham deixado a Áustria para viver em ambientes menos hostis. As prisões austríacas estavam cheias de suspeitos e havia muito poucos advogados e juízes para dar conta dos casos. Após algum tempo, todo mundo queria seguir com a própria vida, à exceção, talvez, de um promotor, Altmann,

que, em 3 de março de 1949, fez uma acusação de uma página contra Block por tortura e abuso de uma menina. As outras acusações foram descartadas e a única testemunha do crime contra a garota tinha ido embora. Outro juiz assumiu o caso e conduziu o julgamento às pressas, em metade de um dia. Block foi absolvida por unanimidade em 15 de setembro de 1949, por insuficiência de provas. Beratungsprotokoll bei dem Landesgericht Wien, 259/3 stop.

199 Demonstrando pouca compreensão: Uma tendenciosidade semelhante apareceu no caso de Hermine Braunsteiner, também julgada no Tribunal Popular de Viena, na Áustria. A guarda de campo Braunsteiner pegou apenas três anos em 1951 porque "uma mulher vienense jamais seria capaz de ser tão brutal". Em 1981, ela foi condenada à prisão perpétua por um tribunal de Düsseldorf. Ver Claudia Kuretsidis-Haider, "Täterinnen vor Gericht: Die Kategorie Geschlecht bei der Ahndung von nationalsozialistischen Tötungsdelikten in Deutschland und Österreich", in Krauss, *Sie waren dabei*.

199 "A senhora se lembra de que...": Interrogatório de Vera Wohlauf, 19 de novembro de 1964, BAL, B 162/5916, 1655-1658.

203 oito mil judeus: Christopher R. Browning, *Ordinary Men: Reserve Police Battalion 101 and the Final Solution in Poland* (HarperCollins, 1993).

203 Gustav morreu em ação: Para saber mais sobre Gustav Willhaus (1910-1945), ver Pohl, *Nationalsozialistische Judenverfolgung in Ostgalizien*, pp. 333-423.

204 "ia contra todas as noções preconcebidas...": Julgamento de Lemberg, acusação, BAL, 162/4688, p. 274.

204 "cuja consciência não pode...": Citado da cobertura do julgamento por jornais alemães, "Das Urteil im Lemberg Prozess", 30 de abril de 1961, que foi incluído no arquivo de recortes de jornais do promotor de Stuttgart, BAL, 162/4688, 208 AR-Z 294/59.

204 perpetradores julgados na Alemanha Oriental: Trabalho publicado sobre mulheres perpetradoras julgadas na Alemanha Oriental se concentra em guardas de campos, especialmente na SS-Aufseherinnen Ravensbrück. Trinta e cinco foram julgadas e tiveram penas relativamente leves em tribunais soviéticos e da Alemanha Oriental entre 1947 e 1954. Ver a interessante análise de Insa Eschenbach, "Gespaltene Frauenbilder: Geschechterdramaturgien im juristischen Diskurs ostdeutscher Gerichte", in Weckel e Wolfrum, *"Bestien" und "Befehlsempfänger"*, pp. 95-116.

204 Quando Erna Petri foi presa: Minha análise do julgamento de Erna Petri foi adaptada de um material que publiquei num artigo anterior, "Male and Female Holocaust Perpetrators and the East German Approach to Justice, 1949-1963", *Holocaust and Genocide Studies* 24, nº 1 (primavera de 2010), pp. 56-84. Agradeço à Oxford University Press e ao U. S. Holocaust Memorial Museum a permissão de usar passagens (de forma alterada) desse artigo.

204 comuna agrícola local: Landwirtschaftliche Produktionsgenossenschaft (LPG), um termo da Alemanha Oriental para designar uma fazenda coletiva no estilo soviético. Nessa época, promotores da Alemanha Oriental investigavam e promoviam julgamentos de perpetradores na mesma região da Ucrânia. Oficiais de Erfurt não se beneficiavam dessa coincidência; eram vistos como colaboradores das autoridades polonesas e russas. Para julgamentos na Alemanha Oriental e na Galícia, ver Omer Bartov, "Guilt and Accountability in the Postwar Courtroom: The Holocaust in Czortkow and Buczacz, East Galicia, as Seen in West German Legal Discourse", documento apresentado em "Repairing the Past: Confronting the Legacies of Slavery, Genocide, and Caste" (Yale University, 27-29 de outubro de 2005).

205 As confissões arrancadas por coação: Os registros não revelam a coação, embora as horas do dia anotadas nos registros dos interrogatórios sugiram que as sessões eram longas, exaustivas e conduzidas pela madrugada adentro, sem interrupção. As assinaturas dos acusados nas transcrições são trêmulas e irregulares.

205 "mais graves crimes de guerra...": Erfurt, Registro Geral da Stasi, Allg. S 100, BStU 000111-113, AllgS 73, BStU 000019-21, BAB, Archiv-Nr. 403/63, BSTu aussentselle Erfurt, 22 volumes/pastas, além de dez fitas gravadas e dois álbuns de fotos.

206 "Obrigado...": Fita gravada do julgamento de Horst e Erna Petri, Eft. AU 403/63, Arquivos de BStU, BAB.

206 "ocorreram 18 a 20 anos atrás...": Caso Petri, nº 10733, *DDR-Justiz und NS-Verbrechen*, Lfd Nr. 10733, 271-272.

207 "Quais crimes...": Interrogatório de Erna Petri, 15 de setembro de 1961. Processo contra Horst e Erna Petri, BAB, Arquivos de BStU Berlim, arquivo número Eft. AU 403/63 GA 1, USHMMA, RG 14.068, ficha 565.

207 "Por que você negou...": Interrogatório de Erna Petri, 18 de setembro de 1961.

208 até de constrangimento: Na análise de Kathryn Meyer dos procedimentos de desnazificação contra mulheres alemãs, ela concluiu que as expectativas de gênero aumentavam os padrões morais para as mulheres, pois não se esperava que agissem com brutalidade. Essas expectativas influenciaram o julgamento tanto de juristas como de oficiais americanos e alemães ocidentais e orientais. Ver Meyer, *Entnazifizierung von Frauen: Die Internierungslager der US Zone, 1945-1952* (Metropol, 2004).

208-9 "essa gente..." e "Eu admito que minha esposa matou...": Cartas de Petri, BAB, Handakten Staatsanwalt Erfurt, BStU 000379.

210 judias como criadoras de problemas: BAB, Abschrift, 7 de agosto de 1961, Untersuchungsvorgang, Erna Petri, Stasi, Erfurt, 3493/61, Band V, Archiv-Nr. 403/63.

210 Nos meses e anos seguintes: Segundo uma lei de setembro de 1990, uma pessoa podia ser reabilitada se um tribunal da Alemanha Ocidental, ou um tribunal alemão sucessor,

descobrisse que os crimes nazistas pelo quais a pessoa fora condenada não tivessem provas substanciais, se a pessoa tivesse sofrido graves infrações aos direitos humanos nos processos de investigação e julgamento e se o julgamento tivesse sido realizado de modo ilegal. Um em cada seis prisioneiros (ou descendentes de um deles) entrou com pedido de reabilitação, totalizando 106 pedidos. Desses, 43 foram negados ou rejeitados imediatamente, mas o resto foi revisado ou alterado de alguma forma. Das 13 condenações revogadas, muitas se originaram nos julgamentos de Waldheim. Dois prisioneiros foram libertados. Ver Gunther Wieland, "Die Ahndung von NS-Verbrechen in Ostdeutschland, 1945-1990", in *DDR-Justiz und NS-Verbrechen: Sammlung ostdeutscher Strafurteile wegen nationalsozialistischer Tötungsverbrechen* (K. G. Saur Verlag, 2002).

210 Voltou para casa em 1992: É possível que Petri tenha sido libertada em 12 de dezembro de 1991, de acordo com a decisão do tribunal de Stollberg. A decisão e uma citação de Petri, que se debulhou em lágrimas ao falar de sua visita a Gudrun Himmler Burwitz, "a mulher mais maravilhosa", estão em Oliver Schröm e Andrea Röpke, *Stille Hilfe für braune Kameraden: Das geheime Netzwerk der Alt- und Neonazis* (Aufbau Verlag, 2006), pp. 104-105. Entrevista da autora com a família Petri, 24 de julho de 2006.

211 Se Erna residisse na Alemanha Ocidental: Os historiadores discordam quanto à taxa mais alta de condenação de mulheres que foram julgadas. Nos julgamentos amplamente divulgados, como o julgamento de Majdanek, a guarda Hildegard Lächert teve uma sentença de 12 anos de prisão, ao passo que sua contraparte masculina teve uma sentença de oito anos. Uma análise geral de todos os casos na Alemanha Ocidental, porém, levou outro historiador a concluir que a maioria das mulheres julgadas foram absolvidas ou tiveram sentenças de menos de três anos. Ver Michael Greve, "Täter oder Gehilfen?" in Weckel e Wolfrum, *"Bestien" und "Befhlsempfänger"*, p. 202. Ver também Claudia Koonz "A Tributary and a Mainstream: Gender, Public Memory, and the Historiography of Nazi Germany", in Karen Hagemann e Jean H. Quataert, eds., *Gendering Modern German History: Rewriting Historiography* (Berghahn, 2007), p. 161.

211 As imagens da propaganda nazista: Isso foi abordado primeiro pelo ex-nazista Hermann Rauschnigg, e depois repetido pelo historiador Joachim Fest.

211 "os homens organizam a vida...": Citado em Ute Frevert, *Women in German History: From Bourgeois Emancipation to Sexual Liberation* (Berg, 1989), p. 215.

211 criado falsos relatos: Roy Baumeister, *Evil: Inside Human Violence and Cruelty* (W. H. Freeman, 1997), p. 46.

212 historiadora Katrin Himmler: Sobrinha-neta de Heinrich Himmler, Katrin Himmler buscou uma reconciliação pessoal e acadêmica com o passado nazista, publicando um estudo sobre a família Himmler e se casando com um israelense. Ver seu ensaio "'Herrenmenschenpaare': Zwischen nationalsozialistischem Elitebewusstsein und rassenideologischer (Selbst-) Verpflichtung", in Krauss, *Sie waren dabei*, p. 73.

212 enorme quantidade de bens materiais: Götz Aly, *Hitlers Volkstaat: Raub, Rassenkrieg und Nationalsozialismus* (Fischer Verlag, 2005). Algumas das pessoas entrevistadas para este livro me mostraram orgulhosamente objetos que trouxeram de seus anos de guerra no Leste e que hoje estão em exibição em suas casas.

213 coberturas sensacionalistas da imprensa: Dentre os mais ardentes defensores estavam Ilse Koch (a sádica sedutora acusada de fazer cúpulas de abajur com pele de prisioneiros tatuados), Hermine Braunsteiner (o pesadelo de Majdanek) e Irma Grese (a bela sanguinária de Birkenau e Bergen-Belsen). Ver Sybil Milton, "Women and the Holocaust: The Case of German and German-Jewish Women", in Renate Bridenthal, Atina Grossmann e Marion Kaplan, eds., *When Biology Became Destiny: Women in Weimar and Nazi Germany* (Monthly Review Press, 1984), pp. 297-333, e Sarah Cushman, "Women in Birkenau" (tese de doutorado, Clark University, 2010). Para casos na Alemanha Oriental contra mulheres em particular, ver Insa Eschenbach, "'Negative Elemente': Ermittlungsberichte des MfS über ehemalige SS-Aufseherinnen", in Annette Leo e Peter Reif-Spireck, eds., *Helden, Täter und Verräter: Studien zum DDR-Antifaschismus* (Metropol, 1999), pp. 197-210.

213 "sensacionalizou o nazismo...": Koonz, "A Tributary and a Mainstream", p. 161.

EPÍLOGO

216 as trocas de população: Sobre a interação de Hitler e Stalin na Europa Oriental, especialmente na Ucrânia e na Polônia, ver Timothy Snyder, *Bloodlands: Europe between Hitler and Stalin* (Basic Books), 2010.

218 Nos anos 1960, um informante: A testemunha ocular era um ex-prisioneiro judeu-russo que estava no gueto de Miedzyrzec-Podlaski. Franz Bauer era conhecido como o capanga com o cachorro, que costumava dizer: "De manhã, não como até matar um judeu, e de noite não durmo até matar outro. Já matei dois mil judeus com essa pistola." Testemunho sob juramento de Daniel Dworzynski, Linz, 28 de fevereiro de 1962. Correspondência entre Wiesenthal e Staatsanwalt Zeug, Zentrale Stelle der Landesjustizverwaltungen, 8 AR-Z 236/60, 5 de fevereiro de 1962. Foi aberta uma investigação em Dortmund, arquivo nº 45 Js 28/61. Correspondência de Wiesenthal para o Escritório de Investigação de Crimes de Guerra Nazistas, Tel Aviv, 28 de março de 1963, SWA.

218 Entrevistei uma sobrevivente: Entrevista da autora com Gisela Gross, 3 de novembro de 2005, Baltimore.

218 se alguém resolvesse *ajudar* as vítimas: Um relatório da SS sobre a má conduta de homens e mulheres do Reich na Galícia cita alguns casos de casais alemães que empregavam trabalhadores judeus ilegalmente, deixavam os judeus comerem na cozinha da casa

e supostamente arrumaram documentos para uma família fugir para a Romênia. Frau e Herr Gilke, um arquiteto que também administrava a estação ferroviária de Kolomea, interviu numa ação da SS para deportar judeus da estação e pode ter escondido e salvo cinco judeus. Esse caso, entre outros, foi investigado pela SS e pela polícia. Um oficial chamado Roth, que ajudou judeus a fugir da Polônia pela fronteira com a Hungria, foi punido e enviado para um campo de concentração. SSPF Katzmann para HSSPF Krueger, Verhalten Reichsdeutschen in General Gouvernement, 14 de maio de 1943, ITS.

219 condenada à morte: Ulrich Frisse, "The Role of the Local Judiciary: The *Sondergericht beim Deutschen Gericht Lemberg* (Tribunal Especial no Tribunal Alemão Lemberg) and Its Contribution to the Holocaust in Eastern Galicia" (Yad Vashem Summer Workshop Presentation, julho de 2010), pp. 8-10; arquivo-fonte Sondergericht bei dem Deutschen Gericht Lemberg, Strafsache gegen Liselotte Hassenstein wegen Judenbeherbergung, 1º de outubro de 1943, 3 KLs. 103/43. Ver também Jill Stephenson, *Women in Nazi Germany* (Longman, 2001), p. 111.

219 Nos últimos meses da guerra: Richard Evans, *The Third Reich at War* (Penguin, 2010), p. 686.

219 "As ruas de Danzig...": K. H. Schaefer, "Die letzten Tage von Danzig im Jahre 1945", Pfingsten, 16 de maio de 1946. Agradeço a Wolfgang Schaefer pelo acesso a esse manuscrito de seu pai.

219 Soube que um dos meus entrevistados: Entrevista da autora com Maria Seindenberger e com o dr. Boris Neusius, 6 de junho e 20 de outubro de 2010. Hebertshausen, Alemanha, depositada no USHMMA.

ILUSTRAÇÕES

Página

10/11 O Leste Nazista/© Peter Palm, Berlim

37 Membros da Liga de Meninas Alemãs atirando com rifles, como parte de seu treinamento paramilitar, 1936/bpk, Berlin/Art Resource, NY

39 Comício do Partido Nazista em Berlim, agosto de 1935, com faixas dizendo: "Mulheres e meninas, os judeus são a sua ruína"/Cortesia do Arquivo de Fotos do Museu Memorial do Holocausto dos Estados Unidos

57 Enfermeiras da Cruz Vermelha reunidas numa cerimônia de juramento, em Berlim/ Kurt Friedrich, Cortesia dos Arquivos da Cruz Vermelha Alemã

59 Erika Ohr, 1941/Renate Sarkar e Erika Summ

61 Annette Schücking em uniforme de enfermeira, verão de 1941/Cortesia de Annette Schücking-Homeyer e Julie Paulus

67 Ilse Struwe, secretária do Exército, em sua mesa de trabalho, 1942/© Aufbau Verlag GmbH & Co. KG. Berlin, 1999

68 Liselotte Meier, *c.* 1941/Cortesia do Landesarchiv, Coleção Speyer

71 Gertrude Segel, *c.* 1941/Cortesia da Administração Nacional de Arquivos e Registros dos Estados Unidos

77 Fotos de Vera Stähli em sua solicitação de casamento à SS, 1942/Cortesia da Administração Nacional de Arquivos e Registros dos Estados Unidos

80 Fotos de Liesel Riedel em sua solicitação de casamento à SS, 1935/Cortesia da Administração Nacional de Arquivos e Registros dos Estados Unidos

86 Erna Petri na Turíngia, final dos anos 1930/Cortesia do Bundesarchiv, Berlim

91 Capa de um panfleto para assessores de recrutamento na Polônia: "Mulher Alemã! Jovem Alemã! O Leste Precisa de Você!"/Cortesia do Bundesarchiv, Berlim

94 Enfermeiras numa estação confortando soldados/Cortesia dos Arquivos da Cruz Vermelha Alemã

102 Civis e militares alemães olhando corpos de homens enforcados numa rua de Minsk, 1942 ou 1943/Cortesia do Bundesarchiv, Berlim

104 Ilse Struwe num piquenique com colegas na Ucrânia, 1942 ou 1943/© Aufbau Verlag GmbH & Co. KG, Berlim, 1999
107 Lar dos soldados em Novgorod-Volynsk/Cortesia de Annette Schücking-Homeyer e Julie Paulus
119 Judeus obrigados a marchar por Lida antes de serem mortos, março de 1942/Cortesia do Landesarchiv, Coleção Speyer
120 "Frau Apfelbaum" com um rifle na floresta de Lida/Cortesia do Landesarchiv, Coleção Speyer
122 Mapa ilustrado com caixões indicando o número de judeus mortos em cada região em 1941, enviado pelo Einsatzgruppen A/Arquivo de Fotos do Museu Memorial do Holocausto dos Estados Unidos, cortesia de Thomas Wartenberg
133 Vera e Julius Wohlauf divertindo-se no verão de 1942/Cortesia do Staatsarchiv, Hamburgo
145 Erna Petri em sua propriedade em Grzenda/Cortesia do Bundesarchiv, Berlim
163 Prisioneiras alemãs detidas em Kassel, Alemanha/Cortesia do Yad Vashem
179 Judeu saindo do esconderijo/Cortesia do Landesarchiv, Coleção Speyer
192 Johanna Altvater Zelle num álbum usado por investigadores israelenses/Cortesia do Yad Vashem
205 Fotos de Erna Petri na prisão/Cortesia do Bundesarchiv, Berlim

Impressão e Acabamento:
EDITORA JPA LTDA.